« RÉPONSES/SANTÉ »

Collection dirigée par Joëlle de Gravelaine

Le docteur Bernard S. Siegel a fait ses études à la Colgate University et au Cornell University Medical College. Il appartient à deux sociétés honorifiques d'universitaires, Phi Beta Kappa et Apha Omega Alpha. Il a débuté comme chirurgien au Yale New Haven Hospital et exerce à l'hôpital pour enfants de Pittsburg. Il est aujourd'hui chirurgien généraliste et pédiatre à New Haven.

L'avis d'Elisabeth Kübler-Ross
sur ce livre :

"Un livre merveilleux que chaque patient et chaque médecin sceptique devraient lire. Si nous tenons compte de l'avis de Bernie Siegel, nous pourrons tous demeurer plus jeunes et en meilleure santé pour bien plus longtemps !"

DU MÊME AUTEUR

chez le même éditeur :

Messages de vie, 1991

Dr BERNIE S. SIEGEL

L'AMOUR, LA MÉDECINE ET LES MIRACLES

Traduit de l'américain par Claude Farny

ROBERT LAFFONT

Les faits relatés dans *Love, Medicine & Miracles* sont authentiques, seuls les noms des personnes et des lieux et certaines particularités individuelles ont été modifiés afin de préserver à la fois la cohérence de l'ouvrage et la vie privée de chacun.

Couverture : Illustration de Dimitri Selesneff.

Titre original : LOVE, MEDICINE AND MIRACLES

ISBN : 2-221-05507-1
(Édition originale :
ISBN : 0-06-015496-9 Harper & Row, Publishers, New York, 1986.)

À l'Acte de Création.

À mes parents, Si et Rose, pour m'avoir appris l'amour et l'espoir.

À ma femme Bobbie dont la présence à mes côtés a toujours été source de savoir et d'amour.

À ses parents, Merle et Ado, pour leur courage et leur humour.

À nos enfants, Jonathan, Jeffrey, Stephen et les jumeaux, Carolyn et Keith, pour l'amour et la beauté qu'ils ont apportés à notre vie.

À tous mes associés, patients et amis exceptionnels, pour avoir pris le temps de m'apprendre, de me soutenir et de m'accepter.

À Victoria Pryor, Carol Cohen, Gary Selden dont l'amour, la tolérance et le pardon m'ont permis de mener à bien l'écriture de ce livre.

PRÉFACE À LA DEUXIÈME ÉDITION

Depuis la première publication de Love, Medicine and Miracles *l'année dernière, un certain nombre d'événements sont venus renforcer ma croyance en nos capacités internes de guérison. Divers travaux ont par exemple été publiés, concernant la vérification expérimentale des effets d'une psychothérapie orientée vers l'amour.*

*Powell et Thoresen, du Mount Zion Hospital de San Francisco, ont ainsi réussi à diminuer de moitié le taux de rechutes des patients après une coronarite. « Une telle technique thérapeutique représente un défi pour le patient car elle l'oblige à transformer son impatience, sa rage et son hostilité en considération et (pour employer un mot peu courant en psychologie) en amour pour autrui. » Dans un article publié par l'*American Journal of Psychiatry, *Forester, Kornfeld et Fleiss affirment que la psychothérapie réduit la détresse psychologique et* physique *des patients en radiothérapie. Dans le* Journal of Behavioral Medicine, *Glaser montre que la réparation de l'A.D.N. des lymphocytes exposés aux rayons X se fait plus facilement chez les sujets les moins angoissés. Espérons que d'autres questions trouveront bientôt leur réponse et que la science va s'engager dans une direction nouvelle en reconnaissant le lien qui unit conscience et guérison. Il reste encore bien des cloisons à abattre avant qu'une communication s'établisse entre chercheurs et cliniciens, mais l'existence de la psycho-neuro-immunologie facilitera peut-être ce décloisonnement. Il y a peu de temps, une femme cancéreuse de soixante-cinq ans est venue me consulter. Sa sœur jumelle était morte d'un cancer* *à trente ans, après avoir été maladive toute sa vie. Ma patiente, au contraire, s'était toujours fort bien portée jusqu'au jour où, attirée par la mort, elle avait contracté un cancer. Si notre avenir était programmé d'avance, pourrait-il y avoir trente ans de distance entre deux maladies semblables chez des sœurs jumelles ? Non ! La maladie est inséparable de notre état de conscience.*

Il faut réformer l'enseignement de la médecine si nous voulons former les médecins attentifs et compatissants dont les malades ont besoin. Comme l'écrit Henri Nouwen dans Out of Solitude *:*

> *« Dans une communauté comme la nôtre, nous avons privilégié le traitement. Nous voulons être des experts : guérir les malades… Mais nous sommes toujours tentés de nous retrancher derrière notre technique pour rester à une distance prudente de ce qui compte vraiment et oublier que sans sollicitude un traitement peut finalement faire plus de mal que de bien.*
>
> *« Il suffit de se poser honnêtement la question pour se rendre compte que les gens que nous apprécions le plus sont ceux qui, au lieu de nous donner des solutions, des conseils ou des traitements, choisissent de partager nos peines et de toucher nos blessures d'une main légère et tendre. L'ami qui peut rester auprès de nous sans rien dire dans un moment de désespoir ou de confusion, l'ami qui nous offre le réconfort de sa présence dans le chagrin et dans la douleur, l'ami qui accepte de ne pas savoir, ne pas soigner, ne pas guérir et qui affronte avec nous la réalité de notre impuissance, celui-là est un ami sincère. »*

Il y a quelques mois, j'ai affiché sur le tableau réservé aux médecins de l'hôpital une étude scientifiquement valable, due à un cardiologue de San Francisco, qui démontrait l'efficacité de la prière dans la réduction de complications post-myocardiales. Dès le lendemain, quelqu'un avait écrit « Foutaises » *en travers de l'article. Mais certains signes montrent que dans l'avenir les médecins vont changer et ouvrir les yeux.*

Dès lors, nous cesserons de parler de « cancer bénin » ou de « virus du SIDA affaibli » pour nous intéresser à ceux qui combattent ces maladies. Après la publication de ce livre, j'ai reçu des lettres de gens qui survivent au cancer, au SIDA, à la sclérose latérale amyotrophique, à la sclérose en plaques et autres maladies alors qu'aucun méde-

cin n'y croyait. C'est pourquoi je garde l'espoir et je reste persuadé qu'« il n'y a pas de maladies incurables, il n'y a que des individus incurables ». Je suis incapable de prédire l'avenir, mais je sais que l'espoir existe. Tout comme je sais que bien des gens sont morts aujourd'hui pour avoir cru au pronostic de leur médecin. Mon idée n'est pas d'encourager la défiance mais de susciter une collaboration, fondée sur la confiance et l'espoir, entre médecin et malade.

Je ne considère pas non plus la mort comme un échec. L'échec, pour moi, c'est la peur de renoncer aux conditionnements négatifs de l'enfance. Plus je travaille avec mes semblables, plus je mesure l'influence — tant positive que négative — de notre éducation. Relevons le défi de la maladie et de la vie, nous aurons gagné.

William Calderon a gagné. Quand j'ai écrit ce livre, il survivait au SIDA. Il est mort cette année. Mais il survit dans le cœur, dans la mémoire et dans la vie de ceux qui l'ont connu. Comme l'a dit William Saroyan : « Rien de ce qui est bon ne se termine jamais. » Une lettre d'un ami de Calderon, publiée dans le New York People with AIDS News-Letter, *décrit avec quel courage et quel amour il a aidé d'autres malades du SIDA, même si cet effort devait contribuer à affaiblir ses défenses immunitaires. Son exemple et son amour l'ont rendu immortel. « Le courage et la détermination de William Calderon doivent nous servir de modèle à tous. Puisse son esprit demeurer avec nous et nous inciter à aimer l'être que nous sommes, car c'est l'essence de toute guérison. » Amen.*

Cela veut-il dire que mon livre ne concerne pas les malades du SIDA ? Non ! Dans un article publié par la San Francisco Chronicle, *Katy Butler parle de survivants du SIDA qui ont dépassé, de quatre ans et demi à cinq ans, le pronostic des médecins. Il est donc possible de survivre, quelle que soit la maladie. Mais si chaque survivant avait une histoire différente, je n'aurais aucune raison d'écrire. Il n'y aurait aucun message à faire passer. La vérité est que toutes ces histoires sont similaires.*

Katy Butler étudie dix cas de rémission prolongée, dont trois plus en détail. Elle cite l'explication donnée par le Dr Paul Volberdong : « Ils ont peut-être des systèmes immunitaires mieux équipés pour combattre le virus, ou alors c'est le virus qui n'est pas le même pour tout le monde. » Je souscris à la première affirmation, mais j'ajoute qu'il ne s'agit pas d'une coïncidence. Écoutez ces hommes :

« Quand on se trouve confronté à l'évidence de sa propre mort,

on est obligé de réfléchir sur la façon dont on va vivre. J'aurais pu m'enfermer chez moi et attendre la mort ou sortir et me laisser agir par mon chagrin et ma colère. J'essaie toujours de me demander : "Est-ce que je vis comme je vivrais si je n'avais plus qu'un mois à vivre ?" »

« Il faut que les gens sachent que le choix existe. On peut s'appliquer à vivre au mieux l'instant présent ou se réfugier dans la terreur de l'avenir et se laisser étouffer par elle. En mettant tout sur le dos du SIDA, en vivant dans l'obsession du SIDA, on crée en soi-même un monstre puissant et destructeur. »

« Je vais probablement mourir du SIDA. J'ai bien vécu et je n'ai pas de regrets. J'ai fait mon testament et enregistré une cassette pour mon service funèbre ; quelques bons poèmes et la musique que j'aime... J'ai toujours considéré la mort comme une aventure fantastique. Je l'attends avec impatience. »

Je vous conseille de vivre votre *vie. Laissez cette merveilleuse intelligence intérieure s'exprimer à travers vous. Le dessin de votre moi authentique est déjà imprimé en vous. L'œuf microscopique qui est devenu vous contenait, d'une façon mystique, le programme de votre développement physique, intellectuel, émotionnel et spirituel. Laissez ce développement s'accomplir pleinement ; épanouissez-vous. Suivez votre nature et devenez ce que vous voulez être. Ne grimpez pas l'échelle du succès pour vous apercevoir qu'elle s'appuie sur un mur fissuré. Et ne laissez pas l'âge vous empêcher de continuer à vous accomplir en tant qu'être humain.*

J'espère que mon livre vous aidera à trouver votre voie et à guérir. La vie est pleine d'épreuves, mettez-les à profit et engagez-vous dans une nouvelle direction, la vôtre.

Souvenez-vous que l'amour guérit. Je ne veux pas dire que l'amour est un traitement mais qu'il guérit et qu'en guérissant il peut venir à bout de n'importe quelle maladie.

Dr BERNIE S. SIEGEL

New Haven
Juin 1987.

INTRODUCTION

> « Le fait que l'esprit régisse le corps, bien que négligé par la biologie et par la médecine, est la connaissance la plus fondamentale que nous ayons du processus vital. »
>
> Dr Frank ALEXANDER.

Il y a plusieurs années, un groupe d'infirmières de l'hôpital voisin me demanda de venir parler à Jonathan, médecin qui venait d'apprendre qu'il avait un cancer au poumon. Au moment de son hospitalisation, il était en bonne forme physique, confiant et toujours prêt à plaisanter avec les infirmières. Mais l'annonce de sa maladie l'avait terriblement déprimé.

J'évoquai avec lui la relation entre moral et maladie, je lui rappelai l'expérience que rapporte Norman Cousins dans son livre, *La Volonté de guérir* :

> « J'ai vécu pour la première fois à dix ans l'expérience d'avoir à faire face à un sombre diagnostic médical lorsqu'on m'envoya en sanatorium. J'étais frêle, mon poids était au-dessous de la normale, et il était logique de supposer que j'étais victime d'une grave maladie. On découvrit plus tard que le médecin avait fait l'erreur d'interpréter une calcification normale comme indice de tuberculose. On ne pouvait encore, à l'époque, se fier totalement aux rayons X pour établir un diagnostic compliqué. Quoi qu'il en soit, j'ai passé six mois au sanatorium.
>
> « L'aspect le plus intéressant pour moi de cette première expérience était que les malades se divisaient en deux groupes : ceux

qui étaient convaincus qu'ils allaient vaincre leur mal et pourraient reprendre une vie normale, et ceux qui se résignaient à une maladie prolongée, voire fatale. Nous, les optimistes, nous étions devenus bons amis, nous avions des activités créatrices et nous n'avions pas grand-chose à faire avec les malades qui s'étaient résignés au pire. Lorsque de nouveaux venus arrivaient à l'hôpital, nous faisions de notre mieux pour les recruter avant que la brigade lugubre ne se mette à l'œuvre.

« Je ne pouvais pas ne pas être frappé par le fait que le pourcentage de garçons de mon groupe qui étaient déclarés ''guéris'' était beaucoup plus élevé que celui des gosses de l'autre groupe. À dix ans, je commençais à être conditionné philosophiquement : je prenais conscience du pouvoir de l'esprit de surmonter la maladie. Ce que j'appris alors sur l'espoir joua un rôle important dans ma guérison complète et contribua à me faire sentir le grand prix de la vie, sentiment que j'ai toujours conservé depuis. »

Jonathan me dit : « Je sais tout ça. Moi aussi j'ai eu la tuberculose. On voulait me faire faire deux ans de sana mais j'ai affirmé que je serais rentré chez moi pour Noël. Six mois plus tard, le 23 décembre, je quittais l'hôpital, guéri. »

Je lui assurai qu'il pourrait faire la même chose avec le cancer, mais deux semaines plus tard il était mort. Sa femme me remercia d'avoir essayé de l'aider et m'expliqua qu'il n'avait pas voulu se battre parce que sa vie et son travail avaient perdu tout sens pour lui.

Sir William Osler, médecin canadien et historien de la médecine affirme que l'issue de la tuberculose dépend beaucoup plus de ce qui se passe dans la tête du malade que de ce qui se passe dans sa cage thoracique. Et avant lui, Hippocrate disait qu'il lui était plus facile de prévoir quel genre de personne aurait une maladie que de savoir quel genre de maladie aurait une personne. Louis Pasteur et Claude Bernard, au XIXe siècle, discutèrent toute leur vie de l'importance relative du « terrain » (le corps humain) et du germe dans la genèse de la maladie. Peu avant sa mort, Pasteur admit que Claude Bernard avait raison de soutenir : « C'est le terrain. »

Malgré la perspicacité de ces éminents cerveaux, la médecine moderne continue à centrer toute son étude sur la maladie et à se tromper d'orientation. Les médecins font toujours comme si la maladie attrapait les gens au lieu d'admettre que les gens attrapent une maladie quand ils deviennent sensibles aux microbes qui les menacent en permanence. Si les meilleurs praticiens n'ont jamais été dupes, la médecine s'est rarement penchée sur le cas de ceux qui ne tombent jamais malades, par exemple. Et combien de médecins comprennent que l'attitude d'un individu face à la vie détermine à la fois la qualité et la durée de cette vie ?

Les malades réagissent très différemment. Certains sont prêts à faire n'importe quoi pourvu qu'on ne leur demande pas de changer, même si ce changement pouvait les aider à guérir. Quand je leur offre le choix entre se faire opérer et vivre autrement, 8 sur 10 me disent : « Opérez. C'est moins pénible. Tout ce que j'aurai à faire c'est trouver une garde pour mes enfants pendant la semaine que je passerai à l'hôpital. » À l'opposé, il y a ceux que j'appelle les patients exceptionnels ou « survivants ». Ils refusent de s'avouer vaincus — comme cette femme aveugle, diabétique, amputée et cancéreuse qui passe presque tout son temps au téléphone à réconforter d'autres malades. Ce sont des gens comme elle qui m'ont appris que l'esprit peut avoir une action spectaculaire sur le corps, et que la capacité d'aimer reste intacte dans les corps les plus torturés.

La théorie freudienne selon laquelle l'instinct de conservation est en conflit permanent avec un instinct de mort a été réfutée par un bon nombre de psychanalystes modernes. Il n'en demeure pas moins que certains êtres se conduisent exactement comme s'ils désiraient écourter leur vie. Les patients exceptionnels réussissent à dépasser les contraintes, les conflits et les habitudes qui en déterminent d'autres à se laisser guider, consciemment ou inconsciemment par ce « désir de mort ». Chacune de leurs pensées, chacun de leurs actes militent en faveur de la vie. Personnellement, je crois que nous avons tous en nous des mécanismes biologiques de vie et de mort. Les recherches d'autres médecins et mon expérience quotidienne en milieu hospitalier m'ont convaincu que l'état d'esprit du malade modifie l'état de son corps, par l'intermédiaire du système nerveux central, du système endocrinien et du système immunitaire. La paix intérieure diffuse dans le corps un message de vie, alors que la dépression, la peur et les conflits non résolus envoient des messages de mort. C'est pourquoi toute guérison est scientifique, même si la science est encore incapable d'expliquer comment se produisent certains « miracles ».

Les patients exceptionnels manifestent leur volonté de vivre avec une efficacité remarquable. Ils prennent leur existence en main même s'ils n'ont jamais su le faire, et ils luttent farouchement pour retrouver santé et sérénité d'esprit. Ils ne comptent pas sur les médecins pour faire le travail à leur place, ils les considèrent plutôt comme des partenaires mieux informés auxquels on peut demander une assistance technique mais aussi une écoute et un investissement personnel. Si un médecin ne répond pas à leur attente, ils en changent.

Mais les patients exceptionnels sont aussi capables d'aimer et donc de comprendre les difficultés auxquelles se heurte le praticien. Le conseil que je donne souvent aux gens déçus par leur médecin c'est de le serrer dans leurs bras. Cette marque d'affection a généralement pour effet de rendre le médecin plus attentif aux besoins du patient parce que celui-ci devient *un individu* face à un autre individu qui cesse de le traiter comme *une maladie*. Une de mes patientes m'a raconté qu'elle était allée revoir son ancien médecin avec l'intention de le prendre dans ses bras, comme je le lui avais conseillé, mais qu'elle n'avait pas osé. « Alors, me dit-elle, je l'ai regardé avec toute la compassion dont j'étais capable et, devinez ce qui s'est passé... Il s'est assis et m'a raconté qu'il se trouvait trop gros, qu'il avait besoin de faire de l'exercice et, finalement, c'est lui qui m'a serrée dans ses bras ! » Si, pour une raison ou une autre, cette tactique reste sans effet, il faut effectivement changer de médecin. Je connais trop de malades qu'une mauvaise relation avec le leur tue littéralement à petit feu.

Tout le monde peut devenir un patient exceptionnel, et le meilleur moment pour commencer, c'est avant de tomber malade. Peu de gens utilisent pleinement leur force vitale avant qu'une maladie potentiellement mortelle les incite à « changer de cap ». Mais pourquoi attendre la dernière minute ? Le pouvoir de l'esprit existe, il est à notre disposition et s'exerce plus facilement quand nous ne sommes pas en danger de mort. Pour l'utiliser, il n'est pas nécessaire d'adhérer à un système religieux ou philosophique particulier. Par ailleurs, si la plupart des cas présentés dans cet ouvrage concernent le cancer, c'est uniquement parce que le cancer est la maladie mortelle la plus fréquente dans ma pratique, mais les mêmes principes s'appliquent à toutes les maladies.

Le problème fondamental c'est souvent l'incapacité de s'aimer soi-même parce qu'on n'a pas été aimé à une période cruciale de sa vie. Cette période est généralement l'enfance, époque où s'élabore, par la relation avec nos parents, notre façon personnelle et unique de réagir au stress. Devenus adultes, nous reproduisons ces réactions, nous devenons vulnérables à la maladie et notre personnalité détermine bien souvent la nature spécifique de cette maladie. La capacité de s'aimer soi-même, combinée à la capacité d'aimer la vie en acceptant qu'elle ne durera pas toujours, nous permet d'améliorer la qualité de notre existence. En tant que chirurgien, mon rôle consiste à prolonger la vie de mes patients pour leur donner le temps de *se* guérir. J'essaie de les aider à se sentir mieux, mais aussi à comprendre pourquoi ils sont tombés malades. Cela leur permettra de guérir réellement et pas seulement de se débarrasser d'une maladie particulière.

Ce livre se propose de vous aider à changer, en vous contant l'itinéraire de mes patients et l'histoire de mon éducation par ces êtres exceptionnels. J'aimerais que ce témoignage de leur difficile accession à l'art de vivre vous serve de guide. Je ne suis pas un donneur de conseils. J'essaie plutôt de vous aider à atteindre cette partie de vous-même qui sait ce qui vous convient le mieux et d'éveiller votre volonté de suivre ses conseils. J'espère vous toucher au-delà de l'intelligence rationnelle car les miracles ne sont jamais le fruit de la raison froide. Ils ont besoin, pour se produire, que vous découvriez votre être authentique et votre véritable chemin dans la vie.

Si vous souffrez d'une affection dite mortelle, le changement dont je vous parle peut vous sauver la vie et la prolonger bien au-delà des prévisions médicales. À tout le moins il vous permettra de tirer du temps qui vous reste plus de satisfactions que vous ne le croyez possible aujourd'hui. Si vous êtes simplement « maladif », toujours mal fichu sans savoir pourquoi, les principes que j'ai appris de mes patients exceptionnels peuvent vous rendre la joie de vivre et vous éviter de tomber malade à l'avenir.

Si vous êtes médecin, j'espère que ce livre vous fera connaître des méthodes dont vous ressentiez le besoin depuis longtemps, des techniques qui n'ont jamais été étudiées en faculté. Les médecins ne se rendent pas compte de la façon dont ils parlent aux cancéreux. À un cardiaque ils conseilleront de modifier certains de ses comportements (régime alimentaire, exercice, etc.), lui donnant ainsi l'impression de participer au processus de sa guérison. Mais que le même patient revienne huit jours plus tard avec une perruque et des lunettes noires en disant qu'il a le cancer, pratiquement tous les médecins lui diront : « Si ce traitement ne marche pas, je ne peux rien faire pour vous. » Nous devons apprendre à donner aux malades la possibilité de participer à leur guérison, *quel que soit le mal dont ils souffrent*.

Je n'ai pas écrit ce livre pour prouver que je suis meilleur médecin que les autres, j'essaie au contraire d'expliquer à quel point je me sentais mal à l'aise avant de comprendre, grâce à mes patients, que la médecine va bien au-delà du scalpel et de la pilule. Je sais que vos salles d'attente sont remplies de gens qui drainent votre énergie sans pour autant se rétablir. Je connais la sensation d'impuissance et de découragement que ressent le praticien. Nous avons autant de problèmes que les autres et nous sommes en outre investis du rôle que définit pour nous la Faculté : celui du mécanicien miracle pour qui la maladie et la mort deviennent des échecs personnels. Dans la mesure où personne n'est éternel, la mort ne peut pas être un échec. Le véritable échec c'est de refuser le défi de la vie. Je veux vous parler de cette minorité de patients qui peuvent vous redonner courage, ceux qui, contre toute attente, recouvrent la santé. Je veux vous montrer comment vous mettre à l'écoute de ces gens exemplaires et aider les autres à retrouver le désir de vivre qui est en eux. Cet apprentissage vous aidera nécessairement à mieux vivre et à mieux soigner.

Nous devons bannir de notre vocabulaire le mot « impossible ». Comme le disait Ben Gourion dans un tout autre contexte : « Qui ne croit pas aux miracles n'est pas réaliste. » Quand nous aurons compris que des termes comme « rémission spontanée » ou « guérison miraculeuse » nous abusent et nous mettent sur de fausses pistes, nous commencerons à apprendre. De tels concepts impliquent en effet que la chance a aidé le malade alors qu'il s'agit bien souvent d'un dur travail. N'invoquons pas la grâce divine. N'oublions jamais que le miracle d'aujourd'hui sera sans doute un fait scientifique demain. Ne fermons plus les yeux sur des faits ou des événements pas toujours mesurables. Ils se produisent grâce à une énergie interne qui nous est donnée à tous. C'est pourquoi je préfère le terme d'auto-guérison qui implique un travail personnel et conscient de la part du malade. Laissez-moi vous parler de ces patients exceptionnels et de la façon dont ils se guérissent eux-mêmes.

Bernie M. SIEGEL
Docteur en médecine.

New Haven, Connecticut
Avril 1986.

Kostoglotov (dit) « tout ce que je veux dire c'est que nous ne devons pas nous confier comme des cobayes aux médecins. Tenez, je suis en train de lire ce livre (il prit sur le rebord de la fenêtre un livre épais, de grand format, qu'il brandit devant l'assistance). "Abrikossov et Stroukov : *Traité d'anatomie pathologique*, manuel à l'usage des facultés". Eh bien, ils disent que le lien entre l'évolution de la tumeur et l'activité des centres nerveux est encore très mal étudié. Or, ce lien va vous étonner ! Il est écrit noir sur blanc (Kostoglotov retrouva la ligne en question) que "dans certains cas, assez rares, on assiste à des guérisons spontanées". Vous vous rendez bien compte ? des guérisons spontanées ! »...

Un remous parcourut la chambre. Il semblait que, de ce grand bouquin ouvert à la page fatale, venait de s'envoler, tel un papillon aux couleurs d'arc-en-ciel, l'espoir palpable de cette guérison spontanée, et chacun tendait le front et la joue pour que le papillon bienfaiteur l'effleurât dans son vol.

« Spontanée ! » reprit Kostoglotov ; il avait reposé le livre et scandait ses paroles en battant l'air de ses mains grandes ouvertes... « Ça veut dire qu'un beau jour, sans rime ni raison, la tumeur se met à régresser. Elle diminue, s'étiole et finalement, plus de tumeur ! Hein ? Qu'en dites-vous ? »

Ils restaient tous bouche bée, médusés par ce conte de fées qu'une tumeur, leur tumeur, cette tumeur maléfique qui avait gâché toute leur vie, tout à coup, d'elle-même, s'en aille, se rétracte, s'épuise et disparaisse ?

Tous restaient muets, le visage offert à ce merveilleux papillon et seul Poudouïev, dont on entendait crisser le lit, prononça de sa voix enrouée, en tendant son cou de taureau : « Pour ça faut sûrement... avoir la conscience claire ! »

Alexandre SOLJENITSYNE
Le Pavillon des cancéreux.

I

L'ESPRIT DU CORPS

1.
L'INTERLOCUTEUR PRIVILÉGIÉ

> « Une nouvelle philosophie, une façon de vivre, n'est jamais donnée pour rien. Elle doit être chèrement payée et acquise à force de patience et d'efforts. »
>
> Fedor DOSTOÏEVSKI.

Le concept de patient exceptionnel n'est pas enseigné à la Faculté. Je n'ai pu le formuler qu'après une longue période de confusion et de malheur dans ma vie professionnelle. Je n'ai pas suivi de cours sur la guérison et l'amour, je n'ai pas appris à parler avec les malades, ni à me demander pourquoi je voulais être médecin. Pendant mes études, je n'ai pas été guéri, bien que je sois censé guérir les autres.

Dans les années 70, après dix ans de pratique de la chirurgie, j'ai commencé à trouver mon métier très pénible. Il ne s'agissait pas d'une banale crise de surmenage ; je continuais à résoudre quotidiennement les problèmes complexes qui se posent au médecin, à supporter l'intensité du travail et à prendre les décisions vitales qui s'imposaient. Mais on m'avait appris à penser que mon travail consistait à appliquer mécaniquement certaines recettes pour soigner les gens et leur sauver la vie (car c'est ainsi que l'on définit la réussite médicale). Or, les malades ne se rétablissaient pas forcément et tous finissaient par mourir, si bien que j'avais en permanence une sensation d'échec. Je sentais intuitivement qu'en allant au-delà de ces pratiques mécanistes je devais trouver le moyen de venir en aide aux cas « désespérés », mais il me fallut des années de difficile évolution pour y parvenir.

À mes débuts, la nécessité d'affronter chaque jour de nouveaux problèmes, de relever sans cesse des défis me passionnait car je redoutais la routine. Mais au bout de quelques années, ces défis perpétuels me parurent monotones. Je rêvais de journées où tout se déroulerait sans le moindre imprévu. Mais il n'y avait jamais de journées sans histoires et ce n'est que plus tard que j'appris à considérer les urgences, les moments de crise, comme des occasions supplémentaires d'aider les gens.

Les chirurgiens ne sont pas infaillibles. Nous faisons de notre mieux, mais nous ne pouvons pas toujours éviter les complications. C'est souvent décourageant mais cela nous permet de garder les pieds sur terre et de ne pas nous prendre pour des dieux. Tout au début de ma carrière, en opérant une petite fille, j'endommageai son nerf facial. La voir se réveiller avec la moitié du visage paralysé me causa un choc terrible et me fit momentanément perdre toute confiance en moi. Devenir chirurgien pour aider ses semblables et se rendre compte qu'on a défiguré un enfant, c'est horrible. Malheureusement, je n'avais pas encore appris que le fait de dissimuler sa peine chaque fois que quelque chose va de travers — réaction typique chez les médecins — ne fait de bien à personne.

Jamais la tension ne se relâchait. Quand on amenait un patient particulièrement mal en point en salle d'opération, toute l'équipe était nerveuse, au bord de la panique, jusqu'à l'arrivée du chirurgien. Alors, je prenais le relais : tout le monde pouvait se détendre tandis que la peur me nouait le ventre. Avec qui la partager ? Je ne pouvais chercher de réconfort qu'en moi-même. Au début de chaque opération je ruisselais de sueur, mais dès que je prenais la situation en main, les lumières avaient beau chauffer autant qu'avant, je cessais de transpirer. Je me sentais désespérément seul et j'attendais de moi la perfection. Le trac me poursuivait jusque chez moi. Dans les jours qui précédaient une intervention délicate, pas un instant je ne cessais d'y penser, de souhaiter que tout se passe aussi bien que dans mon imagination. Après, même si j'avais réussi, je me réveillais la nuit en me demandant si j'avais pris les bonnes décisions. Maintenant, grâce à mon apprentissage avec mes malades, je suis capable de prendre une décision, de m'y tenir et de cesser d'y penser en sachant que j'ai fait de mon mieux. Un médecin qui n'apprend pas à dialoguer avec ses malades se sent aussi seul qu'un prêtre qui ne saurait pas parler à Dieu.

Le plus dur, dans notre profession, c'est peut-être d'avoir si peu de temps à passer en famille. Après un match, le sportif prend une douche et rentre tranquillement chez lui, mais les journées d'un médecin ne sont jamais terminées. J'ai dû m'habituer à l'idée qu'un week-end en famille était un luxe, jamais une certitude. Et je me sentais doublement coupable : en quittant l'hôpital plus tôt, j'avais l'impression de voler du temps à mes malades, et en y passant seize heures par jour, je manquais à ma femme et à mes enfants. Je ne savais comment résoudre cette contradiction. J'étais souvent trop fatigué pour apprécier les soirées en famille. Un soir, j'étais tellement épuisé qu'en raccompagnant une amie chez elle, je pris automatiquement le chemin de l'hôpital.

Les rares moments que je passais chez moi risquaient à tout moment d'être interrompus. Mes enfants me demandaient : « Tu es de garde, ce soir ? » et quand c'était le cas nous étions tous nerveux, persuadés que notre intimité ne durerait pas. La sonnerie du téléphone, qui est pour la plupart des gens un bruit agréable, signifiait pour nous inquiétude et séparation.

L'une des réalités les plus agaçantes de la pratique médicale et que je comprends fort bien aujourd'hui, c'est qu'il meurt plus de malades pendant la nuit que dans la journée. On ne peut pas retenir un mouvement d'humeur quand un patient qui est dans le coma depuis plusieurs jours s'éteint à deux heures du matin et qu'il faut réveiller le médecin et la famille pour leur annoncer la nouvelle. « Les mourants ne pourraient-ils pas avoir un peu plus de respect pour les vivants ? » On se pose la question mais on manifeste rarement cette hostilité. Et puis il faut arriver frais et dispos à l'hôpital tous les matins à sept heures, malgré nos problèmes familiaux et les appels qui nous réveillent deux ou trois fois pendant la nuit.

Le 1er janvier 1974, j'ai commencé à tenir un journal. J'y notais essentiellement mes accès de désespoir. « J'ai parfois l'impression que le monde entier meurt du cancer, écrivis-je. Chaque fois que j'ouvre un abdomen, il en est plein. » Et, un autre jour : « J'ai l'impression de me liquéfier, je suis submergé par l'horreur en pensant à l'avenir. Combien de fois devrai-je soutenir le regard d'un être auquel j'annonce : ''Je suis désolé, mais votre tumeur est inopérable.'' »

Je me souviens d'une vieille dame dont le mari venait de mourir et qui souffrait d'un cancer de l'utérus malgré deux opérations successives. Cette femme se tourmentait à l'idée que chaque jour passé à l'hôpital réduisait la part d'héritage qu'elle léguerait à ses petits-enfants. Et pourtant, elle avait envie de vivre. « Comment trouver la force d'aider tous ces gens dans leur combat quotidien ? » me demandais-je.

Grâce au travail d'introspection que nécessitait mon journal, je finis par comprendre que je devais revoir ma conception de la pratique médicale. Je songeai même sérieusement à changer de métier. Je me voyais professeur ou vétérinaire, parce que les vétérinaires peuvent se montrer affectueux avec leurs patients. Je n'arrivais pas à me décider mais une chose était claire : j'avais envie de rester en rapport avec mes semblables. Peintre amateur, je ne m'intéressais qu'au portrait.

Et puis un jour, je compris. Si, en côtoyant tous les jours les malades, leur famille, des dizaines de docteurs et d'infirmières, j'éprouvais encore le besoin d'un contact humain c'était parce que je n'avais vu jusque-là que des maladies, des feuilles de santé, des cas, des médicaments, des collègues, jamais des gens. Mes patients n'étaient que des mécaniques déréglées que j'étais chargé de réparer. Je me mis à faire attention au vocabulaire que nous utilisions tous à l'hôpital. Cette année-là, je fis une conférence pour des pédiatres. Beaucoup d'entre eux arrivèrent en retard et très excités parce qu'un « cas intéressant » venait d'être admis dans leur service. Je fus frappé par la distance qu'établissait leur attitude avec ce « cas », en l'occurrence, un enfant extrêmement malade et effrayé.

Je me rendis compte qu'à mon insu, moi aussi j'adoptais ce système de défense contre la peur et l'échec. Angoissé, je me renfermais au moment où mes patients avaient le plus besoin de moi. C'est en rentrant de longues vacances, en août 1974, que j'en pris réellement conscience. Pendant quelques jours, je réagis comme n'importe quel être humain. Puis je sentis ma sensibilité s'émousser et l'habitude reprendre le dessus. Pourtant je voulais conserver ma capacité d'émotion ; car le détachement n'empêche pas la souffrance, il l'enfouit simplement à un niveau plus profond. Je pensais qu'une certaine distanciation est nécessaire mais que les médecins l'exagèrent presque tous. La tension nerveuse finit par étouffer leur compassion naturelle. Le soi-disant « intérêt détaché » que l'on nous enseigne en Faculté est une absurdité. C'est un intérêt rationnel qu'on devrait nous apprendre, parce qu'il nous permettrait d'exprimer nos émotions sans entraver notre capacité de décision.

Je continuais à hésiter entre rester chirurgien et renoncer à vingt-cinq ans d'études pour entreprendre autre chose. Je pensais à la psychiatrie qui m'aurait permis d'aider les gens sans avoir à les charcuter. Et puis, l'un de mes patients cancéreux, un pianiste de concert, me fit comprendre que je pourrais être heureux sans changer de profession. Comme sa santé s'améliorait, ses amis l'encouragèrent à remonter sur scène mais cela ne lui disait plus rien. Il trouvait davantage de plaisir à jouer chez lui, tranquillement. Il voulait continuer à faire ce qu'il aimait mais dans un contexte différent, mieux adapté à ses besoins profonds. C'était exactement ce que je devais faire moi-même.

Je décidai donc de « descendre de mon piédestal » et d'ouvrir la porte de mon cœur en même temps que celle de mon cabinet. Je repoussai mon bureau contre le mur de telle façon que mes visiteurs et moi devions désormais nous asseoir face à face. Certains de mes patients se plaignirent de cette disposition mais je leur expliquai que je voulais supprimer tout obstacle entre nous, toute idée d'une hiérarchie entre l'expert et le pauvre type.

Je demandai à mes patients de m'appeler par mon prénom. Au début, cela me fit un peu peur. Je n'étais plus le docteur Siegel mais Bernie, individu sans étiquette pour le protéger. Il fallait donc que je m'aime et que je me fasse respecter pour ce que je faisais, non pour mes titres. Mais c'était une façon simple et efficace de rompre la glace entre médecin et malade.

Déplacer mon bureau et me faire appeler par mon prénom n'étaient que les symptômes d'un changement plus profond. Je transgressai la loi cardinale de la médecine en m'investissant dans la relation avec mes patients. Et je commençai à comprendre ce que vivre avec le cancer veut dire ; j'appris la peur qui ne vous lâche jamais, que l'on soit en train de parler à son médecin, de faire la vaisselle, de jouer avec ses gosses, de travailler, de dormir ou de faire l'amour. Comme il est difficile de conserver son intégrité d'être humain quand on a connu cette peur !

Je cessai de contenir mes émotions devant les scènes affreuses qu'il m'était donné de voir tous les jours. Ce patient, par exemple, que je trouvai un soir couché sur le côté, bavant et se retenant de toutes ses forces pour ne pas uriner, totalement concentré sur son mal et indifférent au paysage magnifique qu'il avait devant lui. Il baignait dans un mélange de bile et de jus de fruits, et je ne pouvais pas détacher mes yeux de la tache qui souillait son drap. Le contraste entre tant de beauté et tant de douleur me désespérait.

Mais j'appris bientôt que je pouvais reconstituer mes forces auprès de mes patients. Devant cet homme malade du cœur et sa femme, dévorée par un cancer au sein, qui faisaient des efforts désespérés pour survivre et aider l'autre, comment continuer à se sentir impuissant ? Quand une femme, plâtrée du nombril au bout des doigts, vous plaint de devoir travailler si tard, vous sentez votre fatigue s'envoler. Et le sourire du mourant qui répond « à demain » quand vous lui dites « bonsoir » vous redonne courage en vous montrant que la mort n'a pas encore envahi son esprit. Je me mis à toucher davantage mes patients, à les embrasser, à les serrer dans mes bras, car je pensais qu'ils avaient besoin d'être rassurés. Par la suite, je compris que c'était moi qui avais besoin de cette tendresse pour continuer... Même enfermés sous une tente à oxygène, mes malades se tendaient vers moi pour me toucher ou m'embrasser, et alors tout ce qui m'abattait, fatigue, découragement, culpabilité, s'évaporait comme par magie. J'étais sauvé.

Devant tant de courage, j'ai souvent souhaité pouvoir faire quelque chose pour faciliter le passage. J'ai commencé à trouver que les méthodes utilisées pour prolonger la vie et soigner les malades, l'un des plus nobles buts de notre civilisation, étaient parfois plus cruelles que l'état de sauvagerie où la mort soulage rapidement des maladies les plus graves. On dit que personne ne peut valablement se représenter sa propre mort, mais qu'en est-il de ceux qui mesurent chaque heure, chaque jour, chaque mois à l'aune de leur douleur ? Les plus âgés se demandent s'ils n'ont vécu si longtemps que pour subir la douleur et l'humiliation de certains *soins*. Il me semble que nous devrions pouvoir aider les gens à lâcher prise, à terminer leur vie quand la vie n'a plus pour eux aucune valeur. (Je parle de façons naturelles de s'en aller, qui sont à la portée de tous dès lors qu'on ne considère plus la mort comme un échec.)

Jamais cette idée que la compassion devait contrebalancer l'héroïsme médical ne m'a frappé avec une telle évidence que pendant l'agonie de Stephen, l'ami d'un collègue. À la suite d'une grave crise cardiaque, il était sanglé dans son lit avec des tuyaux sortant de tous ses orifices. Il était si mal en point que l'ordre avait été donné de « ne pas le ressusciter ». Il pleurait de douleur et de peur, mais personne n'osait lui donner de calmant par peur de hâter une fin inévitable, ce qui aurait pu passer pour une euthanasie. Finalement, mon collègue prit sur lui d'intervenir, bien que son ami fût soigné par un autre médecin. Il lui fit une piqûre de Nembutal qui lui permit de se détendre et de quitter paisiblement son corps. Il murmura : « Merci », et s'éteignit en cinq minutes. Il aurait été mieux dans la rue qu'à l'hôpital. Sa fin aurait été plus rapide et moins pénible pour tout le monde. Comment pouvons-nous prétendre que nous prolongeons la vie quand nous réduisons une personne à l'état de valve entre un liquide qui entre par perfusion et un autre qui sort par la vessie ? Tout ce que nous prolongeons c'est l'agonie.

Le mot « hôpital » vient du latin « hospites », hôte, invité, mais quel genre d'hospitalité trouve-t-on en milieu hospitalier ? Les malades y reçoivent moins de soins et d'attentions que de médicaments. Je me suis souvent demandé pourquoi les architectes ne décoraient pas les plafonds que les gens sont obligés de contempler pendant d'interminables heures. Bien sûr il y a la télévision dans les chambres, mais où sont la musique et les programmes vidéo qui, par la méditation, l'émotion esthétique ou l'humour créeraient un environnement favorable à la guérison ? Et jusqu'à quel point les malades sont-ils libres de conserver leur identité ?

L'un de mes patients m'expliquait récemment dans une lettre comment une atmosphère de plus grande liberté l'avait aidé à se remettre rapidement d'une opération :

> « Mais ce qui m'étonnait c'était de me trouver aussi docile, aussi coopératif, un vrai patient modèle ! Parce que d'habitude, dès que je suis quelque part, il faut que je me fasse remarquer. Je fais des remous pour le simple plaisir de faire des remous. Alors j'ai bien réfléchi et la seule explication que j'aie pu trouver, c'est que l'organisation de l'hôpital était tellement peu autoritaire (le personnel ne porte pas de blouse, par exemple) et l'équipe soignante si humaine que je n'avais aucune raison de me plaindre ou de me rebeller. Et je pense que le fait de ne *pas* me sentir dépendant et impuissant me donnait l'impression de contrôler réellement la situation, sans avoir besoin de le revendiquer. »

À l'hôpital, médecin et personnel deviennent une véritable famille pour le malade qui les voit plus souvent que sa propre parenté. Nous devons assumer cette responsabilité en offrant au patient le même genre de réconfort qu'est censé lui donner sa famille. Mais quelques heures de visite ne permettent pas de faire grand-chose. Je pense à l'un de mes patients qui, malgré un cancer du côlon avec des métastases au poumon et au cerveau, refusa d'aller à l'hôpital parce qu'il voulait mourir au soleil devant sa maison, en écoutant chanter les oiseaux. Pourquoi les hôpitaux ne peuvent-ils pas offrir ce genre de confort ?

En m'autorisant à ressentir aussi vivement que possible la peur et la douleur que connaissent mes patients, j'en arrivai à la conclusion que le rôle de la médecine dépasse largement son aspect technique, j'appris que j'avais bien plus à offrir que mon art et que je pouvais étendre mon champ d'activité aux mourants et à leur famille. Et je découvris qu'en fait, ma vraie raison de rester à l'hôpital c'était la possibilité de manifester mon affection aux malades dans les moments où ils en avaient le plus besoin. Comme l'a écrit mon collègue Dick Selzner, qui est aussi bon essayiste que médecin :

> « Je ne sais plus à quel moment j'ai compris que c'est précisément de cet enfer où nous gagnons notre vie que nous vient l'énergie, la possibilité de nous aimer les uns les autres. Un chirurgien ne sort pas du ventre de sa mère tout barbouillé de compassion comme il l'est de vernix. La compassion vient plus tard et pas d'un coup de baguette magique. Elle naît du chuchotement discret des innombrables blessures qu'il a pansées, des incisions qu'il pratique, des ulcères, des cavernes, des plaies qu'il touche afin de soulager et de soigner. Au début, le murmure est à peine audible mais il s'amplifie et s'assemble au-dessus de milliers de corps douloureux pour s'élancer comme un appel — un son unique, comme le cri des oiseaux solitaires — pour nous dire que de la résonance entre le malade et celui qui le soigne peut naître cette courtoisie profonde que la religion appelle Amour. »

Apparition d'un guide

En juin 1978, ma pratique de la médecine fut profondément modifiée par une expérience inattendue, survenue au cours d'un séminaire organisé par le Dr Carl Simonton et sa femme sur le thème « Psychologie, stress et cancer ». Les Simonton furent les premiers praticiens occidentaux à utiliser la visualisation comme technique de guérison du cancer. Dans *Getting Well Again*, ils rendaient compte des premiers résultats de leur travail avec des cancéreux au stade « terminal ». Sur 159 patients dont aucun n'était censé vivre plus d'un an, 19 % furent complètement guéris, 22 % furent bien améliorés et ceux qui succombèrent avaient en moyenne doublé le temps de survie pronostiqué.

Au début du séminaire, j'eus la désagréable surprise de constater que sur soixante-quinze participants, j'étais le seul médecin, à part un psychiatre et un guérisseur holistique. Les autres étaient des travailleurs sociaux, des malades et des psychologues. J'eus une deuxième surprise désagréable en apprenant que j'étais le seul à ignorer les techniques de méditation, dont on n'avait même pas évoqué l'existence au cours de mes études. J'étais Docteur en Médecine (une déité médicale) et je ne savais absolument rien de ce qui se passe dans la tête ! Les ouvrages sur l'interaction de l'esprit et du corps restent inconnus des spécialistes de la médecine « physique ». Je réalisai pour la première fois quelle avance avaient pris la théologie, la psychologie et la médecine holistique dans ce domaine.

Je songeai aux statistiques concernant la santé des médecins. Ils ont plus de problèmes d'alcoolisme, de drogue et de suicide que leurs patients et ils meurent plus rapidement après soixante-cinq ans. Rien d'étonnant à ce que beaucoup de gens hésitent à se faire soigner par la médecine officielle. Confieriez-vous votre voiture à un mécanicien incapable de réparer la sienne ?

Les Simonton nous apprirent à méditer. À un certain moment, ils nous proposèrent une méditation dirigée qui nous permettrait de rencontrer un guide intérieur. J'entrepris cet exercice avec tout le scepticisme d'un bon docteur-mécanicien. Je m'assis, fermai les yeux et suivis les directives. Si cela devait marcher, ce dont je doutais absolument, je pensais rencontrer au moins Jésus ou Moïse, car qui d'autre oserait apparaître dans l'esprit d'un chirurgien ?

Mais je rencontrai Georges, un jeune homme barbu et chevelu, vêtu d'une longue robe blanche et d'une petite calotte. Comme les Simonton nous avaient dit de communiquer avec quiconque viendrait de notre inconscient, je parlai avec Georges et c'était comme si je jouais aux échecs avec moi-même, sans toutefois savoir quel coup allait jouer mon alter ego.

Georges était spontané, proche de mes émotions et d'excellent conseil. Il me donna des réponses franches que je n'appréciais pas toujours sur le coup. Je flirtais encore avec l'idée d'un changement d'orientation et je lui en parlai mais il me dit que j'étais trop fier pour renoncer à mon habileté de chirurgien si chèrement acquise et recommencer à zéro dans une autre discipline. Par contre, je pouvais faire beaucoup de bien en restant chirurgien mais en changeant moi-même afin d'aider mes patients à mobiliser leur énergie pour combattre la maladie. Je pourrais les guider et les soutenir comme ferait un prêtre ou un psychologue, sans renoncer aux ressources et à l'expérience d'un médecin. À cette combinaison, ma femme donna le nom de « prêtrurgie ». En restant à l'hôpital, je pourrais aussi, par mon exemple, servir de guide aux étudiants, aux soignants et même à mes collègues. Georges me dit : « Vous circulez comme bon vous semble à l'hôpital alors qu'un prêtre ou un psychothérapeute ne le pourrait pas. Vous avez la liberté de compléter le traitement médical par des conseils et de l'amour, comme aucun non médecin ne pourrait le faire. »

Je suppose que l'on peut considérer Georges comme « une voix surgie de mon inconscient grâce à la méditation », ou quelque chose du même genre, s'il faut vraiment lui coller une étiquette. Tout ce que je sais c'est que depuis sa première apparition il n'a jamais cessé d'être pour moi un compagnon précieux. Il me facilite la vie en faisant le plus dur du travail.

Georges m'a aussi aidé à revoir un certain nombre de mes idées sur la médecine. J'ai compris que dans le domaine de la guérison l'exception ne confirme pas la règle ; si un « miracle » — une rémission définitive du cancer, par exemple — se produit une fois, ce n'est pas une aberration mais une possibilité. Et si un malade peut guérir, tous les malades peuvent guérir. La médecine étudie volontiers ses échecs mais elle aurait beaucoup à apprendre de ses réussites. Nous devrions accorder plus d'attention aux patients exceptionnels, ceux qui, contre toute attente, se remettent, au lieu de nous obnubiler sur ceux qui meurent selon le schéma habituel. Comme le dit René Dubos : « Le plus mesurable nous cache parfois le plus important. »

Je m'aperçus que ma confiance dans les statistiques avait paralysé ma capacité de réflexion. Il y a bien longtemps, ayant opéré Jim d'un cancer du côlon, j'avais prévenu sa famille qu'il n'avait plus que six mois à vivre — je me permettais encore ce genre de pronostics, à l'époque — mais il me prouva que je me trompais. Il revint plusieurs fois me voir et je me disais : « Ah, cette fois c'est son cancer qui reprend », mais il s'agissait toujours de problèmes mineurs sans rapport avec le cancer. Quand je lui proposais une thérapeutique de contrôle, il refusait systématiquement. Il était trop occupé à vivre pour perdre son temps avec des traitements que seules les statistiques justifiaient. Il se porte à merveille depuis plus de dix ans. À l'extrême inverse, on trouve des patients comme Irving, un conseiller financier qui plaçait l'argent de ses clients en fonction de statistiques. Il avait un cancer du foie et son oncologue lui dit ce que prévoyaient les statistiques dans son cas. À partir de ce moment-là, il refusa de se battre pour survivre en expliquant : « Toute ma vie j'ai fait des prévisions fondées sur des statistiques. D'après les statistiques, je dois mourir. Si je ne meurs pas, ma vie perd absolument tout son sens. » Il rentra chez lui et mourut.

Le problème, avec les statistiques du cancer, c'est que les cas d'autoguérison n'y sont généralement pas pris en compte parce que personne n'en parle. Dans une enquête sur le cancer côlo-rectal, par exemple, on ne trouve que sept cas d'autoguérison entre 1900 et 1966, bien qu'il y en ait certainement eu beaucoup plus. Mais le malade qui guérit ne va pas nécessairement en informer son médecin et, s'il le fait, celui-ci aura tendance à en conclure que son diagnostic était faux. Par ailleurs, la plupart des médecins considèrent que ce genre de « miracles » relève de la mystique et n'a pas sa place dans les publications médicales. Ou alors ils estiment que ces cas n'ont pas valeur d'exemple pour le reste des malades dont l'état est « désespéré ».

Depuis que ma vision des choses a changé et que je m'intéresse tout particulièrement à ces exceptions, j'entends parler de « guérisons miraculeuses » partout où je vais. Il suffit que les gens sachent que « j'y crois », pour que les langues se délient. Un jour où j'avais pris la parole dans une petite église, un homme me remit une lettre en murmurant : « Lisez-la plus tard », avant de s'en aller. Voici ce que disait cette lettre :

> « Il y a environ dix ans, votre associé a opéré mon père pour lui enlever une partie de l'estomac. Son système lymphatique tout entier était atteint par le cancer et vous-même m'avez conseillé, en tant que fils aîné, de prévenir le reste de la famille de son état, mais j'ai préféré m'abstenir. Dimanche dernier, nous avons fait à papa la surprise d'une grande fête pour son quatre-vingt-cinquième anniversaire. Ma mère, qui a quatre-vingts ans, souriait à ses côtés ! »

Je consultai mon fichier et, bien entendu, nous avions condamné le pauvre homme plus de dix ans auparavant. Il avait un cancer du pancréas et des métastases dans les ganglions lymphatiques. Je vérifiai que le diagnostic était correct. Certains médecins diraient : « C'est une tumeur à évolution lente. » Aujourd'hui, ce monsieur a près de quatre-vingt-dix ans ; l'évolution me semble particulièrement lente, en effet ! Dans un cas comme celui-ci, il faudrait que le médecin se précipite chez son malade pour lui demander comment il se fait qu'il ne soit pas mort malgré ses pronostics. Sinon l'auto-guérison n'apparaîtra jamais dans les publications spécialisées pour nous convaincre qu'il ne s'agit pas de chance, d'erreurs de diagnostic, de tumeurs à évolution lente ni de cancers bien élevés.

Les rebelles s'organisent

À la suite de mon expérience avec les Simonton, j'organisai, avec ma femme Bobbie et Marcia Eager, infirmière, un groupe thérapeutique baptisé ECAP (malades cancéreux exceptionnels), afin d'aider les malades à mobiliser toutes leurs ressources contre la maladie. Nous prîmes pour base de travail le livre des Simonton, *Getting Well Again*, et envoyâmes des centaines de lettres proposant aux malades de leur enseigner des techniques leur permettant de vivre mieux et plus longtemps. Nous pensions recevoir des centaines de réponses, persuadés que chaque personne qui recevrait notre proposition en parlerait à d'autres cancéreux et les amènerait à la première réunion. Après tout, pensais-je, tout le monde n'a-t-il pas envie de vivre? Certains malades ne vont-ils pas au bout du monde chercher des traitements alternatifs qui leur apportent une lueur d'espoir ? Je me demandais même comment j'allais pouvoir accueillir la foule qui se présenterait sûrement.

Nous eûmes douze personnes.

C'est alors que je commençai à comprendre *in vivo* ce que sont vraiment les malades. Ils se répartissent en trois catégories :

15 à 20 % environ de l'ensemble désirent mourir, inconsciemment ou même consciemment. À un certain niveau, la maladie les soulage en leur permettant d'échapper à leurs problèmes par l'incapacité ou la mort. Ce sont les gens qui ne manifestent aucune angoisse quand on leur apprend la nature de leur mal. Pendant que le médecin s'efforce de les soigner, ils résistent et s'efforcent de mourir. Quand on leur demande comment ça va, ils répondent « Bien », et ce qui les préoccupe, « Rien ». Un jour, alors que je venais de comprendre cela, j'assistai à l'entretien d'un de mes collègues avec Harold, la cinquantaine, atteint d'un cancer du côlon, et sa femme. Je l'entendis s'opposer à toutes les propositions de traitement. Finalement, j'intervins : « Je ne crois pas que vous ayez vraiment envie de vivre. »

Sa femme s'insurgea mais Harold l'interrompit : « Attends une minute. Je crois bien qu'il a raison. Mon père, à quatre-vingt-dix ans, est complètement sénile et je ne veux surtout pas finir comme lui. Il vaut sans doute mieux que je meure du cancer tout de suite. »

Cet aveu modifia complètement la situation. Il fallait maintenant le convaincre qu'il pouvait garder jusqu'au bout le choix de vivre ou de mourir et qu'il n'était pas nécessaire de renoncer à de belles années dans le seul but d'éviter une fin déplaisante. Avant d'être trop vieux ou sénile, on a toujours la ressource de dire non à ceux qui voudraient artificiellement prolonger notre vie — ou plutôt notre agonie. Plusieurs jours de discussion permirent à Harold de faire le point et d'accepter de se soigner. Aujourd'hui, il est guéri.

Peu de temps après, un ami psychanalyste me raconta une histoire qui prouve bien jusqu'où peut aller le désir de mort. L'un de ses patients, en pleine dépression, était arrivé un jour chez lui radieux. Mon ami lui demanda ce qui se passait et il répondit :

« Je n'ai plus besoin de vous, maintenant, j'ai le cancer ! » Je me demande parfois à quoi riment toutes les recherches sur la longévité si tant de gens se sentent assez malheureux et désemparés pour vouloir mourir.

Nous devons prendre la mesure de la souffrance humaine et redéfinir nos objectifs. Soigner, qu'est-ce que c'est ? Réussir une greffe du foie, guérir une maladie, ou permettre aux gens de trouver la sérénité intérieure et de vivre pleinement leur vie ? Je connais des quadriplégiques capables de dire qu'ils vont « très bien » parce qu'ils ont appris à aimer et à donner d'eux-mêmes. Ils ne nient pas leur souffrance, ils la transcendent.

Ensuite, il y a la majorité des malades, 60 à 70 % environ. Ceux-là ressemblent à des acteurs auditionnant pour un rôle. Ils font tout leur possible pour plaire à leur médecin. Ils se comportent comme des patients modèles, espèrent que le médecin va faire tout le travail et que la potion ne sera pas trop amère. Ils prennent ponctuellement leurs médicaments et arrivent à l'heure aux rendez-vous. Ils font tout ce qu'on leur dit de faire — pourvu qu'on ne leur demande pas de changer quoi que ce soit à leurs habitudes — et il ne leur vient jamais à l'idée de mettre en question les décisions du médecin ou de prendre des initiatives qu'ils estiment intéressantes. Quand on leur donne le choix, ils préfèrent toujours subir une opération plutôt que de travailler activement à leur guérison.

À l'extrême opposé, on trouve les 15 à 20 % qui sont exceptionnels. Ils ne jouent pas de rôle, ils se contentent d'être eux-mêmes. Ils refusent de se poser en victimes et ils ont raison car ceux qui le font perdent toute initiative, toute envie de se prendre en main.

Je reçois souvent des lettres émanant de groupes nommés « Aide aux victimes du cancer » ou autre. Je commence toujours par leur conseiller de changer de nom parce que les victimes, par définition, n'ont aucun pouvoir de décision sur leur mode de vie. Dans notre société, les malades sont automatiquement considérés comme des victimes. Il y a quelque temps, un ex-cancéreux fut invité à parler à la télévision d'un livre qu'il venait d'écrire. Il expliqua que son cancer s'était résorbé quand il avait cessé de prendre des médicaments et commencé à faire de l'exercice pour extérioriser sa rage. Il avait donc combattu pour guérir, il était guéri, mais cela n'empêcha pas les producteurs de l'émission de le présenter comme « une victime du cancer ».

Les patients exceptionnels ne veulent pas être des victimes. Ils se prennent en charge, travaillent et deviennent les spécialistes de leur propre cas. Ils posent des questions parce qu'ils veulent comprendre leur traitement et y participer. Ils se battent pour garder leur dignité, leur personnalité et leur libre arbitre, quelle que soit l'évolution de leur maladie.

Il faut du courage pour être exceptionnel. Je me souviens d'une femme qui, apprenant qu'elle devait aller en radiologie, dit : « Non. On ne m'a pas expliqué à quoi cela va servir. » Et quand l'infirmière lui dit qu'elle risquait de mourir dans la nuit si elle refusait cet examen, elle insista : « Je mourrai peut-être dans la nuit, mais je ne bougerai pas de ma chambre. » Quelqu'un vint immédiatement lui donner les explications qu'elle demandait. Dans un livre où elle raconte le combat de son mari contre le cancer de la prostate, Kathryn Ryan écrit : « Il s'en alla comme un lion fatigué, pas comme un agneau apeuré. » La fatigue l'avait décidé à lâcher prise, pas la peur.

Les patients exceptionnels veulent savoir ce que signifie chaque chiffre dans les comptes rendus d'analyses. Le médecin qui encourage ce genre d'attitude au lieu de la négliger en se prétendant « trop occupé » augmente énormément les chances de son patient.

Les médecins doivent réaliser que les patients qu'ils trouvent difficiles ou peu coopératifs sont ceux qui s'en sortent généralement le mieux. Le psychologue Leonard Derogatis a étudié le cas de trente-cinq femmes atteintes d'un cancer du sein avec métastases et trouvé que celles qui survivaient le plus longtemps avaient de mauvais rapports avec leur médecin traitant qui leur reprochait de poser trop de questions et d'exprimer librement leurs émotions. De même, la psychologue Sandra Levy a montré que des malades cancéreuses du sein qui exprimaient violemment leur dépression, leur angoisse et leur hostilité vivaient plus longtemps que les moins démonstratives. Sandra Levy et d'autres chercheurs ont prouvé que les « mauvais » malades tendaient à fabriquer davantage de cellules T tueuses, celles qui s'attaquent aux cellules cancéreuses, que les « bons » malades dociles. Une étude publiée récemment par des chercheurs anglais affirme que sur un groupe donné de cancéreux 75 % des sujets « combatifs » ont survécu dix ans contre 22 % parmi ceux qui « acceptaient stoïquement » leur état.

Pour savoir si vous avez le profil du patient exceptionnel, posez-vous dès à présent la question : ai-je envie de vivre centenaire ? À l'ECAP, nous avons constaté qu'un « Oui » spontané et immédiat désignait infailliblement le patient exceptionnel. La plupart des gens y mettent des restrictions : « Seulement si je suis sûr de rester en bonne santé », mais les patients exceptionnels savent que la vie n'offre jamais ce genre de garanties. Ils relèvent le défi en acceptant tous les risques que cela comporte. Tant qu'ils sont vivants, ils se sentent maîtres de leur destinée et profitent pleinement du bonheur qu'ils reçoivent et de celui qu'ils donnent. Ils possèdent ce que les psychologues appellent un « centre de contrôle interne ». Ils n'ont pas peur de l'avenir car ils savent que le bonheur est un travail intérieur.

« Que ceux qui veulent vivre centenaires lèvent la main ! » Quand je lance cette proposition devant une assemblée variée, la moyenne des réponses positives est invariablement de 15 à 20 %. Si l'assemblée est composée de médecins, la moyenne tombe à 5 %. Les étudiants en médecine sont moins négatifs, c'est la pratique qui nous déforme. Et je trouve absolument tragique que si peu de médecins aient suffisamment confiance en eux-mêmes pour donner aux autres l'envie de croire à l'avenir et de se prendre en charge. Le personnel soignant dans son ensemble voit tellement de maladies et d'infirmités qu'il lui devient difficile de conserver une attitude optimiste.

Quand je pose la même question à des groupes de guérison holistiques ou dans des régions rustiques où les gens sont souvent obligés de ne compter que sur eux-mêmes, presque tout le monde lève la main.

J'estime que tous les médecins devraient être obligés, dans le cadre de leur formation, d'assurer des permanences dans des centres de santé pour malades dits « incurables ». Ils n'auraient pas le droit de leur prescrire de médicaments ni de les opérer, ils devraient travailler « à mains nues ». Alors ils apprendraient que l'on peut soulager en touchant les gens, en priant avec eux ou simplement en les écoutant. Il faudrait aussi organiser des réunions annuelles où les médecins pourraient rencontrer les rescapés de maladies graves et se réjouir avec eux de leur victoire commune.

Enseignement mutuel

Rien ne ressemble autant à l'opposition patients ordinaires-patients exceptionnels que la description faite par Platon, dans le Livre IV des Lois, de la médecine des esclaves comparée à celle des hommes libres :

> « As-tu remarqué qu'il existe des malades de conditions différentes… les esclaves et les hommes libres. Et les médecins des esclaves courent à droite et à gauche ou restent en permanence dans les officines. Cette sorte de médecin ne donne aucune explication à ses patients, pas plus qu'il ne les laisse parler de leurs maux. Après leur avoir fait l'ordonnance que dicte sa routine, comme un homme qui connaît son affaire, et après avoir donné ses ordres avec l'arrogance d'un tyran, il court d'un bond à un autre serviteur malade… Mais c'est le médecin de condition libre qui soigne et traite les hommes libres ; il procède à un examen du mal depuis son début et le fait selon ce qu'exige la nature du désordre ; il entre en conversation avec le malade et avec ses amis, ainsi, en même temps il apprend quelque chose et en même temps aussi il instruit, dans la mesure où il le peut, celui qui est en mauvaise santé ; et il ne lui prescrira rien qu'il ne l'ait auparavant convaincu…
>
> « Si l'un de ces médecins empiriques et dépourvus de science venait à entendre le médecin libre s'entretenir avec son patient, en usant du langage de la philosophie, remontant aux sources de la maladie et discourant sur la nature entière du corps, il se prendrait certainement à rire. Il dirait ce que la plupart des gens que l'on nomme docteurs ont toujours sur le bout de la langue : "Insensé ! tu n'es pas en train de guérir le malade mais de l'éduquer ; et il ne désire pas que tu fasses de lui un docteur mais un homme bien portant." »

Les patients exceptionnels veulent effectivement qu'on leur donne les informations nécessaires pour devenir leur propre médecin.

Quand j'ai commencé à changer, les gens se sont mis à me raconter toutes sortes de choses que j'ignorais, l'attitude des docteurs pendant les consultations, par exemple. Ils hurlent. Ils font attendre les gens deux heures, mais refusent de leur accorder cinq minutes d'entretien. Une de mes patientes m'a raconté que le sien lui avait crié : « Le patron, ici, c'est moi ! » quand elle avait eu l'audace de proposer une alternative thérapeutique. Un confrère me reprocha un jour d'avoir prêté un livre à l'un de ses patients : « Si tu veux que je continue à t'envoyer des malades, ne prends aucune initiative sans m'en parler d'abord ! » Je lui répondis qu'à ma connaissance il n'avait aucun droit de propriété sur l'esprit ni sur le corps de ses patients. Un autre malade me raconta qu'en entrant chez un médecin il avait vu un écriteau suspendu derrière son bureau, qui disait : « Faire des compromis, c'est se ranger à mon avis. » Dans un cas comme celui-ci, je n'ai qu'un conseil à donner : tournez les talons et partez.

Ce genre d'anecdotes eut pour effet de me mettre en rage contre les médecins, et ma colère se nourrissait de la rancune qu'exprimaient librement les malades aux réunions de l'ECAP. Par la suite, je réussis à me dominer en comprenant que les médecins souffrent en silence, et que leurs problèmes personnels les rendent parfois capables de comprendre ceux des autres. Comme l'a écrit Rainer Maria Rilke :

> « Celui qui s'efforce de vous réconforter, ne croyez pas, sous ses mots simples et calmes qui parfois vous apaisent, qu'il vit lui-même sans difficultés. Sa vie n'est pas exempte de peines et de tristesses qui le laissent bien en deçà d'elles. S'il en eût été autrement, il n'aurait pas pu trouver ces mots-là. »

Dans les débuts de l'ECAP, je fus tout à fait étonné par les résultats que nous obtenions. Des gens dont l'état était stable ou dégénérait depuis longtemps commençaient à aller mieux. Ma première réaction fut une sorte de malaise. J'avais l'impression que cette amélioration était due à des causes illégitimes puisqu'elle était apparemment sans rapport avec un traitement médical, chimio ou radiothérapie. Étais-je un charlatan, un imposteur ? Je proposai que nous dissolvions le groupe.

C'est alors que mes patients m'expliquèrent : « Notre état s'améliore parce que vous nous donnez l'espoir et la confiance en nous. Vous n'y comprenez rien parce que vous êtes médecin. Alors, asseyez-vous et soyez patient. » J'obéis et devins leur élève.

Nous avions pris pour devise une phrase extraite du livre des Simonton : « Face à l'incertitude, pourquoi ne pas choisir l'espoir ? » Certains confrères conseillèrent à leurs patients de m'éviter parce que je risquais de leur donner de « faux espoirs ». Je prétends que, dans l'esprit des malades, il n'existe rien de tel. L'espoir n'est pas une donnée statistique mais physiologique ! Le concept de faux espoir, tout comme celui de non-implication, doit être éliminé du vocabulaire médical. L'un et l'autre sont destructeurs, que l'on soit malade ou médecin.

Quand je discute avec des étudiants ou des confrères, je leur demande toujours de définir la notion de « faux espoir ». Ils hésitent, bafouillent, mais n'arrivent jamais à formuler quoi que ce soit d'intelligible. Alors je leur explique que ce que la plupart des médecins appellent « donner de faux espoirs » consiste simplement à dire aux malades qu'ils ne sont pas obligés de réagir conformément aux statistiques. Si l'on considère que telle maladie est mortelle pour neuf personnes sur dix, donner de faux espoirs c'est ne pas dire *aux dix* qu'elles vont probablement mourir. Je prétends au contraire que chacune a des chances égales de survie parce que l'espoir est une réalité dans l'esprit des malades.

Le psychologue israélien Schlomo Breznitz a récemment montré que le taux dans le sang de cortisol et de corticostérone (deux hormones importantes pour le système immunitaire) était plus élevé chez les sujets manifestant une attitude positive. Il a proposé à plusieurs groupes de soldats une marche forcée de quarante kilomètres, mais en donnant à chaque groupe des informations différentes : il dit à certains qu'ils allaient faire soixante kilomètres et les arrêta à quarante ; à d'autres qu'ils devaient parcourir trente kilomètres pour leur annoncer ensuite qu'il y en avait encore dix. Certains avaient sur leur trajet des repères de distance, d'autres au contraire n'avaient aucune indication ni sur le kilométrage parcouru, ni sur celui qui leur restait à faire. Ce furent les groupes les mieux informés qui supportèrent le mieux l'épreuve mais, dans tous les cas, le taux d'hormones de stress produit était fonction des *estimations* de chacun et non de la distance réellement parcourue.

Même si ce qu'on espère le plus — la guérison définitive — ne se produit pas, l'espoir nous soutient et nous poussse à réaliser un tas de choses tant que nous vivons. Le refus d'espérer n'est autre que la décision de mourir. Et je sais que plusieurs personnes sont aujourd'hui vivantes parce que je leur ai donné l'espoir et la conviction qu'elles n'étaient pas obligées de mourir.

Ce que j'appris avec mes patients exceptionnels me permit de changer radicalement ma façon d'exercer la médecine. Je décidai donc de rester chirurgien afin d'avoir une relation directe et prolongée avec les malades, mais j'élargis mon champ d'action jusqu'à lui faire recouper celui du prêtre, du professeur et du guérisseur. Je soignai les gens en tant qu'individus, avec leur personnalité, leurs goûts et leurs convictions propres. Je fis équipe avec eux.

Un an avant de fonder l'ECAP, je m'étais complètement rasé la tête. Beaucoup de gens ont cru que c'était par sympathie pour les malades qui perdent leurs cheveux en chimiothérapie, mais il ne s'agissait pas de cela. Comme je le compris plus tard, c'était une manière symbolique de manifester ma volonté de mettre à nu mes émotions, ma spiritualité et mon amour. D'ailleurs, comme me le fit remarquer une infirmière, le rasage du crâne est le préalable obligatoire à toute intervention sur le cerveau.

Beaucoup de gens se mirent à me parler différemment, comme si j'étais malade, moi aussi. Ils n'hésitaient pas à me confier leurs soucis. Certains confrères me reprochèrent d'être différent et j'y vis la confirmation que j'étais sur le bon chemin.

Mais c'est au cours d'un stage avec Elisabeth Kübler Ross que je compris le véritable sens de mon acte. L'une de ses méthodes consiste à vous faire illustrer par le dessin certains aspects de votre vie. Je dessinai une montagne couverte de neige (avec un crayon blanc sur du papier blanc) et un étang avec un poisson hors de l'eau. Cela voulait dire que quelque chose était recouvert (blanc sur blanc) et que le symbole spirituel n'était pas à sa place (le poisson). J'en déduisis que c'était mon amour et ma spiritualité que je voulais découvrir, pas mon crâne. Cette nuit-là, je fis un très beau rêve où j'avais retrouvé mon apparence habituelle. Je dis à ma femme et à mes enfants que j'avais compris pourquoi je m'étais rasé et que j'allais laisser repousser mes cheveux. Mais ma fille dit : « Oh ! non, comme ça c'est bien plus facile de te reconnaître dans une salle de cinéma. » C'est ainsi que se prennent les grandes décisions ! Ma tête est restée nue, ce qui n'empêche pas ma fille de se tromper quelquefois de chauve, dans les salles obscures...

C'est à ce moment-là que je situe le début de ma véritable carrière dans l'art de guérir, car je commençai à en comprendre le sens profond. Il s'agit d'apprendre à vivre aux malades, pas du haut d'une chaire ou d'un piédestal mais en n'oubliant jamais qu'*on enseigne ce que l'on a envie d'apprendre*. Les médecins ont un savoir à donner mais ils ont aussi beaucoup à apprendre. C'est en m'efforçant de former mes patients que j'ai compris tout ce que je sais aujourd'hui, et je me considère comme le plus grand bénéficiaire de l'ECAP.

Je devins un interlocuteur privilégié et mes patients me confièrent toutes sortes de choses qu'ils trouvaient trop intimes ou trop bizarres pour être dites à d'autres médecins : rêves, prémonitions, propositions de traitement assez peu orthodoxes, étranges coïncidences, sentiments d'amour, de peur ou de colère, envie de mourir.

Je me souviens par exemple de Marie qui vint me trouver après avoir consulté un confrère chirurgien. « C'est bien vous qui faites faire des dessins aux gens et tout ça ? » « Oui ». « Bon. J'ai quelque chose à vous dire. Il y a tout le temps quelqu'un avec moi. Il porte une robe blanche et un bonnet rouge. Il a les dents gâtées et ne me quitte jamais. » « Et comment s'appelle-t-il ? » « Je ne sais pas, je n'ai jamais eu le cran de lui adresser la parole. »

Marie n'avait jamais parlé de son compagnon à sa famille ni à son médecin, de peur qu'ils ne la croient folle, mais avec un type bizarre comme moi elle se sentait plus à l'aise. Il me paraît très important qu'un médecin acquière la confiance de ses patients. Comment pouvons-nous espérer soigner les gens s'ils ne peuvent pas *tout* nous dire ? Cette femme fut extrêmement soulagée d'apprendre que son fantôme était peut-être un avatar de mon propre guide, Georges !

Peu après la naissance de l'ECAP, j'appris par mes patients que certains confrères trouvaient mes méthodes complètement folles. Mais j'étais déjà trop heureux des progrès de mes malades pour m'en soucier. Je leur dis : « Tant que notre travail vous fait du bien, je me moque absolument de tout ce qu'on peut dire. »

Si mes confrères dénigrent mes pratiques, c'est qu'ils ne sont pas eux-mêmes des interlocuteurs privilégiés. Il leur arrive pourtant d'essayer. Ils demandent : « Alors, qu'est-ce qui ne va pas en ce moment ? » — « Rien », répondent les patients. » — « Et comment vous sentez-vous ? » — « Bien. » Ensuite, ils se demandent de quoi je peux bien parler.

J'en ai tellement entendu que j'arrive maintenant à deviner presque à coup sûr la nature des problèmes d'un patient en me fondant sur ses symptômes et sur la localisation de son mal. Il suffit d'un peu d'attention. Après une intervention d'urgence, une psychanalyste jungienne à qui j'avais retiré presque un mètre d'intestin me dit : « Je suis contente de vous avoir comme chirurgien. J'étais en analyse de contrôle et je ne savais que faire de toute la merde que ça soulevait. Il y avait trop de trucs que je n'arrivais pas à digérer. » Tout rapport entre les problèmes qu'elle évoquait et le fait que son intestin soit malade pourrait passer pour une simple coïncidence, mais j'y vois autre chose. Une autre femme, après l'ablation d'un sein, m'avoua que je lui avais « ôté un grand poids de la poitrine ».

Mes premières expériences à l'ECAP me transportèrent littéralement d'enthousiasme. J'étais persuadé que mes découvertes révolutionnaires allaient bouleverser la pratique médicale du jour au lendemain. J'écrivis quelques articles qui me furent tous retournés par les journaux médicaux. Mon travail était intéressant mais on me conseillait de l'adresser à des revues de psychologie — comme si les psychologues m'avaient attendu pour comprendre le rôle de la psyché dans la maladie. À peu près à la même époque, je lus un texte d'un ancien chirurgien devenu psychiatre qui racontait comment un article sur le rôle de l'esprit dans la formation du cancer lui avait été refusé par toutes les publications médicales. Excédé, il avait remplacé « cancer » par « acné » et l'article avait immédiatement paru dans un journal à grand tirage.

J'essayai alors de rendre compte de mes expériences dans des réunions de médecins. J'obtins des réactions qui allaient du scepticisme absolu au mépris caractérisé. Les discussions tournaient invariablement à la passe d'armes, « mes statistiques contre les tiennes ». Pratiquement personne n'avait la curiosité de dire : « Tiens, ce n'est peut-être pas inintéressant, je vais essayer. » J'en tirai la conclusion que toutes les statistiques du monde — car il existe maintenant des informations nombreuses sur l'efficacité de la psychothérapie dans le traitement du cancer — ne pourront jamais bousculer certaines idées préconçues. Il est si facile de manipuler les chiffres pour leur faire dire ce qu'on veut ! J'ai donc renoncé aux données chiffrées pour me concentrer sur l'expérience individuelle. Pour agir sur l'esprit, il faut souvent s'adresser au cœur...

et écouter. Les convictions sont affaire de foi, non de logique.
Aujourd'hui, les mentalités commencent à changer et je me sens moins isolé. Des études sont entreprises, à Yale ou ailleurs. Dès que l'optique de la médecine officielle change, les fonds nécessaires à la recherche arrivent et l'on se met à explorer de nouveaux domaines.

2.

COLLABORER POUR GUÉRIR

« La médecine n'est pas seulement une science, c'est aussi l'art de susciter une interaction entre notre propre individualité et celle du patient. »

Albert SCHWEITZER.

Mr. Wright, en traitement avec le psychanalyste Bruno Klopfer en 1957, souffrait d'un lymphosarcome avancé, rebelle à tous les traitements connus. Des tumeurs de la taille d'une orange lui déformaient le cou, les aisselles, l'aine, la poitrine et l'abdomen. Son foie et sa rate étaient énormes. Le circuit thoracique de la lymphe s'était obstrué, et tous les jours il fallait lui ponctionner un à deux litres d'un liquide blanchâtre. Il était sous oxygène et ne prenait plus d'autre médicament qu'un analgésique.

En dépit de son état, Mr. Wright conservait l'espoir. Il avait entendu dire qu'un nouveau remède, le Krebiozen, allait être testé dans la clinique où il était soigné. Mais sa candidature ne fut pas retenue, car les expérimentateurs voulaient des sujets dont l'espérance de vie se situe entre trois et six mois. Mr. Wright insista et supplia tellement que Klopfer décida de lui administrer une injection le vendredi, pensant que le lundi il serait mort et qu'il pourrait donner le Krebiozen à un autre malade. Mais Klopfer eut la surprise de sa vie :

« Je l'avais quitté fébrile, proche de l'étouffement, épuisé, je le retrouvai debout, circulant dans le pavillon, plaisantant avec les infirmières et répandant partout la bonne humeur. Je me hâtai d'aller voir les autres... Aucun changement, sinon en pire. Seul Mr. Wright était manifestement transformé. Les masses tumorales avaient fondu comme neige au soleil et réduit de moitié en l'espace de quelques jours ! Cela représente une régression bien plus rapide qu'une radiothérapie intense et quotidienne ne peut opérer sur des tumeurs radiosensibles. Or, nous savions déjà que ses tumeurs ne l'étaient plus. Il n'avait d'ailleurs subi aucun traitement en dehors de cette unique injection.

« Ce phénomène exigeait évidemment une explication, mais il nous suggérait surtout de garder l'esprit ouvert et d'observer avant de formuler la moindre hypothèse. On fit donc à Mr. Wright, comme aux autres, trois injections par semaine, et ce pour sa plus grande joie... Au bout de dix jours, il était en état de quitter la clinique et son « lit de mort », pratiquement tous les symptômes de sa maladie ayant disparu. Aussi incroyable que cela puisse paraître, ce « mourant », condamné à respirer avec un masque à oxygène, se précipita vers un terrain d'aviation et fit voler son biplace personnel à plus de trois mille mètres d'altitude, sans la moindre gêne.

« Deux mois plus tard, des rapports assez négatifs sur le Krebiozen commencèrent à paraître dans la presse, les tests n'ayant pas donné grand résultat. Cela perturba considérablement Mr. Wright... Comme il raisonnait de façon logique et scientifique, il commença à perdre foi en ce dernier espoir. Après deux mois de santé presque parfaite, il retomba dans son état précédent et sombra dans la dépression. »

Mais Klopfer ne voulait pas laisser passer une occasion de comprendre ce qui s'était passé — de découvrir comment les charlatans obtiennent certains de leurs succès. (N'oublions pas que toute guérison est scientifique.) Il dit à Wright que le Krebiozen était bien aussi prometteur qu'il le paraissait, mais que les premiers arrivages du produit s'étaient rapidement détériorés dans les flacons. Il lui annonça qu'un nouveau produit, super-raffiné et doublement actif, arriverait le lendemain.

« Mr. Wright accueillit la nouvelle avec plaisir et, tout malade qu'il était, s'enthousiasma à l'idée de tenter un nouvel essai. En retardant l'"arrivage" du produit de deux jours, je fis grimper son optimisme à son point culminant. Quand je lui annonçai que la nouvelle série de piqûres allait bientôt commencer, il était gonflé à bloc.

« Avec beaucoup d'emphase et de mise en scène, je lui fis la première injection de cette nouvelle préparation, fraîche et suractivée — quelques centilitres d'eau pure, rien de plus. Les résultats de cette expérience dépassèrent tous nos espoirs.

« Mr. Wright sortit de sa seconde agonie de façon plus spectaculaire encore que de la première. Ses tumeurs fondirent, l'épanchement de lymphe cessa, il se leva et recommença rapidement à piloter son avion... À ce moment-là il offrait l'image parfaite de l'homme en bonne santé. Les injections d'*aqua simplex* continuèrent, puisqu'elles produisaient des miracles. Et puis, les résultats définitifs des essais cliniques du Krebiozen furent publiés et ils concluaient à l'"inefficacité de ce médicament dans le traitement du cancer".

« Quelques jours après avoir lu ce rapport, Mr. Wright était réadmis à la clinique *in extremis* ; il avait perdu la foi, son dernier espoir était définitivement anéanti et il succomba en moins de deux jours. »

Le meilleur moyen pour que quelque chose se produise, c'est souvent de l'annoncer. Méprisé pendant vingt ans par les autorités médicales, l'effet placebo — le fait qu'un quart à un tiers des patients soient améliorés quand ils *croient* prendre un médicament efficace, même si les cachets qu'on leur donne ne contiennent aucun principe actif — est aujourd'hui reconnu par l'ensemble de la profession.

D'après le Dr Howart Brodie, trois conditions optimisantes doivent être réunies pour obtenir un bon effet placebo : la signification de la maladie est reconnue positivement par le patient ; le patient est entouré de l'affection des siens ; le patient est convaincu de pouvoir influer sur le cours de sa maladie. Presque toutes les médecines soi-disant primitives utilisent l'effet placebo à travers des rituels qui renforcent la confiance dans la force guérisseuse, que ce soit un dieu ou une énergie interne. La guérison par la foi suppose la croyance en une puissance supérieure et en la capacité du guérisseur d'établir le contact avec elle. Il suffit parfois d'un simple objet ou d'une relique de saint pour servir d'intermédiaire.

Pour un catholique, une bouteille d'« Eau de Lourdes » a des vertus curatives, même si elle ne contient que de l'eau du robinet. Ainsi, les scientistes arrivent à se guérir parce qu'ils savent s'en remettre à une puissance supérieure. C'est pourquoi il me paraît essentiel pour un médecin d'avoir une bonne réputation en tant que « mécanicien » et d'inspirer confiance. L'espoir et la confiance incitent à un abandon qui, en réduisant le stress, prélude souvent à la guérison.

Malheureusement, la paix ne vient souvent qu'à l'approche de la mort. Je vois des mourants qui continuent à se faire du souci pour une note d'électricité ou pour des enfants qui rentrent trop tard le soir. Si je leur dis : « Oubliez tout cela et tâchez de passer une journée agréable, ce sera peut-être la dernière », je les retrouve au matin ragaillardis, mangeant avec appétit leur petit déjeuner. Quand je leur demande la raison de ce changement, ils répondent : « J'ai suivi vos conseils. »

De la confiance naît l'espoir

La médecine « primitive » est en réalité bien plus sophistiquée que la nôtre dans sa démarche spirituelle, peut-être parce qu'elle ne dispose pas de drogues efficaces sans le secours de l'effet placebo. Robert Müller, secrétaire général adjoint de l'ONU et écrivain, parle d'un délégué africain malade du cancer et « condamné » par son médecin new-yorkais. Il annonça à ses amis qu'il rentrait chez lui pour mourir mais qu'il les ferait prévenir de la date de son enterrement pour qu'ils puissent y assister. Dix-huit mois passèrent. Sans nouvelles, Müller croyait son ami mort et téléphona pour demander confirmation, mais à sa grande surprise, ce fut le délégué en personne qui lui répondit.

De retour dans son village, il avait rencontré un sorcier local qui lui avait trouvé « mauvaise mine » et l'avait invité à venir le voir dès le lendemain.

Le traitement commença par un geste symbolique. Le sorcier prit une petite tasse de liquide dans un énorme chaudron et dit : « Cette tasse représente la portion de ton cerveau que tu utilises. Le chaudron représente le reste. Je vais t'apprendre à te servir du reste. » Aujourd'hui, le délégué se porte comme un charme.

Je ne propose pas d'abandonner la médecine technologique occidentale pour revenir en arrière, j'aimerais seulement que nous prenions conscience du talent de guérisseur qui est en nous. Les psychologues n'arrêtent pas de nous répéter que nous n'utilisons que 10 % environ de la capacité totale de notre cerveau, alors qu'attendons-nous pour découvrir les 90 % inexploités, comme le conseillait le sorcier ? La science professe qu'il faut voir pour croire, mais en réalité il faut commencer par croire si nous voulons voir. Soyons réceptifs à certaines possibilités qu'ignore encore la science si nous ne voulons pas passer à côté. Il serait absurde de négliger des traitements efficaces sous prétexte qu'on ne comprend pas encore leur mode d'action.

L'ouverture d'esprit est la qualité essentielle du médecin qui veut vraiment venir en aide à ses patients. Le Dr Sadler, l'un des plus ardents défenseurs de la médecine chimique, au début de ce siècle, a étudié pendant de longues années la « guérison par l'esprit », comme on l'appelait alors. En 1911, il écrivait :

> « Je faisais régulièrement des conférences publiques pour démontrer l'ineptie de ces "guérisons", mais je me rendis compte que je ne convainquais absolument personne parmi les convertis. Et pendant ce temps-là, certaines de ces méthodes continuaient à guérir des malades que je n'avais pas guéris et que je ne pouvais pas guérir. »

Sadler étudia très consciencieusement le sujet avant de conclure que le pouvoir de suggestion, sans être une panacée, constituait un allié précieux pour la pharmacie, la chirurgie et l'hygiène.

L'effet placebo dépend de la confiance du patient dans son médecin, et je suis maintenant persuadé que cette confiance est plus importante, à long terme, que n'importe quel médicament ou acte médical. Pour établir cette relation, médecin et patient doivent connaître leurs points de vue respectifs. Ce que le docteur considère comme un bon traitement peut être mis en échec par le refus inconscient du malade. C'est pourquoi je me fonde sur l'étude des dessins et des rêves pour comprendre l'attitude profonde de chacun face à la thérapie que j'envisage. Autrement, je risque de choisir un traitement que je suis très vite obligé d'interrompre parce qu'il entraîne une kyrielle d'effets secondaires. Selon les cas, le rejet peut être conscient mais non dit, ou parfaitement inconscient. Quand un dessin exprime la peur du traitement, envisagé comme un poison ou une blessure, le dialogue avec le malade permet, soit de vaincre sa peur, soit de choisir un autre mode d'intervention. Quand les dessins expriment une attitude positive par rapport au traitement, j'en conclus que la peur s'estompe et que le traitement peut commencer.

Il y a interaction entre le système de croyances du médecin et celui du malade, mais le corps du malade réagit directement à ses propres convictions, jamais à celles d'un autre. Les médecins sont souvent logiques, pragmatiques, rigides et moins portés à l'espoir que leurs patients. Quand ils se trouvent à court de remèdes, ils ont tendance à renoncer. Ils devraient pourtant savoir qu'en doutant de l'aptitude des malades à guérir, ils invalident gravement cette aptitude. Jamais on ne devrait dire : « Je ne peux plus rien faire pour vous. » Il y a toujours quelque chose à faire, ne serait-ce que s'asseoir au bord du lit, parler, redonner confiance.

L'histoire de Stéphanie, membre de l'ECAP, illustre parfaitement l'attitude habituelle des médecins. Après lui avoir annoncé qu'elle avait le cancer, le sien lui laissa entendre qu'étant donné les statistiques elle devait s'attendre à une mort prochaine. Comme elle lui demandait ce qu'elle pouvait faire, il lui répondit : « Il ne vous reste qu'à espérer et à prier. » « Et comment dois-je m'y prendre ? » — « Désolé, mademoiselle, ce n'est pas mon domaine. » À l'ECAP, Stéphanie apprit l'espoir et la prière, elle réussit à infléchir le cours de sa maladie et à dépasser l'espérance de survie qu'on lui avait fixée. Maintenant, son médecin s'intéresse beaucoup à son cas. Plus tard, elle écrivit que cet homme de l'art, en lui suggérant d'espérer et de prier, « me prescrivait justement le seul remède susceptible de me guérir, *mais il ne l'a jamais su* ».

Une autre femme, de plus de quatre-vingts ans, vint me voir parce qu'elle avait perdu confiance en son médecin. Elle souffrait de fréquents malaises et allait chez lui pour se rassurer, jusqu'au jour où il lui dit : « Mais madame, à votre âge, vous n'espérez tout de même pas vivre encore très longtemps ? » Elle comprit que ce genre de réflexion ne pouvait que lui faire du mal et s'en alla.

Mais certains ont moins de chance. L'une de mes patientes téléphona un jour à son mari, Ray, hospitalisé pour un cancer, et lui demanda comment il allait. « Très bien », répondit-il. Un quart d'heure après, elle arriva à l'hôpital pour le voir mais il était mort. Entre-temps, le médecin était passé et Ray, qui n'en était pas à sa première hospitalisation, lui avait demandé quand il pourrait sortir. « Oh, j'ai bien peur que cette fois-ci vous ne vous en sortiez pas », répondit le médecin. Quelques minutes plus tard, Ray était mort.

L'habitude qui consiste à prédire le temps qui reste à vivre à un malade est une erreur monumentale. Le médecin devrait se l'interdire, même si les malades insistent, car c'est à eux seuls que revient cette décision. Les malades passifs, qui aiment bien leur médecin, meurent souvent à la date prévue par lui, comme pour lui faire plaisir.

Il faut que les médecins arrêtent de se laisser dicter des certitudes par les statistiques. Les statistiques sont utiles quand il s'agit de choisir la forme de traitement la mieux adaptée à une maladie donnée, mais elles ne s'appliquent absolument pas aux cas individuels. On doit convaincre chaque patient qu'il *peut* guérir, quelles que soient ses chances.

Les patients exceptionnels se moquent des statistiques. Ils pensent : « Et pourquoi est-ce que je ne m'en sortirais pas ? » même si leur médecin n'a pas eu la sagesse de leur faire cette confiance. Imaginez le courage qu'il faut pour vaincre une maladie que personne n'a encore jamais vaincue. C'est l'espoir qui a donné ce courage à William Calderon, premier malade à guérir du SIDA (Syndrome Immuno-Déficitaire Acquis). En 1982, Calderon apprit qu'il avait le SIDA et qu'il ne vivrait sans doute pas plus de six mois. Le sarcome de Karposi, forme de cancer fréquemment liée au SIDA, se déclara peu après et gagna rapidement toute sa peau et sa paroi gastro-intestinale.

Mais un jour, Judith Skutch, cofondatrice avec l'astronaute Edgar Mitchell de l'Institut des sciences noétiques et présidente de la « Foundation for Inner Peace », vint comme d'habitude se faire coiffer au salon de Calderon. Voyant qu'il avait pleuré, elle lui en demanda la raison et lui dit ensuite les quelques mots qui allaient lui sauver la vie : « William, tu n'es pas obligé de mourir. Tu peux t'en sortir. »

Judith Skutch lui décrivit les travaux des Simonton et, grâce à sa ferveur et à celle de son amant, Calderon finit par se persuader qu'il pourrait survivre. Il continua à exercer le métier qu'il aimait et refusa de se laisser aller. Il apprit à méditer et à se servir de son imaginaire pour combattre son mal. Il fit l'effort de se réconcilier avec sa famille, pardonna à ceux qui l'avaient fait souffrir et retrouva la paix. Il prit soin de son corps : gymnastique, nourriture équilibrée, vitamines, et son système immunitaire se remit progressivement à fonctionner, tandis que ses tumeurs régressaient. Deux ans plus tard, il n'avait plus aucune trace du SIDA.

Les patients exceptionnels ont tendance à s'emporter quand un médecin les condamne un peu trop rapidement. Linda, une infirmière qui refusait la chimiothérapie, s'entendit menacer par son médecin : « Vous le regretterez, madame. Dans six mois vous reviendrez me supplier de vous faire ce traitement. » « Quel salaud ! » pensa Linda. « Je vais guérir, rien que pour lui prouver qu'il a tort. » Elle vécut plus de cinq ans sans chimiothérapie et décida ensuite d'en faire une pour vivre encore plus longtemps.

L'histoire de Louise m'a été racontée par un médecin avec lequel elle s'était liée d'amitié, le « docteur Rock'n Roll », qui anime une émission de radio en faisant alterner musique et conseils médicaux. Adolescente, Louise avait contracté un cancer de l'ovaire avec des métastases aux poumons et à l'abdomen. Son cancérologue lui avait « donné » de six à douze mois à vivre, avec une chimiothérapie. Elle lui dit que seul Dieu pouvait en décider et commença à prendre sa vie en main. Pour échapper à des difficiles relations familiales, elle prit un appartement et dépensa ses derniers dollars pour faire passer une annonce proposant son aide à d'autres cancéreux. Son cancérologue avait interrompu tout traitement parce qu'elle était « trop atteinte », mais après six mois de sa nouvelle existence, toutes ses tumeurs avaient disparu. Son médecin fut incapable de le lui annoncer de vive voix. Les larmes aux yeux, il lui tendit une ordonnance sur laquelle il avait écrit : « Votre cancer a disparu. » Le jour où elle était censée mourir, elle lui envoya un petit mot narquois demandant : « Où dois-je envoyer le cercueil ? »

Le docteur Rock'n Roll m'écrivit pour me dire que s'il ne m'avait pas entendu parler des patients exceptionnels, il n'aurait jamais fait la relation entre la guérison « miraculeuse » de Louise et son évolution spirituelle. Par la suite, tous deux vinrent à l'ECAP raconter leur expérience.

En choisissant d'aimer et de donner, Louise a accompli la transformation psychologique et spirituelle que nécessite le processus d'auto-guérison. Et cette démarche est parfois un véritable tour de force, surtout quand l'autorité médicale a déjà condamné le malade. Le problème, c'est que les patients exceptionnels sont une minorité. On oublie facilement que deux patients sur dix sont des survivants potentiels quand huit ne le sont pas.

Si j'insiste sur ce point, c'est pour engager les médecins à plus de discrimination, pour qu'ils apprennent à reconnaître les patients exceptionnels et qu'ils comprennent enfin que la guérison n'est jamais une coïncidence. En la définissant ainsi, comme dans l'expression « rémission spontanée », on passe à côté d'une réalité dont il faudrait au contraire examiner attentivement les causes. La guérison est un acte créateur qui nécessite autant de travail, autant de patience et de détermination que n'importe quelle autre forme de création.

Je reçois souvent des lettres de confrères auxquels j'ai envoyé des malades. Quand elles mentionnent une amélioration surprenante dans l'état de l'un d'eux, jamais elles ne parlent de sa façon de vivre ni de ses convictions. Pourtant, quand je m'informe, j'apprends *toujours* que la personne en question a évolué vers une attitude plus ouverte et plus généreuse. Seulement, elle n'en parle pas à un médecin qui serait incapable de la comprendre.

Les guérisons inattendues sont suffisamment fréquentes pour que le personnel soignant apprenne à entretenir l'espoir jusqu'au dernier moment. Ce que les malades attendent de nous, ce n'est pas une information chiffrée et statistique sur leur cas mais une relation de confiance et d'espoir. Ils veulent qu'on leur dise : « Tenez bon. Vous pouvez vous en sortir. Nous allons vous aider » — aussi longtemps qu'ils ont envie de rester vivants. Il ne nous appartient pas de décider si telle ou telle personne a encore intérêt à vivre. Dans la mesure où mes patients sont contents de la vie qui est la leur, mon rôle est de les aider à continuer.

En revanche, si l'un d'eux décide qu'il est temps pour lui de mourir, je ne vois aucun inconvénient à l'y aider également. Si je lui permets de résoudre des conflits qui épuisent son énergie, je sais que cela peut déclencher un processus de guérison. Car, si le fait de dire à quelqu'un qu'il va mourir dans X temps est profondément destructeur, l'acceptation de la mort n'entraîne pas nécessairement la fin de l'espoir. Au contraire, il arrive que la préparation à la mort joue en faveur de la vie. Une de mes patientes, par exemple, m'annonça un jour qu'elle voulait mourir. Elle paraissait vraiment mal en point et je lui dis : « C'est bien. Parlez-en à vos enfants et à toute la famille. Je crois qu'ils ne savent pas où vous en êtes. » C'était un vendredi. Le lundi suivant, je la retrouvai en pleine forme. Elle avait mis sa perruque, elle était maquillée et souriante. « Et alors ? » m'étonnai-je. « Eh bien, j'ai parlé à mes enfants, à ma famille, et je me sentais tellement bien, après, que je n'avais plus du tout envie de mourir. » Elle quitta l'hôpital peu après et rentra chez elle.

Mais s'il faut entretenir l'optimisme, il ne faut pas pour autant tricher sur le diagnostic. On peut toujours dire la vérité sur le ton de l'espoir puisque personne n'est sûr de l'avenir. J'en suis d'ailleurs arrivé à accepter la maladie et à considérer que ma tâche principale est d'aider les malades à trouver la sérénité. Cela place les problèmes physiques dans une plus juste perspective. La santé n'est pas le seul but. Il est beaucoup plus important d'apprendre à vivre sans peur, d'être en paix avec soi-même et avec l'idée de sa mort. Alors, il peut arriver qu'on guérisse et, de toute façon, on n'est plus menacé par l'échec (inévitable quand on croit pouvoir guérir tous les maux physiques et ne jamais mourir).

En ce qui concerne le diagnostic, une « légère altération » de la vérité était de règle il y a encore vingt ans. Depuis, il s'est produit un changement radical. Une enquête publiée en 1979 établissait que 90 % des médecins préféraient dire à leurs patients qu'ils avaient le cancer, alors qu'en 1960 90 % le taisaient.

Fort heureusement, les cliniciens ont compris que leurs patients connaissaient généralement la vérité. Inconsciemment, et même consciemment, les gens savent ce qui se passe dans leur corps. Bill, un de mes amis, éprouvant un jour de la difficulté à avaler, dit qu'il avait le cancer. Son père avait eu la même maladie au même âge. Un seul symptôme avait suffi pour qu'il reconnaisse son mal. Tout le monde tenta de le rassurer mais les analyses confirmèrent son intuition.

Les mensonges et les atermoiements divisent les familles au moment où elles auraient le plus grand besoin d'être unies pour affronter lucidement une crise. Ce sont souvent les enfants qui demandent : « Ne dites rien à maman, elle ne le supporterait pas. » Mais après quelques questions, la maman elle-même affirme calmement : « Je crois bien que c'est le cancer. » Le mot est lâché, on peut ensuite discuter de ce que représente la maladie pour les siens, une épreuve ou une sentence de mort. Le mensonge sape aussi la confiance. Lorsque le médecin se montre évasif, hésite à prononcer le mot « cancer », ou affiche un optimisme exagéré, le patient traduit immédiatement : « Le docteur n'ose rien me dire, je suis perdu. »

Si le mensonge, même par omission, est à proscrire, l'attitude qui consiste à dire brutalement la vérité fait plus de mal que de bien. J'ai reçu une lettre terrifiante d'une dame qui m'expliquait que son mari ne viendrait pas pour sa deuxième consultation parce qu'il s'était suicidé :

> « Deux jours avant, on lui avait annoncé sans le moindre ménagement qu'il ne pourrait plus ni jouer au tennis, ni barrer un bateau, ni reprendre son métier, toutes choses qu'il adorait.
>
> « Depuis le début, il avait une confiance aveugle dans les médecins. Il croyait que s'ils ne réussissaient pas à le guérir, ils faisaient de leur mieux. Et voilà le mieux qu'ils aient pu faire ! »

Il est bon d'admettre que la situation est grave, mais en rappelant au malade qu'il n'existe pas de maladie « incurable » dont personne n'ait réussi à guérir, fût-ce aux portes de la mort.

Quand le malade possède l'espoir, il arrive que le processus de guérison démarre avant le début du traitement. Je me souviens d'une de mes patientes à qui son radiologue annonça que le traitement agissait car l'état de ses os s'était sensiblement amélioré. Elle lui répondit : « Si vous regardez mon dossier, vous verrez que je n'ai pas encore commencé ma chimiothérapie. »

Le Dr Alexandra Levine, oncologue, vient de recevoir une bourse pour étudier les aspects psycho-sociaux du cancer. C'est à la suite d'une expérience similaire que l'idée lui est venue de cette recherche. Un malade atteint d'un lymphome généralisé vint lui demander conseil sur un voyage en Allemagne dont il espérait un « miracle ». Il y avait dans ses yeux une telle terreur que la doctoresse passa une heure à le calmer et à le rassurer. La semaine suivante, ses tumeurs avaient diminué de moitié. Elle lui dit : « Je regrette de n'avoir pas commencé votre traitement la semaine dernière. » « Mais c'est ce que vous avez fait », répondit l'homme.

L'espoir naît essentiellement de la confiance et de la foi du patient en son guérisseur. Ce lien se forme de différentes façons mais certaines dispositions d'esprit sont indispensables — compassion, disponibilité, bienveillance et non rétention de l'information, de la part du médecin. C'est pourquoi les visites préopératoires de l'équipe chirurgicale sont tellement importantes. Elles aident le patient, non seulement à mieux supporter l'intervention, mais aussi à se remettre plus rapidement. Une expérience récente a montré qu'un groupe de malades bien informés et visités par l'anesthésiste la veille de leur opération avaient besoin de moins d'analgésiques que le groupe témoin et quittaient l'hôpital deux jours et demi plus tôt en moyenne.

L'humour est également un atout majeur. À l'hôpital, il m'arrive très souvent de rire avec un « mourant ». Les gens qui nous entendent depuis le couloir croient que nous refusons de voir la réalité, mais c'est faux. Nous sommes simplement vivants et donc capables de rire. Il ne faut jamais oublier qu'on n'est pas « vivant » ou « mourant » mais vivant ou mort. Tant que quelqu'un est en vie, il faut le traiter en vivant. Je trouve le mot « terminal » particulièrement odieux. Il implique que la personne est déjà considérée comme morte. Une enquête a montré que le personnel hospitalier mettait beaucoup plus de temps à répondre aux appels des « stades terminaux » qu'à ceux des autres malades. L'expression, l'étiquette devrais-je dire, décrit un état d'esprit plutôt qu'un état physique et elle paralyse l'empathie de l'équipe soignante qui ne donne plus au malade la pleine mesure de l'assistance qu'il requiert. Personne n'aime être confronté à l'idée de sa propre mort.

Il me paraît aussi indispensable que les malades puissent exprimer leur colère contre le médecin sans que cela altère leurs relations. Réprimée, la colère est toujours néfaste, et elle doit pouvoir éclater si l'on veut établir une véritable relation thérapeutique. Je suis personnellement ravi d'entendre mes patients s'emporter contre moi parce que cela prouve qu'ils sont en confiance, que notre lien est solide et qu'ils réagissent en survivants.

Il y a quelques années, mon père s'est fait opérer et il est rentré chez lui avec des consignes qui me paraissaient très insuffisantes. Il eut d'ailleurs des complications. J'écrivis au chirurgien et à l'interne qui s'étaient occupés de lui pour leur dire ma façon de penser. Le chirurgien rejeta la faute sur moi mais l'interne m'écrivit en substance : « Merci. Recevoir de temps en temps une lettre

comme la vôtre nous aide à rester exigeants avec nous-mêmes. »
Je conseillai à mon père de changer de chirurgien mais de continuer à voir l'interne.

Vigilance inconsciente

L'attitude du médecin joue donc un rôle déterminant dans le succès d'un traitement. Les malades ont surtout besoin de sentir que celui qui les soigne leur accorde toute son attention. Pendant mon internat, un malade anesthésié localement et couché sur la table d'opération, n'entendant parler autour de lui que de football, demanda timidement : « Est-ce que quelqu'un pourrait parler de moi et de mon opération ? » Imaginez le désarroi d'un cancéreux gravement atteint lorsque les seules conversations qu'il entend pendant qu'on le soigne concernent un tournoi de tennis ou un rendez-vous manqué chez le coiffeur. Seule l'empathie peut créer le lien nécessaire à la guérison. Quand un médecin passe cinq minutes assis au chevet de son patient, celui-ci a l'impression que l'entretien a duré cinq ou dix minutes. Mais si le médecin reste debout dans l'entrebâillement de la porte, la même visite paraît ne durer que quinze ou vingt secondes.

Le fait que le malade soit inconscient, endormi, dans le coma ou sous anesthésie ne l'empêche pas de rester sensible à notre comportement. Les travaux de Milton Erickson dans les années cinquante ont montré que sous anesthésie nous restons capables d'entendre et de comprendre des voix familières. L'un de mes confrères obstétricien m'a raconté qu'il avait remarqué un léger changement dans le comportement de ses patientes au moment où des anesthésiants plus subtils avaient remplacé l'éther. Intrigué, il avait demandé à un sténographe de noter tout ce qui se disait, pendant plusieurs césariennes. Il s'aperçut ainsi que, sous hypnose, les femmes concernées répétaient mot pour mot les conversations qu'elle avaient « entendues ».

Des études plus récentes ont confirmé cette vigilance de l'inconscience. Le psychologue Henry Bennet a par exemple fait écouter à des patients anesthésiés une cassette où il leur demandait de se toucher l'oreille, une fois réveillés, pour prouver qu'ils avaient entendu le message. Presque tous se tripotaient sans arrêt les oreilles, pendant l'entretien avec Bennet, mais aucun ne réussit à se remémorer le message. À d'autres patients, qui devaient être opérés de la hanche, Bennet suggéra (sans recourir à l'hypnose) que le sang devrait se retirer de cette partie de leur corps, et l'écoulement du sang pendant l'opération fut réduit de moitié. Nous disposons de mécanismes absolument incroyables par lesquels nous pouvons diriger des substances chimiques vers une zone cancéreuse, par exemple, ou détourner notre flux sanguin de manière à assécher une tumeur.

Il y a des années que j'utilise cette faculté réceptive des patients plongés dans l'inconscience. Je parle ainsi aux comateux pour les tenir informés de leur état. Un jour, j'ai dit à une femme, dans le coma depuis trois mois sans le moindre signe d'amélioration, que sa famille lui donnait la permission de mourir si elle le désirait, et qu'en s'en allant elle ne faillirait pas à son rôle de mère. J'ajoutai qu'elle serait regrettée mais que rien ne l'empêchait de s'abandonner. Elle mourut en un quart d'heure. Chaque fois que j'entre dans la chambre d'un malade assoupi, je m'annonce discrètement et laisse son attention inconsciente le réveiller s'il désire me voir. S'il continue à dormir, je me retire et reviens un peu plus tard.

Certains chirurgiens font maintenant appel aux facultés des opérés sous anesthésie pour prévenir les complications post-opératoires. Les interventions rénales, par exemple, occasionnent fréquemment des troubles urinaires, et des spasmes des muscles pelviens nécessitant la pose de cathéters. Un groupe de chercheurs a fait l'expérience d'expliquer aux opérés encore inconscients qu'ils pouvaient parfaitement détendre les muscles en question une fois réveillés. Pas un seul n'eut besoin d'un cathéter.

Pendant que j'opère, je parle continuellement aux malades pour leur décrire tout ce qui se passe, et cela m'a parfois permis de sauver des vies. Prononcer des paroles rassurantes au moment où la personne éprouve des difficultés cardiaques réussit parfois à régulariser ou à ralentir son pouls. Il y a peu de temps, j'opérai un jeune homme extrêmement grand et costaud. Sa taille me posait des problèmes techniques que j'étais en train de résoudre lorsque, levant les yeux sur le moniteur, je vis que son pouls était à 130. Sachant combien il redoutait cette opération, je lui dis : « Victor, j'ai des ajustements techniques à faire parce que tu es bâti en athlète, mais l'opération se passe très bien. Tu n'as rien à craindre, calme-toi. J'aimerais que ton pouls redescende à 83. » Au cours des minutes qui suivirent, son pouls redescendit effectivement à 83 et s'y maintint. Ce genre d'expérience a convaincu plus d'un anesthésiste de communiquer des messages apaisants à leurs patients. Au contraire, la peur exprimée devant les malades inconscients peut accroître l'incidence des accidents cardiaques.

Un jour, à la fin d'une difficile intervention sur un jeune homme obèse, le cœur s'arrêta de battre et refusa de repartir. L'anesthésiste avait déjà abandonné et quittait la salle quand je m'exclamai : « Henry, ressaisis-toi ! Ton heure n'est pas encore venue. » Le cardiogramme se remit instantanément à montrer des signes d'activité et Henry se rétablit rapidement. Je suis persuadé, sans pouvoir le prouver, bien sûr, que mon message avait porté. L'expérience a en tout cas convaincu toute l'équipe qui m'entourait ce jour-là qu'il n'y a aucune raison de ne pas communiquer avec un malade de toutes les façons possibles.

Il est particulièrement important d'éviter toute parole négative puisque les mécanismes de défense cessent de fonctionner pendant l'anesthésie. Un étudiant en médecine prénommé Tim m'a décrit dans une lettre l'attitude d'un chirurgien pendant une opération à laquelle il assistait :

> « Il se mit à parler du ton ironique et dur que je croyais réservé à ses étudiants : "Voilà une dame qui croit à la médecine holistique. Ho-lis-ti-que, voyez-vous ça ! C'est sûrement le genre à prendre son pied en lisant *La Vie des bêtes*." Et, un peu plus tard, il reprit : "Elle en pince tellement pour son *holistisme* qu'elle a peur des rayons X. En plus, elle est moche comme trois régiments de sorcières." Il continua dans le même registre pendant toute l'intervention, comme si elle n'était pas là. "Et elle prétend faire de l'hypoglycémie, ah, ah, ah ! quelle tordue, cette bonne femme !"
>
> « Puis il s'exclama : "Regardez ! C'est bel et bien un cancer. Comme tumeur maligne on ne peut pas rêver mieux", et il tailla un morceau de sa chair comme il se serait coupé une tranche de gâteau. Inutile de préciser que cette dame se réveilla glacée, en larmes et souffrant le martyre. »

Tim se prit d'affection pour elle à l'occasion d'examens et d'une nouvelle opération. Il lui fit entendre des cassettes de l'ECAP. Ses attentions aidèrent la malade à réagir et, par voie de conséquence, à souffrir moins. Elle refusa l'irradiation et la chimiothérapie qu'elle considérait comme dangereux et choisit d'entreprendre le traitement holistique auquel elle croyait. Dans sa lettre, Tim ajoute qu'il est encore trop tôt pour se prononcer sur l'issue de sa maladie mais que, l'ayant rencontrée après sa sortie de l'hôpital, il l'avait trouvée en forme, pleine d'énergie et rayonnante d'amour.

Elle lui donna aussi la clé d'un mystère qui préoccupait le jeune homme depuis plusieurs jours. Le chirurgien qui l'avait tellement insultée pendant sa première opération avait pratiqué la seconde avec infiniment d'attention et de douceur. Tim poursuit :

> « Pourquoi était-il allé la voir dans sa chambre et lui téléphona-t-il chez elle ? Pourquoi avait-il été le seul, dans tout l'hôpital, à appuyer sa décision de refuser les traitements et à lui conseiller de rentrer chez elle, de se reposer et de guérir ?
>
> « Il paraît que, le matin de l'opération, au cours de la visite éclair qu'il lui faisait dans sa chambre, elle l'avait soudain pris dans ses bras avec la plus grande affection. Pris de court, il n'avait pas su comment réagir mais, au bout d'un moment, l'avait à son tour chaleureusement embrassée.
>
> « Il arrive qu'on ne sache plus très bien qui, du patient ou du médecin, est le plus malade. J'ignore si l'un ou l'autre a guéri mais en tout cas ils se sont fait mutuellement beaucoup de bien. »

Je veille toujours à ce que le personnel de la salle d'opération se comporte exactement comme si le malade était éveillé. Quand un chirurgien fait une plaisanterie comme : « Celui-là, s'il sort d'ici, ce sera les pieds devant ! » rien d'étonnant à ce que l'opéré se réveille en pleurant. On peut très bien être franc tout en restant optimiste. Une simple affirmation comme : « Vous allez vous réveiller détendu, affamé et assoiffé » (à nuancer pour les obèses) ne peut qu'aider le malade à se rétablir. On réussit même à diminuer l'envie de fumer par la suggestion post-opératoire. Je n'hésite pas non plus à demander au patient de ne pas saigner quand les circonstances l'exigent. Chacun sait que les yogis et les sujets hypnotisés parviennent à contrôler leur flux sanguin, et il semble que les sujets anesthésiés obéissent également à la suggestion verbale. Je me demande parfois si cette technique ne donnerait pas de bons résultats en psychothérapie.

La qualité de l'environnement hospitalier influe tant sur l'attitude des malades que sur celle des soignants. J'ai bien peur que nous ayons perdu une importante source d'énergie — la relation avec Dieu et avec la nature — le jour où les architectes ont commencé à dessiner des hôpitaux sans fenêtres. Voir le monde extérieur nous empêche d'oublier que nous sommes liés à toutes les formes de vie et nous aide à survivre. Des études récentes ont montré que les patients dont les fenêtres donnaient sur une cour, un arbre, le ciel, se rétablissaient plus rapidement que ceux qui avaient en face d'eux un mur nu. Le Dr Dick Selzer a décrit avec éloquence son sentiment sur la question :

> « Il fut un temps où les salles d'opération avaient des fenêtres. C'était un plaisir et un avantage, même si parfois une mouche arrivait à se glisser dans la pièce et en menaçait la sacro-sainte stérilité. Pour la bestiole trop curieuse, l'aventure se soldait par une mort prématurée ; mais pour nous, travailleurs de la chair, cela signifiait le regard du ciel, l'approbation ou le reproche du tonnerre. Dieu nous visitait dans le crépitement d'un éclair ! Et la nuit, aux urgences, la splendeur et l'éternité des étoiles rappelaient au chirurgien la vanité de tout orgueil. Dieu veillait sur les patients par-dessus l'épaule de leur médecin. J'ai bien peur qu'en murant nos fenêtres nous ayons perdu plus que l'odeur du vent. Nous avons rompu une relation céleste. »
>
> « Travailler dans une pièce sans fenêtre, c'est vivre dans une jungle où le ciel reste invisible ! N'ayant pas l'azur à contempler, nous perdons la vision de Dieu. Par contre, des esprits innombrables se cachent derrière les feuilles et dans les cours d'eau. Ce n'est ni mieux ni pire, seulement chacun devrait pouvoir choisir le temple qu'il préfère. Le mien se trouve dans une vaste prairie et interroge le ciel, ou dans une salle d'opération pourvue de nombreuses fenêtres derrières lesquelles des vaches paissent tranquillement avant que les étoiles ne viennent éclairer mon ouvrage. »

Pour rétablir cette relation céleste, j'utilise la musique, dont les vertus thérapeutiques sont connues depuis les temps bibliques. A l'époque des prophètes, les harpistes savaient des mélodies capables de provoquer un état mental où les pouvoirs extra-sensoriels étaient activés, comme on peut le lire dans Elisha : « Et il advint, pendant que jouait le ménestrel, que la main de Dieu se posa sur lui. » David jouait devant Salomon pour l'aider à surmonter sa tristesse et sa paranoïa.

La musique ouvre une fenêtre spirituelle. La première fois que j'apportai un magnétophone en salle d'opération, la question du risque d'explosion se posa. Mais je le fis fonctionner sur batterie et la musique plut tellement aux infirmières et aux anesthésistes qu'ils ne peuvent plus s'en passer. Aujourd'hui, presque toutes les salles d'opération de la ville sont équipées de magnétophones.

D'après les enquêtes réalisées par différents chercheurs, la musique a le pouvoir de détendre, de dénouer les tensions et d'apaiser la douleur. Les petits préfèrent évidemment les chansons enfantines, *Pierre et le loup* ou *La Rue Sésame*. Les adolescents se calment en écoutant du rock et les adultes ont diverses préférences.

La musique doit aider le patient mais aussi l'équipe chirurgicale à rester calmes pendant les interventions. Elle doit rappeler à tous que c'est une personne vivante que l'on opère. Elle doit aider le personnel à traiter le malade comme s'il était éveillé, mais ne jamais nous distraire de notre travail. Je trouve que la musique planante et les largos baroques sont les plus aptes à créer ce climat. J'encourage aussi les malades à écouter les morceaux qu'ils trouvent particulièrement beaux ou apaisants pour que leur séjour à l'hôpital se déroule dans une atmosphère propice à la guérison.

L'expérience m'a appris à choisir mes cassettes en fonction de chaque situation — je taquine parfois mes étudiants en leur faisant croire que certains morceaux arrêtent les hémorragies. La réaction des malades crée parfois des situations assez comiques. J'aime l'orgue, et un patient sous anesthésie locale me demanda un jour, en entendant un morceau plutôt mélancolique : « Mais qu'est-ce qui se passe ici ? Quelqu'un est mort ? » Tout le monde se mit à rire et l'homme reprit : « Écoutez, en tant qu'Irlandais, je préférerais une chanson à boire ! » Nous passâmes une romance irlandaise qui lui fit grand plaisir. Une autre fois nous avions choisi un morceau de harpe et, pendant qu'on l'anesthésiait, le malade dit : « Je préfère entendre ça avant de m'endormir... Si je me réveillais avec cette musique, je me demanderais où je suis. » Et, pendant que j'enlevais à une jeune femme une tumeur bénigne, elle se mit à rire en disant : « Tout à fait de circonstance ! » Frank Sinatra chantait « Prends-moi tout si tu veux ».

Partage des responsabilités

Plus que tout autre facteur, la participation aux prises de décisions détermine la qualité de la relation médecin-malade. Les patients exceptionnels tiennent à partager la responsabilité de leur vie et de leur traitement, et le médecin qui encourage cette attitude aide ses patients à guérir plus rapidement.

Des expériences menées avec des enfants ont montré l'intérêt de la participation active au traitement. Dans un service de grands brûlés, on a constaté que les sujets auxquels on apprenait à changer eux-mêmes leurs pansements avaient moins de complications et devaient prendre moins de médicaments que les autres, soignés traditionnellement. Autre exemple, un groupe d'enfants asthmatiques auxquels on avait expliqué le mécanisme de la maladie et le rôle des médicaments, en les encourageant à déterminer eux-mêmes quand ils devaient les prendre. Il s'avéra que ces enfants manquaient moins souvent l'école et qu'en moyenne ils n'étaient amenés en urgence à l'hôpital qu'une fois tous les six mois au lieu d'une fois par mois.

Le partage des responsabilités resserre la coopération et diminue l'hostilité qui entraîne souvent la négligence du médecin. Mystification et reproches n'ont plus aucune raison d'être quand les décisions sont prises d'un commun accord, en fonction de ce qui est bon pour le patient à ce moment-là et non en fonction d'un avenir hypothétique. Jamais un de mes patients n'arrive à l'anesthésie sans être persuadé que je vais lui faire exactement ce qu'il veut qu'on lui fasse. (Toutefois, quand je sens que le malade risque de s'en vouloir à lui-même si quelque chose qu'il a décidé se passe mal, je l'encourage à me laisser davantage de responsabilités. Je préfère qu'il tourne sa colère contre moi plutôt que contre lui-même. Sachant que je fais toujours de mon mieux, je suis capable de supporter tous les reproches.)

Il y a des cas où le choix thérapeutique pose des problèmes. Certaines personnes n'ont pas, inconsciemment, très envie de vivre et refusent le traitement ou le supportent tellement mal qu'on est obligé de l'interrompre. D'autres, bien que décidées à vivre, ne sont pas nécessairement d'accord avec le médecin, qui doit alors résister à l'envie de céder ou d'imposer son idée. Quand on oblige un malade à suivre tel ou tel traitement qu'il refuse, on doit s'attendre à ce que médecin et malade se rendent mutuellement responsables de l'échec éventuel.

Au contraire, quand le patient choisit librement la forme de traitement à laquelle il croit et quand il accepte l'idée que la mort est un sort inévitable, jamais il ne regrette sa décision, jamais il n'a l'impression d'un échec personnel. Quant au médecin, il doit se souvenir que c'est le malade, et lui seul, qui va vivre les conséquences de son choix.

Le médecin a le devoir d'accepter tous les malades, même s'il n'est pas obligé d'avaliser toutes les idées. Il a le droit de dire : « Je ne suis pas d'accord avec ce que vous faites et je refuse d'y participer. » Mais c'est une réaction dangereuse parce qu'elle incite les malades à se passer définitivement des services de la médecine. Personnellement, je préfère dire : « Je ne suis pas d'accord avec ce que vous faites » ou : « Si j'étais à votre place je ne choisirais pas cette forme de traitement parce que je ne crois pas que ce soit la meilleure, mais vous pouvez toujours revenir me voir, je vous aiderai de mon mieux. »

Par la suite, si la thérapeutique de leur choix se révèle inefficace, ils garderont confiance dans l'homme qui ne les a pas rejetés et reviendront éventuellement le voir pour se faire opérer. C'est la seule façon pour nous, médecins, de mettre les gens à l'aise et de les laisser libres de changer d'avis. Jusqu'à ce jour, 100 % de mes patients ont accepté ce que je leur recommandais — chimiothérapie, radiothérapie ou opération —, même ceux qui, au départ, voulaient se soigner eux-mêmes et refusaient toute intervention médicale, même ceux qui, dès leur première visite, me disaient : « Ne me parlez jamais comme un docteur, sinon vous ne me reverrez pas ! »

La bienveillance du médecin modifie parfois radicalement l'attitude du patient, comme le montre l'exemple de Brigitte, une Anglaise récemment installée aux États-Unis. Comme cela se passe toujours en Angleterre, on lui avait imposé un médecin. Il ne lui plut pas et elle ne le vit qu'une fois. Quand elle arriva à mon cabinet, son sein gauche était dévoré par une tumeur de la taille d'un melon. Je l'examinai et lui énumérai toutes les solutions possibles, de l'opération à la prière. « Vous êtes bien le premier médecin qui ne se met pas à hurler et à me faire des reproches du genre : "Vous êtes complètement folle ! Pourquoi n'êtes-vous pas venue plus tôt ? Vous êtes inconsciente ou quoi ?" » me dit-elle. Je lui expliquai que ce n'était pas mon rôle, que mon travail consistait à examiner mes patients et à essayer de les aider.

Je fis faire à Brigitte des dessins qui manifestaient une attitude positive envers la radiothérapie et la chimiothérapie bien qu'elle les ait tout d'abord rejetées. Quelques mois plus tard, elle me téléphona pour m'annoncer qu'elle suivait une chimiothérapie et que sa tumeur avait « fondu ». L'amélioration était tellement spectaculaire que son oncologue doutait que les rayons fussent nécessaires. En acceptant Brigitte comme elle était, je l'avais convaincue d'essayer les traitements que la médecine pouvait lui offrir.

Il y a cependant des chirurgiens qui, au lieu de se limiter à la technique médicale, veulent exercer un contrôle absolu sur tous les aspects de la vie des malades — comme un adulte domine un enfant —, et la vérité m'oblige à dire que beaucoup de malades les laissent faire. Les médecins sont formés autant par leurs patients que par leurs études, et la plupart des gens sont ravis de déléguer leur pouvoir de décision, de s'en remettre à l'image du père omnipotent. Le patient exceptionnel, lui, se bat pour garder sa responsabilité, mais il est souvent puni pour cet acte de survie, parce qu'il représente une minorité dans la pratique des médecins. Comme l'explique Kostoglotov, rescapé des camps staliniens, dans *Le Pavillon des cancéreux* :

> « Une fois qu'un malade est entre vos mains, c'est vous, désormais, qui pensez pour lui, vous, vos règlements, vos staffs, le programme, le plan et l'honneur de votre établissement. Et moi, de nouveau, je ne suis plus qu'un grain de sable, comme dans le camp ; et de moi, plus rien ne *dépend*. »

Les détracteurs de la médecine moderne se plaisent à rappeler la vertigineuse diminution du nombre des morts enregistrée pendant les grèves de médecins — à Los Angeles et à Bogota en 1976, à Jérusalem en 1973, par exemple. Ils en tirent des conclusions hâtives du style : « Les soins médicaux sont dangereux pour la santé. » Je crois plutôt que c'est l'occasion pour les malades de réaliser tout à coup qu'ils ne peuvent compter que sur eux-mêmes pour réfléchir et prendre des décisions, et que c'est ça qui les maintient en vie. Il y a plusieurs années, une grève des ambulanciers suscita la panique à Cape Code. Qu'allait-on faire en cas d'urgence ? Eh bien le nombre des urgences diminua de façon spectaculaire jusqu'à la fin de la grève — autre preuve de l'extraordinaire pouvoir dont nous disposons.

Le mécanicien et le guérisseur

Si les médecins ont souvent du mal à établir une relation thérapeutique fructueuse avec leurs patients, c'est en grande partie parce qu'on les a formés à devenir de simples mécaniciens. En faculté, nous apprenons tout ce qu'il faut savoir sur la maladie, sauf la façon dont elle est vécue par celui qui en souffre.

Le Dr Arthur Kleinman attribue les succès souvent remarquables de la médecine traditionnelle (à Taiwan ou chez les Sino-Américains) au fait qu'elle traite la maladie dans son contexte psychologique et culturel. Dans la mentalité chinoise, par exemple, l'image de la maladie mentale est tellement négative que la dépression nerveuse ne peut être envisagée qu'en termes de symptômes physiques, comme la fatigue. C'est pourquoi tout traitement qui ne permettrait pas au patient de croire à un désordre physique serait probablement rejeté ou inefficace.

Kleinman établit une distinction entre la *maladie*, définie par des symptômes physiques ou pshychiques observables par le médecin, et le *malaise* qui est la façon subjective de ressentir le même trouble. Les deux notions sont parfois extrêmement différentes, surtout quand une personne dénuée de toute connaissance scientifique est suivie par un médecin occidental.

Cela ne veut pas dire que je recommande la guérison par la transe ou le sacrifice d'animaux (à moins que le patient n'y croie, évidemment), mais j'estime que nous devons, comme les médecins libres de Platon, interroger nos patients sur ce qu'*ils* pensent être la cause de leur mal, sur les problèmes — inquiétude, handicaps de tous ordres — que *leur* état *leur* pose, et sur la façon dont ils voudraient être soignés. Le questionnaire standard que les étudiants en médecine apprennent à utiliser ne donne aucune indication sur la séquence temporelle des événements ni sur l'incidence de ces événements sur la vie du patient. Une question comme : « À quel âge est mort votre père ? » est insuffisante puisqu'elle ne permet pas de savoir si le père est mort la semaine dernière ou il y a vingt ans. Les médecins n'ont donc aucune notion de la dynamique des situations, sauf quand les malades donnent d'eux-mêmes des informations supplémentaires, ce qui est rare.

C'est par la « négociation » que s'obtiennent les meilleurs résultats. Médecin et patient exposent leur point de vue et l'accord n'intervient que quand un véritable terrain d'entente a été trouvé. Si une personne croit fermement à la guérison par l'imposition des mains, le praticien ne doit ni s'interposer, ni contester la validité de cette méthode. Car, malgré le scepticisme de la science, certaines pratiques sont susceptibles d'améliorer l'état du patient qui croit en elles.

Je dis souvent à mes patients quel traitement je choisirais si j'avais leur maladie. Ils ne sont pas toujours d'accord avec moi et je n'approuve pas nécessairement tout ce qu'ils font, mais je me garde bien de déprécier les méthodes qu'ils croient bonnes pour ne pas diminuer leur efficacité. Je m'efforce au contraire de concilier nos points de vue, sans imposer quoi que ce soit. Ce qui me permet de conclure : « Si vos méthodes ne marchent pas, essayez les miennes. »

J'ai rencontré une jeune femme très croyante qui avait tenté de guérir par la prière une grave infection urinaire. Finalement, n'en pouvant plus de douleur, elle se présenta aux urgences où un interne lui donna des comprimés qui firent disparaître ses symptômes en vingt-quatre heures. Très impressionnée, elle comprit, me dit-elle, que les médicaments aussi sont l'œuvre de Dieu et qu'on peut les utiliser parallèlement à nos capacités internes de guérison.

J'essaie toujours d'éviter à mes patients de se lancer dans des dépenses folles quand j'estime la démarche inutile, mais je sais aussi qu'il est toujours utile de faire tout ce qui peut redonner l'espoir. Des études ont montré que le fait de dépenser de l'argent et d'entreprendre de longs voyages aidait effectivement les malades à guérir. L'envie de pouvoir se dire « j'en ai eu pour mon argent » existe, et l'effort accompli est à la mesure de la motivation. Le patient qui consent à des sacrifices écoutera forcément le médecin consulté et suivra ses conseils. Au début, je demandais qu'on me téléphone, qu'on m'envoie les dessins, mais j'ai compris que les gens préféraient se déplacer pour venir me voir et que c'était important pour la réussite de leur traitement.

Le fait que les meilleurs médecins soient souvent ceux qui ont eux-mêmes été gravement malades prouve bien la valeur de l'identification avec le patient. Tout au long de nos études, on nous apprend à ne pas nous identifier aux malades, soi-disant pour éviter le surmenage mental. Toute la terminologie médicale accentue d'ailleurs cette séparation. Au lieu d'inscrire « cancer » sur la fiche d'un malade, on met « K ». Ce désengagement affectif me paraît également néfaste pour les deux parties. Nous nous éloignons des malades au moment où ils ont le plus besoin de nous. Les infirmières savent combien il est difficile de trouver un médecin quand quelqu'un est en train de mourir. Notre formation nous incite à nous prendre pour des dieux de la mécanique humaine, pour des faiseurs de miracles. Quand nous n'arrivons pas à réparer ce qui est cassé, nous nous esquivons honteusement, écrasés par le sentiment d'un échec personnel.

L'idée que « ce sont les autres qui tombent malades, pas moi » aide aussi les médecins à se sentir invulnérables. Quand je dis : « Presque tout le monde meurt un jour », devant des étudiants, ils éclatent de rire ; la même phrase prononcée dans une assemblée de médecins est accueillie par un silence de mort. Comme l'a dit un de mes confrères : « Les médecins savent généralement très bien ce qu'ils pensent et ce qu'ils croient mais sont à mille lieues de savoir ce qu'ils ressentent. »

L'idéal qui nous imprègne progressivement au cours de nos études est celui du macho-supertoubib infaillible qui, les mâchoires serrées et le regard clair, vient à bout des situations les plus difficiles. Il nous paraît normal d'avoir le trac avant les examens mais parfaitement honteux de reconnaître notre peur de la maladie ou de la mort.

Une fois diplômés, nous nous appliquons évidemment à refouler tout ce que nous pouvons éprouver — tristesse, colère ou joie — au contact des malades. Nous sommes généralement très consciencieux dans notre travail mais incapables de nous détendre, de nous amuser et de récupérer une fois la journée terminée. Rien d'étonnant à ce que le pourcentage de drogués, de suicidés et de morts prématurés soit plus important dans nos rangs que dans la moyenne nationale. L'habitude d'assumer des responsabilités qui nous dépassent, la sensation de ne jamais en faire assez, une certaine tendance à confondre respect de soi-même et égoïsme entraînent chez les médecins des réactions destructrices.

Nous voudrions être Dieu, même si nous n'en avons pas les capacités. D'ailleurs, la place est déjà prise. Se prendre pour Dieu est une forme raffinée de suicide.

Dans certaines facultés, on a mis au programme l'apprentissage de la compassion, mais il me semble que l'accession à la profession d'un nombre croissant de femmes sera plus déterminante, à long terme, sur l'avenir de la médecine. Les meilleurs médecins sont ceux qui, conciliant les qualités « masculines » et « féminines » de leur personnalité, sont capables de prendre des décisions fermes tout en restant bienveillants et compréhensifs. Des études ont montré que cette harmonie faisait aussi des êtres plus équilibrés et plus heureux malgré les tensions inhérentes à la pratique médicale.

Sûrs de leur immortalité, la plupart des médecins fument, boivent, mangent trop et n'importe quoi, ne prennent aucun exercice. C'est dommage pour eux mais encore plus pour leurs patients. Se croyant invulnérables, ils méprisent les inquiétudes du commun des mortels. Quand on leur demande : « Docteur, que dois-je manger ? » ils répondent : « Tout ce que vous voudrez. Moi, à midi, je prends un hot-dog. » Inutile de leur parler des substances cancérigènes qu'ils risquent d'absorber, ils se mettraient à rire.

Ce genre d'attitude peut leur faire perdre de vue bien des évidences. J'expliquai un jour à mon fils qui allait se faire opérer d'une hernie tous les détails techniques de l'intervention. En se réveillant, il me regarda et dit : « Tu avais oublié de me dire que j'aurais mal. » Quelques années plus tard, comme il me racontait ses problèmes d'adolescent, je me lançai dans une grande tirade sur l'amour, la générosité, le pardon, mais il m'interrompit : « Je n'ai pas besoin que tu me donnes des conseils, je veux juste que tu m'écoutes. » En jouant le rôle de saints dispensateurs de bonnes paroles, nous n'aidons personne. Apprenons à écouter et à compatir. Vivons nos préceptes moraux avant d'en faire profiter les autres.

Il y a quelques années, une grave infection qui m'obligea à passer une semaine à l'hôpital me permit de comprendre bien des choses. À mon tour, j'étais en isolement, immobilisé par une perfusion, dépendant de la bonne volonté des infirmières, moi qui suis habitué à diriger et à décider. À mon tour, j'étais affublé de la chemise sans forme des malades, qui ôte à l'homme toute dignité.

C'était à un moment de grands changements dans ma vie — déménagement, naissance d'un enfant, débuts dans ma profession — qui me rendaient très heureux, mais cela ne m'empêcha pas de tomber malade. Je compris alors que certains de mes patients devaient vivre des situations semblables. Je pris donc l'habitude de leur poser des questions sur d'éventuels bouleversements dans leur vie : « Vous avez changé d'employeur ? acheté une nouvelle maison ? » Ils n'en revenaient pas. Comment pouvais-je le savoir ?

J'appris aussi à mieux connaître les médecins. Étant moi-même de la profession, j'étais suivi par d'éminents professeurs mais jamais je n'arrivais à les réunir tous dans ma chambre pour faire le point. J'appris par ailleurs que l'on voulait me transférer dans un autre pavillon, triste et sans fenêtres, pour me rapprocher du grand patron. Je refusai tout net et leur annonçai que j'allais quitter l'hôpital. Du coup, ils se précipitèrent tous à mon chevet.

Je trouve qu'un petit séjour à l'hôpital, en médecine générale, par exemple, devrait faire partie des épreuves du doctorat en médecine — avec, comme le suggérait un de mes patients, « une perfusion et quelques tubes par-ci par-là ».

Dans les sociétés traditionnelles, on ne devient pas guérisseur avant d'avoir fait l'expérience de la maladie et de la guérison. Dans nos pays, on ne devient pas psychanalyste sans avoir été analysé, mais on acquiert son diplôme de mécanicien du corps sans avoir jamais eu besoin de se faire réparer.

Pourquoi nier un phénomène aussi humain que l'empathie ? En nous considérant comme des mécaniciens, nous finissons toujours par échouer, mais en tant que professeurs, guérisseurs et hommes de bonne volonté, nous avons la possibilité d'assister et même d'aider nos patients dans leurs derniers moments. Alors pourquoi nous cacher à la cafétéria et obliger une infirmière à affronter seule la mort d'un malade ? Une relation dans laquelle médecin et patient se découvrent semblables et égaux, à quelques années d'études près, est beaucoup plus gratifiante que les rôles traditionnels de maître et de suppliant.

Pour beaucoup d'entre nous, cela nécessite un travail long et difficile, mais il n'existe aucune alternative intéressante. Les composants psychiques inhérents à toute maladie exigent du praticien autant de connaissances et de sérénité intérieure que doivent en avoir les psychothérapeutes. Comme le dit Carl Jung :

> « Le médecin doit donc s'appliquer à lui-même et comme en retour le système qu'il professe, avec la même absence de ménagement, avec la même suite dans les idées, la même endurance dont il témoigne à l'égard de ses malades. Mais si l'on songe à l'attention soutenue, à l'esprit critique avec lesquels le médecin de l'âme doit suivre son patient, ... on avouera que ce n'est pas une mince tâche que de se soumettre à la même procédure. La plupart du temps on ne se trouve pas assez intéressant ; et d'ailleurs qui nous rétribuerait pour ces efforts introspectifs ? En outre, le mépris de l'âme humaine réelle est partout si puissant que s'observer et s'occuper de soi-même passe déjà presque pour maladif. Manifestement, nous ne flairons pas une grande santé dans notre âme personnelle et rien qu'à nous tourner vers elle, nous croyons sentir les relents d'une chambre de malade. Toutes ces résistances, le médecin doit les surmonter en lui-même, car qui donc pourrait, sans être soi-même éduqué, éduquer autrui ? Qui donc pourrait apporter des clartés, ''mettre en lumière'', s'il se débat encore dans ses propres ténèbres ? Qui donc pourrait purifier avec des mains impures ?... Force est donc au médecin de ne plus esquiver ses propres difficultés sous le prétexte qu'il soigne les difficultés des autres, comme si un chirurgien souffrant d'un abcès suppurant et qui refuserait de se soigner pouvait être un bon chirurgien. »

Jung insiste aussi sur la nécessité de sortir des limites étroites de la spécialisation. Dans son autobiographie : *Ma vie. Souvenirs, Rêves et Pensées*, il écrit que, comme les médecins ont appris à utiliser les rayons X sans être autrement versés dans la physique subatomique, il ne « prétend nullement en remontrer aux autres disciplines ; je cherche simplement à utiliser leurs connaissances dans mon domaine ». De même que Jung a élargi le champ de la psychologie en y introduisant les dimensions de la mythologie et de la philosophie, les médecins d'aujourd'hui doivent intégrer dans leur pratique tout ce que la psychologie et la religion peuvent leur apporter. Plus loin, dans le même livre, Jung décrit les avantages que présentent les incursions dans d'autres domaines.

> « La différence entre la plupart des hommes et moi réside dans le fait que, en moi, les ''cloisons'' sont transparentes. C'est ma particularité. Chez d'autres, elles sont souvent si épaisses qu'ils ne peuvent rien voir au-delà et pensent par conséquent qu'au-delà il n'y a rien. Je perçois jusqu'à un certain point les processus qui se déroulent à l'arrière-plan et c'est pourquoi j'ai une sécurité intérieure. »

Cette ouverture d'esprit aide le médecin à susciter l'espoir, à donner avec le cœur autant qu'avec la tête et les mains, à rester modeste et à partager la responsabilité des grandes décisions avec le patient. Et l'amour qu'il reçoit en retour s'exprime par des mots et des regards reconnaissants, des lettres ou des cartes, des petits cadeaux, toutes choses qui font plaisir. Un médecin qui travaille avec amour ne peut pas s'épuiser. Il ou elle peut être fatigué physiquement mais pas psychologiquement.

Les prodiges accomplis par l'étroite collaboration entre médecin et malade ne cessent pas de m'émerveiller. Thelma, qui souffrait d'un cancer du sein, m'expliqua, lors de notre première rencontre, qu'elle laissait à Dieu le soin de la guérir mais qu'elle voulait que je surveille l'expérience. Je lui expliquai que cela me paraissait difficile. À sa visite suivante, la tumeur avait diminué et je lui demandai ce qui s'était passé. « Le téléphone s'est mis à sonner au moment où je sortais de chez moi et je l'ai laissé sonner », me répondit-elle. C'était la première fois de sa vie qu'elle disait non. Quand elle revint me voir, sa tumeur avait encore réduit ; même curiosité de ma part. Tout sourire, elle m'expliqua : « Quand mon alcoolique de mari a fait son numéro habituel, j'ai appelé la police. Il m'a reproché de l'humilier devant tous nos voisins mais j'ai dit : ''Maintenant, j'ai le cancer et je ne supporterai plus ce genre de comportement.'' C'est alors qu'elle se rendit compte que je l'aimais bien et qu'une véritable collaboration commença. Elle me dit : « C'est dur de devenir une sainte et de se soigner toute seule. Si vous m'enlevez ma tumeur, je me charge du reste. »

Plus tard, Thelma me raconta que le lendemain de son opération, elle avait eu avec une infirmière le dialogue suivant :

« Parlez-moi du Dr Siegel.

— Que voulez-vous dire ? À vous entendre on croirait qu'il m'a hypnotisée...

— Écoutez, vous avez subi une mastectomie hier soir, et ce matin vous êtes debout, vous souriez et vous ne paraissez pas souffrir. Qu'est-ce qu'il vous a fait ?

— Il m'a écoutée. Nous avons pris *ensemble* la décision, je n'ai donc aucune raison d'être déprimée ou de souffrir. Je sais que c'était la meilleure chose à faire et qu'elle a été bien faite. Je suis donc sûre de guérir. »

Julie, une jeune femme que je devais aussi opérer d'un cancer du sein, s'inquiétait beaucoup et rêva qu'elle mourait pendant l'anesthésie. Comme elle me demandait si je pouvais l'opérer sous anesthésie locale, je lui dis : « Moi, j'ai rêvé que je vous opérais sous anesthésie locale et que je vous abîmais irrémédiablement le bras. » C'était son rêve contre le mien ! Notre rire dénoua la tension. Julie comprit mon inquiétude et, après discussion, se rendit à mes raisons. Je l'opérai sous anesthésie générale et tout se passa fort bien.

Je dois préciser qu'il s'agissait là d'un rêve d'angoisse, pas d'un rêve prémonitoire. Autrement, je ne l'aurais pas pris à la légère. Quand j'ai l'impression que le rêve d'un malade annonce sa mort, je ne l'opère pas ce jour-là. Le cas s'est d'ailleurs présenté : une de mes patientes avait rêvé de sa propre tombe portant l'inscription « Vendredi ». Je m'arrangeai pour qu'elle ne soit pas opérée un vendredi.

Le lendemain de l'opération de Julie, je faisais une conférence dans une ville voisine. Soudain, dans l'auditoire, une voix familière posa une question. C'était Julie. Je me précipitai vers elle et lui demandai ce qu'elle faisait là. « Ne vous inquiétez pas, répondit-elle, j'ai mon drain caché sous ma robe. Je me sentais très bien et quand j'ai voulu partir, l'infirmière a dit : "Oh ! c'est encore une patiente du Dr Siegel !" et votre collègue m'a signé une décharge. »

Ce qui rend ce genre de choses possibles, ce n'est pas moi mais la collaboration. C'est l'amour et la générosité, le fait d'agir *avec* les gens et non pas *sur* eux. Nous, médecins, devons devenir des instruments afin de permettre aux malades de nous utiliser pour réaliser des miracles. J'aimerais citer, pour conclure, le poème d'une de mes patientes qui illustre bien le bénéfice infini que peuvent tirer les malades d'une étroite collaboration avec nous. Après avoir décrit ses craintes et l'attitude apaisante de l'anesthésiste, Page Coulter écrit :

> « On pourrait justifier le besoin d'amour ou déchirer
> l'œil d'une tulipe.
> « Quelle importance ? Nous voulons tendre nos corps pour
> recevoir la pluie
> « Les étoiles filantes ou le crépuscule, tout ce qui tombe
> des espaces extérieurs.
> « Mais la voix du chirurgien fredonne
> un air léger
> « Je sens que doucement ses mains saisissent et tirent
> comme si c'était mon père
> « Rempaillant des chaises ou ma mère cousant une poche
> à ma robe de mariée. »

3.

LA MALADIE ET L'ESPRIT

> « L'immense majorité d'entre nous est contrainte à une duplicité constante érigée en système. On ne peut, sans nuire à sa santé, manifester jour après jour le contraire de ce que l'on ressent réellement, se faire crucifier pour ce que l'on n'aime pas, se réjouir de ce qui vous apporte le malheur. Notre système nerveux n'est pas un vain mot ni une invention. C'est un corps physique composé de fibres. Notre âme est située dans l'espace et se place en nous comme les dents dans la bouche. On ne peut pas sans cesse la violenter impunément. »
>
> Boris PASTERNAK, *Le Docteur Jivago.*

La méconnaissance actuelle de la relation corps-esprit n'est qu'une aberration récente si l'on considère l'histoire de l'art de guérir dans son ensemble. Dans la médecine tribale traditionnelle et dans la pratique occidentale après Hippocrate, la nécessité d'agir sur l'esprit du malade a toujours été reconnue. Jusqu'au XIXe siècle, les écrits médicaux manquent rarement de mentionner l'influence du chagrin, de la tristesse et du désespoir sur la formation et l'évolution de la maladie, pas plus qu'ils ne négligent les effets curatifs de la confiance, de la foi et de la paix intérieure. La satisfaction a longtemps été considérée comme la clé de la santé.

Mais l'« homme-médecine » moderne a si bien appris à se servir de drogues pour éliminer la maladie qu'il en a oublié la force potentielle de guérison qui existe en chacun de nous. L'un de mes confrères me citait, à cet égard, l'exemple de son grand-oncle, médecin de campagne, qui avait tenu un journal pendant toute sa carrière. Au début, tous les événements marquants de la vie de ses patients et de celle de la communauté étaient scrupuleusement rapportés et mis en relation avec la maladie ou l'épidémie. Mais à mesure que la médecine devenait technologique, cet aspect perdit progressivement de son importance avant d'être complètement négligé. La connaissance de nos pouvoirs spirituels fut perdue à partir du moment où la médecine élimina de son étude tous les paramètres peu scientifiques ou difficilement quantifiables.

L'esprit, bénéfique ou maléfique

Les effets de l'esprit sur le corps sont en partie directs et conscients. L'amour que nous nous portons détermine notre comportement par rapport à des constantes comme la nourriture, le sommeil, l'alcool et le tabac, l'exercice physique et même la ceinture de sécurité. Chacun de nos choix dans ces domaines donne la mesure de notre désir de vivre, et ces décisions représentent environ 90 % des facteurs qui conditionnent notre état de santé. Malheureusement, des attitudes inconscientes influencent notre capacité de décision, si bien que notre comportement est souvent contradictoire.

Prenons l'exemple de Sarah, une de mes patientes, atteinte d'un cancer du sein. Quand j'entrai dans sa chambre d'hôpital, elle était en train de fumer, acte qui signifiait clairement : « Je veux que vous me débarrassiez de mon cancer mais, comme je ne suis pas certaine d'avoir envie de vivre, je prends le risque d'un autre cancer. » Elle me regarda d'un air gêné et dit : « Je suppose que vous allez me demander d'arrêter de fumer. — Non, répondis-je, je vais vous demander de vous aimer. Ensuite, vous arrêterez de fumer par vous-même. »

Elle réfléchit un moment et dit : « Je m'aime bien, en fait. Mais on ne peut pas dire que je m'adore ! » (Précisons que Sarah finit par s'aimer suffisamment pour cesser de fumer.)

Si j'ai donné cet exemple c'est parce qu'il illustre bien le problème commun à beaucoup de gens. L'amour de soi est devenu synonyme de vanité et de narcissisme. La fierté d'être et la volonté de se faire du bien n'ont plus aujourd'hui ni sens ni valeur. Et pourtant, l'adoration de soi-même, vécue de façon joyeuse et positive, reste la base de la santé, le but à atteindre pour devenir un patient exceptionnel. Loin d'être criminels, l'estime et l'amour de soi-même sont des valeurs qui permettent d'envisager la vie comme un plaisir et non comme un fardeau.

Mais le pouvoir de l'esprit ne se manifeste pas uniquement dans nos choix conscients. Il agit directement et à notre insu sur les tissus organiques. Voyez certaines expressions que nous employons couramment : « Il me casse les pieds / les oreilles ; je l'ai dans le dos / le cul ; j'en crève ; tu me brises le cœur. » Le corps répond aux messages de l'esprit, qu'ils soient conscients ou inconscients. Ces messages sont généralement des ordres de vie ou de mort. Je suis persuadé que nous ne possédons pas uniquement des mécanismes de survie — l'instinct de conservation — mais aussi des mécanismes de mort qui font tomber nos défenses, ralentissent nos fonctions corporelles et nous ôtent toute envie de lutter quand nous avons le sentiment que notre vie ne vaut pas la peine d'être vécue.

Chaque tissu, chaque organe du corps fonctionne grâce à une interaction complexe entre des substances chimiques qui circulent dans le sang, les hormones sécrétées par les glandes endocrines. Le dosage de ces substances dépend de la glande pituitaire, ou hypophyse, située au milieu du crâne, juste sous le cerveau. La production d'hormones pituitaires est à son tour réglée par les sécrétions chimiques et les impulsions nerveuses émanant de la partie voisine du cerveau : l'hypothalamus. Cette zone minuscule orchestre la plupart des processus inconscients d'entretien du corps, tels que battements du cœur, respiration, pression sanguine, température, etc. L'hypothalamus est en relation constante avec le reste du cerveau par l'intermédiaire de fibres nerveuses, si bien que le moindre de nos processus intellectuels ou émotionnels a des répercussions sur notre organisme. Il y a cinq ans environ, des spécialistes du développement de l'enfant ont découvert le « nanisme psycho-social », phénomène étonnamment courant par lequel une atmosphère affective malsaine interrompt le développement physique du sujet. Quand un enfant se trouve pris dans un feu croisé d'hostilité et se sent rejeté par ses parents, il perd toute confiance en lui, et le centre émotionnel du cerveau, ou système limbique, agit sur l'hypothalamus de façon à bloquer dans l'hypophyse la production d'hormones de croissance.

Le système immunitaire se compose d'une variété de globules blancs concentrés dans la rate, le thymus, les ganglions lymphatiques, et circulant dans tout le corps par le sang et le système lymphatique. Les globules blancs se divisent en deux grandes catégories : les lymphocytes B qui produisent des substances chimiques pour neutraliser les poisons sécrétés par les organismes malades tout en aidant le corps à mobiliser ses défenses naturelles, d'une part, et les lymphocytes T ou tueurs et leurs auxiliaires, qui détruisent les agresseurs, bactéries ou virus, d'autre part.

Des recherches récentes ont montré l'existence de nerfs, jusque-là inconnus, qui relient directement le thymus et la rate à l'hypothalamus. D'autres travaux ont prouvé que les globules blancs réagissent directement à certaines des substances chimiques qui transmettent des messages d'une cellule nerveuse à l'autre.

Cette preuve anatomique du contrôle direct par le cerveau du système immunitaire a été confirmée par l'expérimentation animale. Indépendamment l'une de l'autre, deux équipes de scientifiques ont utilisé des techniques pavloviennes de conditionnement pour modifier les réponses immunitaires. L'une des expériences consistait à habituer des rats à boire de l'eau sucrée contenant une substance immuno-dépressive. Par la suite, il suffisait de donner aux animaux de l'eau sucrée pour les « persuader » de supprimer eux-mêmes leurs défenses immunitaires. De la même façon, l'autre expérience permit à des souris d'augmenter leur potentiel immunitaire en relation avec une forte odeur de camphre.

Le système immunitaire est donc régi par le cerveau, soit indirectement par le truchement des hormones circulant dans le sang, soit directement par les nerfs et les substances neurochimiques. Selon l'une des explications du cancer les plus largement admises, la théorie de la « surveillance », les cellules cancéreuses se développeraient en permanence dans notre organisme mais seraient détruites par les globules blancs avant de pouvoir former des tumeurs dangereuses. Le cancer apparaîtrait lorsque le système immunitaire serait défaillant et incapable d'assurer ce travail de routine. Il s'ensuit que tout ce qui empêche le cerveau de contrôler le système immunitaire entraîne des réactions malignes.

L'une des principales causes de ce disfonctionnement c'est le syndrome chronique de stress, tel qu'il a été décrit par Hans Selye en 1936. Le mélange d'hormones dégagé par les glandes surrénales en réponse à des angoisses violentes (ce qu'on appelle communément une décharge d'adrénaline) annihile momentanément le système immunitaire. Cela n'a pas eu d'incidences graves tant que les dangers qui menaçaient la race humaine restaient épisodiques. Mais la tension et l'anxiété liées à la vie moderne déclenchent en permanence des réactions antistress, et l'adrénaline amoindrit notre résistance à la maladie, allant même jusqu'à atrophier les ganglions lymphatiques. De plus, il a été expérimentalement prouvé que les « émotions passives » comme le chagrin, le sentiment d'échec et la colère refoulée produisent également une sur-sécrétion d'hormones antistress, fatale pour le système immunitaire.

Nous ne comprenons pas encore exactement comment nos émotions et nos pensées agissent sur les substances chimiques du cerveau, mais ce que nous savons avec certitude c'est que notre état d'esprit a une influence directe et immédiate sur l'état de notre corps. Nous pouvons modifier notre fonctionnement physique en agissant sur nos émotions.

Si nous refoulons notre désespoir, notre corps enregistre un message de mort. Par contre, si nous affrontons notre douleur et cherchons à la partager, le message devient : « la vie est difficile mais vaut la peine d'être vécue », et le système immunitaire fait ce qu'il faut pour nous maintenir en vie.

C'est pourquoi les deux outils que j'ai choisis pour agir sur le corps sont les émotions et l'imagination, qui permettent d'établir une communication entre le corps et l'esprit. Les émotions et les mots apprennent au corps ce que nous attendons de lui, la visualisation de certains changements l'aide à les réaliser. Les émotions et l'imagination passent évidemment par le système nerveux central et peuvent être rapprochées du travail effectué par Becker, chirurgien orthopédiste et chercheur.

Becker a étudié les échanges électriques du corps et mis au point une technique de cicatrisation osseuse par l'électricité. Il a découvert que, sous hypnose, les malades réussissaient à déclencher des changements de voltage dans certaines parties de leur corps quand on le leur demandait. Si, comme le pense Becker, cette activité électrique contrôle les processus chimiques et cellulaires de guérison, nous aurons bientôt une explication scientifique des guérisons hypnotiques et de l'effet placebo. Il est bien connu, par exemple, que sous hypnose on peut se débarrasser de verrues. Comme l'écrit Lewis Thomas :

> « On ne peut imaginer un sujet placé sous hypnose, recevant un ordre et le faisant exécuter avec exactitude et précision sans imaginer du même coup l'intervention d'un quelconque maître d'œuvre ou conducteur des travaux. On ne pourrait se contenter de confier toute l'opération, dans son incroyable complexité, aux centres inférieurs, sans leur transmettre en même temps une série d'instructions détaillées qui dépassent de loin ma modeste compétence.
>
> « Quelque part, une intelligence sait comment se débarrasser des verrues. C'est une pensée qui ne peut manquer de jeter un certain trouble dans l'esprit.
>
> « Et c'est aussi un merveilleux problème qui attend sa solution. Que l'on songe un instant à tout ce que nous saurions si nous pouvions acquérir une claire compréhension des mécanismes par lesquels l'hypnose permet de faire disparaître une verrue !
>
> « ... Nous apprendrions à connaître une espèce de superintelligence qui se trouve en chacun d'entre nous et qui possède une clairvoyance et un savoir-faire technique qui dépassent de très loin notre compréhension actuelle. Voilà ce qui, à soi seul, vaudrait que l'on déclarât la guerre aux verrues, que l'on se lançât à la conquête de l'univers des verrues, que l'on exigeât la création d'un Institut national des verrues, et tout et tout. »

La bioélectricité nous permettra peut-être un jour d'atteindre ce « maître d'œuvre », de comprendre précisément pourquoi et comment certaines tumeurs régressent quand les malades sont convaincus de l'efficacité d'un traitement, même non orthodoxe — hypnose, régime alimentaire, prière ou méditation. Comme l'a encore écrit Becker : « L'effet placebo est non seulement réel mais d'une extrême importance, et vos méthodes sont peut-être beaucoup plus efficaces que vous ne le supposez. »

La science réussira-t-elle à guérir un jour toutes les maladies par des stimuli électriques ? En attendant, les patients exceptionnels — c'est-à-dire potentiellement tous les patients — peuvent apprendre à se soigner et à rester en bonne santé. Il suffit de les convaincre d'aimer la vie, les autres et eux-mêmes, de chercher l'équilibre et la sérénité, pour que les transformations nécessaires puissent se produire. Ma façon d'aimer les gens et de le leur manifester physiquement à l'hôpital peut paraître idiote mais c'est une démarche scientifique. Malheureusement, nous ne connaissons pas encore les techniques psychologiques susceptibles de déclencher rapidement et efficacement le processus de guérison. La plupart des changements se produisent à un niveau inconscient et sont donc difficiles à évaluer cliniquement sans un contrôle psychologique attentif. Un jour, je l'espère, nous pourrons prescrire « un câlin toutes les trois heures » au lieu de médicaments ou d'influx électriques, mais pour le moment, revenons à l'étude du potentiel destructeur de l'esprit, avant d'envisager des remèdes.

Conjurer le stress

On dit souvent que le stress est l'un des éléments les plus dangereux de la vie quotidienne, mais ce n'est qu'un aspect de la réalité. Il semble que notre façon d'y réagir soit plus importante que le stress en lui-même. L'expérience personnelle de Selye, l'homme qui inventa le concept et définit ses effets sur le corps, le confirme.

À l'âge de soixante-cinq ans, Selye contracta un réticulosarcome, genre de cancer dont il est extrêmement rare de guérir, mais il réagit de façon exceptionnelle :

> « J'étais sûr d'en mourir, alors je me dis : ''Bon, c'est sans doute la pire des choses qui pouvait t'arriver mais il y a deux façons de la vivre : ou bien tu traînes ton malheur comme une victime promise au sacrifice et tu passes un an à geindre, ou bien tu essaies de tirer de la vie tout ce qu'elle peut encore t'apporter.'' J'ai choisi la deuxième solution parce que je suis un combatif, et le cancer m'a permis de livrer le plus grand combat de mon existence. Je le considérai comme une expérience qui pouvait valider ou infirmer ma théorie.
>
> « Il se produisit alors une chose étrange : le temps passait, un an, deux ans, et j'étais toujours là. Le rescapé, le cas exceptionnel, par chance, c'était moi.
>
> « Par la suite, je fis un effort particulier pour limiter au maximum les occasions de stress. Je dois faire très attention à ce que

> je dis ici car je suis un scientifique, et il n'existe encore aucune statistique établissant un lien entre stress et cancer. En dehors des causes liées à la génétique et à l'environnement, le cancer me paraît avoir avec le stress des relations complexes. De la même façon que l'électricité peut aussi bien produire de la chaleur que la dissiper, selon le dosage et l'équilibre choisi, le stress peut déclencher ou empêcher la maladie.
>
> « Certains ont décrit le cancer comme une façon pour le corps de se rejeter lui-même. En poussant l'hypothèse un peu plus loin, pourrait-on dire que les gens qui nient et rejettent leurs besoins fondamentaux seraient éventuellement plus aptes à contracter le cancer ? En d'autres termes, si l'individu nie ses propres besoins, son corps peut-il se rebeller et se rejeter lui-même ? À cette question, je ne réponds ni oui ni non. Je suis un homme de science, pas un philosophe. Tout ce que je peux dire, en tant que médecin, c'est que la grande majorité des maladies physiques a une origine en partie psychosomatique. »

Les preuves accumulées depuis que Selye a écrit ces mots montrent qu'il s'entourait de précautions exagérées. Le départ et l'évolution d'une maladie sont étroitement dépendants de la volonté du sujet ou de sa capacité à résister au stress. Les situations de stress que nous choisissons provoquent des réactions totalement différentes de celles que nous subissons sans pouvoir rien y faire. L'impuissance est d'ailleurs plus néfaste que le stress lui-même. Cela explique sans doute pourquoi en Amérique le taux de cancers est plus élevé chez les Noirs que chez les Blancs, et pourquoi le cancer est associé au chagrin et à la dépression. Les plus susceptibles de succomber à une crise cardiaque ne sont pas les battants du type A, ceux qui vivent à cent à l'heure, mais plutôt les battus, les subalternes et les ouvriers qui n'ont aucune autonomie et dont les existences abrégées donnent tout son sens à l'expression « mortellement ennuyeux ».

De l'extérieur, il est toujours un peu délicat de comprendre le stress, dans la mesure où la même situation peut être désastreuse pour certains, sans conséquence ou même bénéfique pour d'autres. Comme l'a dit le psychiatre Jérôme Frank : « Le stress c'est surtout la façon dont chacun interprète les événements. » Il donne maints exemples où des expériences, insignifiantes pour l'observateur objectif, sont vécues comme stressantes par l'individu et associées à la maladie. Au contraire, ce qui paraît souvent insupportable à l'observateur — pauvreté, misère, alcoolisme dans la famille — n'est pas associé à la maladie tant que le patient ne le présente pas comme stressant.

Cela est particulièrement vrai des enfants. Les adultes pensent souvent que les enfants sont heureux, alors qu'ils sont traumatisés par ce qui se passe autour d'eux, même s'ils ne le laissent généralement pas voir. Il est arrivé que des enfants se suicident à cause d'une mauvaise note à l'école, soit parce qu'ils intériorisaient les espoirs de leurs parents, soit parce qu'une réflexion les avait persuadés qu'ils n'étaient pas aimés.

Mais l'esprit scientifique est rarement convaincu par l'étude psychologique des humains. Il existe trop de variables à prendre en compte. L'expérimentation animale, par contre, a donné des résultats concluants. Dans les années 70 Vernon Riley publiait une série d'expériences sur des souris sensibilisées au cancer mammaire. En élevant certaines de ces souris à l'abri de toute situation de stress et d'autres dans un environnement agressif, il réussit à faire varier le pourcentage de cancers de 7 à 92 %.

En 1981, une équipe de psychologues fit une démonstration encore plus proche de l'expérience humaine. À trois groupes de rats on injecta des cellules cancéreuses. Le lendemain, deux des groupes furent soumis à des chocs électriques — l'un des groupes n'ayant pas la possibilité de s'en protéger, l'autre pouvant se réfugier derrière un écran protecteur. Parmi les premiers, 73 % eurent le cancer contre 37 % seulement dans le deuxième groupe, c'est-à-dire un peu moins que dans le groupe de contrôle qui n'avait pas reçu de choc électrique !

Le niveau de stress auquel est soumis l'individu est en partie déterminé par la société. Les cultures qui survalorisent la combinaison individualisme-compétition sont les plus contraignantes. À l'inverse, ce sont les communautés les plus soudées, celles qui sont fondées sur des relations d'entraide et d'amour, celles où les vieux gardent un rôle actif, qui engendrent le moins de stress et de cancers. La foi religieuse et une attitude relativement ouverte et permissive à l'égard de la sexualité comptent aussi parmi les caractéristiques habituelles des sociétés à faible taux de cancer.

Ce sont d'ailleurs les mêmes facteurs qui favorisent la longévité. Les villages de la tribu Abujmarhia en Inde centrale en fournissent un excellent exemple. L'environnement de ces villages est dénué de toute pollution, leurs habitants ont un régime alimentaire naturel et sain, des relations sexuelles joyeuses et tendres qui commencent dès l'adolescence, une activité agraire régulière et tranquille avec des moments plus intenses, des veillées où ils dansent et se racontent des histoires, de longues nuits de repos. Le cancer est absolument inconnu dans cette communauté.

Il faut préciser que ce type de société ne fait rien pour aider les enfants faibles ou malformés à survivre, si bien que les facteurs de santé physique déterminés par la sélection naturelle font chuter le pourcentage global des maladies. Pourtant, les influences extérieures ne sont pas seules en cause. La non-pollution de l'environnement et la sélection naturelle existent encore dans de nombreuses contrées sous-développées, mais le cancer est plus fréquent dans les tribus qui font régulièrement la guerre que dans celles qui vivent en paix.

Il semble aussi que la tradition offre une sécurité qui protège des maladies graves. Les sociétés à structures fermées dans lesquelles chacun sait ce qu'il doit faire, même si certaines déviances sont tolérées — mormons, adventistes du septième jour, par exemple —, ont des taux de cancer moins élevés que la société plus ouverte qui les entoure. Les individus qui quittent le groupe pour une vie plus riche en imprévus voient leur sensibilité à la maladie rattraper celle de la culture qu'ils ont choisie.

Dans une société comme la nôtre, chacun doit trouver lui-même sa réponse au stress, apprendre à se dissocier psychologiquement des contraintes environnantes. Des expériences ont prouvé que la capacité de l'individu à maintenir un taux de cholestérol normal était directement liée à sa capacité de chasser le stress par la relaxation. Par la méditation et l'exercice physique, on peut apprendre à un « battant », vivant à 200 à l'heure et axé sur la réussite sociale (type A) à éviter les accidents cardiaques tout en conservant son comportement habituel. Des études ont montré que les gens qui méditent régulièrement vieillissent moins vite que leur âge. Mais ces techniques restent inefficaces sans une véritable motivation. La première étape consiste donc à apprendre à s'aimer suffisamment pour prendre soin de son corps et de son esprit.

On peut mesurer le stress. Dans ce but, les Dr Holmes et Rahe ont établi la liste de quarante-trois changements de vie permettant d'évaluer la probabilité d'une maladie chez un individu donné. On commence par faire l'historique de la vie affective récente de la personne, puis on donne une note, de zéro à cent, aux événements traumatiques qu'elle a pu subir — changement ou perte de travail, départ d'un enfant, mariage ou divorce, déménagement, etc.

L'événement considéré comme le plus grave — et évalué à cent points — est la mort du conjoint. Ce traumatisme est souvent suivi par l'apparition d'un cancer ou d'une autre maladie critique dans un délai d'un ou deux ans. Des études récentes ont montré que le deuil entraînait un affaiblissement des défenses immunitaires pendant plus d'un an. D'autres travaux ont constaté que, *en l'espace de vingt-quatre heures*, tout facteur de stress incontrôlable diminue l'efficacité des globules blancs chargés de combattre la maladie.

On pense aujourd'hui que le divorce serait plus dangereux encore, dans la mesure où la fin de la relation y est plus difficile à accepter, l'autre étant encore vivant. Il est de fait que le pourcentage de cancers, maladies de cœur, pneumonies, hypertension et morts accidentelles est plus élevé chez les divorcés que chez les gens mariés, célibataires ou veufs. Chez les hommes mariés, l'incidence du cancer est aussi trois fois moindre que chez les célibataires.

Les revers de fortune peuvent également entraîner l'apparition de cancers. Les défaites de Napoléon, du général Grant et de Howard Humphrey ont souvent été associées à la maladie qui leur a été fatale.

Ceux qui refusent de tenir compte des facteurs psychologiques dans la formation du cancer prétendent que la période de latence est trop courte pour que la psyché puisse jouer un rôle dans les cancers d'enfants, mais on a pu démontrer le contraire. Une équipe de pédiatres a établi que les enfants cancéreux avaient subi deux fois plus de crises récentes que d'autres enfants comparables mais sains. Une autre étude, portant sur trente-trois enfants leucémiques, a montré que trente et un avaient subi une perte ou un changement traumatique dans les deux années précédentes. Les psychologues savent maintenant que les nourrissons sont beaucoup plus sensibles qu'on ne le croyait jusqu'ici, et je ne serais pas étonné que les cancers des nourrissons soient liés à la perception *in utero* de conflits entre les parents ou du refus de l'enfant. Je ne dis pas cela pour culpabiliser quiconque mais pour éclairer davantage le sens de notre participation au processus de guérison.

Dans notre approche des problèmes causés par le cancer, nous ne devons donc jamais sous-estimer les effets que cette maladie peut provoquer dans la famille et parmi les amis du malade, surtout si celui-ci meurt. Le médecin doit aider tous les proches du malade à vivre ouvertement leur peur et leur chagrin afin d'éviter qu'ils ne tombent malades à leur tour. Affronter le malheur dans une atmosphère d'amour partagé ne peut qu'être bénéfique, tant au malade qu'à son entourage.

Un désespoir tranquille

Tous les gens qui subissent une perte tragique ou un bouleversement pénible ne tombent pas malades. Le facteur décisif semble être la réaction individuelle de chacun. Ceux qui peuvent donner libre cours à leurs sentiments tout en gardant une activité normale restent généralement en bonne santé.

Le mari d'une patiente me téléphona un jour pour me demander : « Qu'avez-vous raconté à ma femme ? » Il m'expliqua qu'en rentrant chez elle, elle avait passé plusieurs heures à récriminer contre leurs vingt années de vie commune — qu'il estimait plutôt heureuses. Je répondis : « Je n'ai rien raconté à votre femme, mais elle a appris qu'elle avait le cancer et elle se libère de toutes les rancœurs accumulées au cours des années. » La colère est une émotion normale quand elle s'exprime sur le moment. Dans le cas contraire, elle se change en rancune ou en haine et devient destructrice. Une femme qui dit : « Je veux sauver mon ménage, même si je dois en mourir », découvre parfois qu'elle a dit vrai.

Si l'on gère correctement ses émotions — colère ou désespoir — au moment où elles surgissent, on n'a aucune raison de tomber malade. Par contre, en ne tenant pas compte de ses besoins émotionnels, on se rend vulnérable à la maladie.

La vérité c'est que les gens heureux sont généralement en bonne santé. Le rapport à soi-même est le facteur déterminant de la guérison ou de la santé. Ceux qui vivent en paix avec eux-mêmes et leur environnement immédiat ont beaucoup moins de maladies que les autres.

Le psychiatre George Vaillant a étudié ce qu'il appelle le « facteur de satisfaction » en suivant pendant trente ans 200 étudiants de Harvard auxquels il faisait subir des examens médicaux et psychologiques tous les ans. En comparant le groupe des plus heureux avec celui des moins heureux, il écrit : « sur les 59 sujets qui, entre vingt et un et quarante-six ans, jouissaient de la meilleure santé mentale, il n'y eut qu'un cas de maladie chronique et un décès prématuré à cinquante-trois ans. Sur les 48 sujets jouissant d'une santé mentale médiocre entre vingt et un et quarante-six ans, 18 eurent des maladies chroniques ou moururent à cinquante-trois ans. » Sur les 200 sujets étudiés, parmi ceux qui étaient très satisfaits de leur vie, le pourcentage de maladies graves et de morts était dix fois inférieur à celui de leurs collègues moins heureux. La santé mentale, Vaillant le prouva, retarde la détérioration physique de l'âge mûr.

Le dénominateur commun de toutes les dépressions, c'est ce que l'individu ressent comme l'absence d'amour ou de sens à son existence. La maladie représente alors une fuite par rapport à une routine qui a perdu toute signification. Dans cette perspective, on pourrait dire que la dépression est une forme moderne de la méditation.

L'apparition d'un cancer est bien souvent précédée d'une perte traumatisante ou d'un sentiment de vide et d'inutilité. Quand une salamandre perd une patte ou sa queue, il lui en repousse une autre. De même, quand un être humain souffre d'une perte irréparable et mal intégrée, son corps réagit parfois en faisant pousser quelque chose. Mais il semble que, si l'on réussit à compenser la perte d'un être cher par une évolution personnelle, on puisse empêcher la prolifération anarchique de cellules dans notre corps. Mon travail de médecin est donc de vous aider à changer, à évoluer, pour vous permettre de résister à la maladie.

Si j'opère sur vous une transplantation de rein en vous donnant ce qu'il faut pour bloquer votre système immunitaire, la greffe prendra. Et si l'on découvre par la suite que ce rein était cancéreux, le cancer prospérera à vos dépens. J'arrêterai alors de vous donner la substance qui paralyse votre système immunitaire, si bien que l'organe greffé sera rejeté et le cancer avec. Un système immunitaire vigoureux peut éliminer le cancer quand rien ne s'y oppose, et le fait d'évoluer vers une meilleure acceptation de soi-même renforce les défenses immunitaires.

Les effets de la dépression sur ces défenses apparaissent très rapidement pour peu qu'une ancienne maladie ne soit pas complètement éliminée. Arnold, qui avait eu une tumeur mélanique sept ans auparavant, vint me voir avec une récurrence dans les ganglions de l'aisselle. Je lui demandai ce qui lui était arrivé dans les six mois précédents et il me raconta que le dernier de ses enfants, auquel il était très attaché, l'avait quitté pour se marier. Comme sa femme était soignée en hôpital psychiatrique depuis plusieurs années, il se retrouvait seul et se sentait abandonné. Il avait passé plusieurs semaines à pleurer.

Le désespoir avait amoindri ses défenses et permis à des cellules cancéreuses résiduelles de recommencer à se multiplier. Dans le cadre de sa thérapie, nous réunîmes tous ses enfants et le reste de la famille afin de l'aider à trouver de nouveaux centres d'intérêt, des activités sociales, et aussi une façon de se rapprocher de ses enfants. Il comprit le danger qui le menaçait s'il continuait à s'apitoyer sur lui-même et entreprit de participer à sa guérison en apprenant à mieux vivre ses problèmes affectifs. Il finit par succomber à sa maladie mais les derniers mois de sa vie furent illuminés par l'amour des siens, de ses nouveaux amis et d'une femme aimée.

La dépression, telle qu'elle est définie par les psychologues, entraîne généralement le renoncement, la démission. Vivant son présent et ses possibilités d'avenir comme insupportables, la personne déprimée se « met en grève », fait de moins en moins de choses, se désintéresse de son travail, de ses plaisirs, de ses semblables. Ce type de dépression est intimement lié au cancer. Des études ont montré que les sujets dépressifs étaient deux fois plus susceptibles de le contracter que les non-dépressifs. En travaillant sur plusieurs paires de vrais jumeaux, on s'est aperçu que le jumeau malade avait subi une perte ou une grave dépression alors que le jumeau sain n'avait rien connu de pareil. Il existe pourtant une forme de dépression encore plus étroitement liée à l'apparition de tumeurs malignes.

En refusant toute activité normale, les déprimés typiques manifestent au moins une réaction contre ce qui leur paraît intolérable. C'est un comportement négatif mais qui représente une tentative de fuite. À l'inverse, certains déprimés continuent à se comporter normalement et affichent toutes les manifestations du bonheur, alors que profondément ils ressentent la vacuité de leur existence. Rarement considéré par leur médecin comme une dépression, leur état est celui d'un « désespoir tranquille », masque affable et souriant qui dissimule une rage et une frustration secrètes.

Sandy, une de mes patientes cancéreuse, m'écrivit une longue lettre où elle m'expliquait comment elle avait été conditionnée à n'être qu'un « paillasson » toute sa vie. Elle avait commencé très jeune, à prendre des cours de chant et de comédie et avait travaillé avec une troupe de théâtre expérimental. Mais chaque fois qu'elle sortait de scène, souriante et heureuse, sa mère lui disait : « Très bien. Continue à travailler et, *la prochaine fois*, tu seras encore meilleure. » Ses bulletins scolaires recevaient le même accueil : « *La prochaine fois*, essaie d'avoir la meilleure note partout. » Sandy avait un corps superbe et voluptueux, mais sa mère lui répétait sans cesse : « Ne mange pas ci, ne mange pas ça, tu es déjà trop grosse. » A dix-neuf ans, Sandy avait tellement perdu confiance en elle qu'elle ne chantait plus que dans la chorale paroissiale, avant de cesser complètement.

Peu de temps après avoir passé son bac, Sandy se maria :

> « Nous n'avons vraiment fait connaissance qu'au moment où c'était trop tard. Comme je suis catholique, j'ai fait tous les efforts possibles pour que ça marche entre nous. Nous avons eu trois gosses, à trois ans d'intervalle... Mon mari avait deux boulots. Moi, je faisais des ménages chaque fois que je le pouvais. Ma mère venait chez nous tous les jours pour "voir les enfants" et elle ne perdait pas une occasion de me rappeler que personne ne voudrait m'engager parce que j'étais trop grosse et que, de toute façon, je ne savais rien faire. Quand je lui rappelais que j'avais été secrétaire juridique, elle balayait l'argument en disant : "De toute façon tu ne peux pas travailler tant que les gosses ne sont pas élevés. Moi je ne peux pas m'en occuper, c'est trop de travail, mais je t'interdis de faire élever mes petits-enfants par une étrangère. »

Sandy tombait très souvent malade. Omniprésente, sa mère se plaignait d'être fatiguée et accusait sa fille d'ingratitude, « après tout ce que j'ai fait pour toi ». Le mari prit l'habitude de rentrer tard, ivre, et de frapper Sandy. Quand elle parla de divorce, il mit toute la famille dans la voiture et les conduisit à l'extrême bord d'un précipice où il menaça de les précipiter si elle ne promettait pas de ne jamais le quitter. Elle obéit et tint sa promesse.

Tout en sauvegardant les apparences, Sandy décida inconsciemment de tomber malade. Une phlébite la cloua au lit et interrompit toute relation avec son mari. Quand celui-ci mourut dans un accident de voiture, la phlébite disparut en quelques jours. Plus tard, remariée mais toujours aussi soumise, elle eut un cancer au sein. Aujourd'hui, après avoir donné une nouvelle orientation à sa vie, Sandy a retrouvé la santé.

Pendant plus de vingt ans de recherches sur les aspects psychiques du cancer, Lawrence Le Shan a effectué des études de personnalité sur 455 cancéreux et des thérapies en profondeur avec 71 malades « au stade terminal ». Il a constaté que cet état de « désespoir » (ainsi qualifié pour le distinguer de la forme plus généralement connue de la dépression) avait précédé l'apparition du cancer chez 68 de ses patients sur 71, alors que dans sa clientèle non cancéreuse, il ne trouvait que 3 cas de désespoir sur 88. Comme l'a écrit Arnold Hutschnecker, « la dépression est une reddition partielle à la mort, et il semble que le cancer soit un désespoir vécu au niveau cellulaire ».

La relation entre cancer et émotions refoulées a été scientifiquement mise en évidence il y a plus de trente ans par l'étude d'un groupe de fumeurs atteints, soit d'un cancer du poumon, soit d'autres maladies. Grâce à des tests psychologiques, on a déterminé que les cancéreux avaient une moindre « expression de la charge émotionnelle », et on en conclut que plus une personne est refoulée, moins il lui faut de cigarettes pour contracter le cancer.

En travaillant avec des malades cancéreuses du sein, le psychologue Mogens Jensen démontra que les sujets « refoulés-défensifs » mouraient plus rapidement que les autres. Ce sont les gens qui sourient et refusent de reconnaître leur désespoir, qui disent « je vais bien » alors même qu'ils ont le cancer, que leur conjoint les a quittés, que leurs enfants se droguent ou que leur maison vient de brûler. Jensen estime qu'un tel comportement « dérègle » et épuise le système immunitaire complètement affolé par des messages contradictoires.

C'est pourquoi, quand un patient m'assure que « tout va bien », je dois immédiatement déterminer s'il est sincère ou s'il joue la comédie. Quelqu'un qui affirme que le cancer ne le dérange pas dit peut-être vrai si la maladie représente une solution à ses problèmes existentiels. Rappelons en outre que, considérée avec sérénité, la maladie n'est plus un choc destructeur mais un défi exaltant. Selon l'attitude du malade, les conséquences seront différentes et ne pourront être interprétées correctement sans une étude psychologique poussée.

Jensen note également que ceux dont les images mentales sont résolument positives, c'est-à-dire qu'elles nient la maladie ou la possibilité de mourir, ont de moindres chances de survie. Ils ne peuvent tirer aucun bénéfice de la technique de l'imagerie mentale; en refusant la maladie, ils se privent des moyens de la combattre. Dans leurs dessins, les refoulés-défensifs se représentent avec de larges sourires et dessinent la maladie à l'extérieur de leur corps ou collent sous leur visage des corps sains découpés dans des magazines. Une femme me dit un jour : « Comme je ne suis pas une artiste, j'ai demandé à mon fils de faire les dessins à ma place. » (Par la suite, je lui demandai comment elle envisageait de guérir du cancer si elle n'avait même pas le courage de faire un croquis, et elle s'exécuta.)

Le facteur essentiel de désespoir est souvent un changement de situation sur lequel le patient n'a pas de prise — et qui le rend à la fois désespéré et désarmé, impuissant. Ces changements peuvent aussi entraîner la mort subite — le survivant rejoignant son compagnon dans la mort quelques minutes plus tard, par exemple.

Cette sensation d'impuissance touche les femmes autant que les hommes mais pour des raisons différentes et souvent liées aux rôles sociaux. Les hommes tombent généralement malades à la suite d'un licenciement ou au début de leur retraite parce que traditionnellement ils s'identifient avec leur travail. Mon père eut un cancer du poumon peu de temps après sa retraite. Il avait du mal à accepter la signification et les conséquences de cette soudaine inaction. Heureusement, après son opération il a repris goût à la vie et n'a plus eu de problèmes.

Les hommes sont souvent plus enclins à exprimer leur colère que les femmes qui se contiennent et finissent par déprimer. Pour elles, le changement pathogène est plutôt d'ordre affectif, divorce ou départ des enfants, par exemple. Comme me l'écrivit une femme récemment séparée de ses enfants : « J'avais en moi un vide que le cancer est venu combler. »

Chez les femmes, la maladie peut aussi résulter d'une insatisfaction liée à leur rôle de maîtresse de maison ; moins au travail domestique en lui-même d'ailleurs qu'à la sensation d'être prise au piège. Les femmes d'intérieur ont 54 % de cancers en plus que dans la moyenne nationale et 157 % de plus que les femmes qui travaillent au-dehors. Au moment où ces statistiques furent publiées, beaucoup de chercheurs supposèrent qu'il y avait des substances cancérigènes dans les cuisines et l'on perdit beaucoup de temps à essayer de les découvrir. Il n'est pas impossible que les cuisines américaines renferment certains carcinogènes, mais une enquête ne tarda pas à constater que le cancer était moins fréquent chez les femmes de ménage qui pourtant travaillaient *dans* deux cuisines. Notons à ce propos qu'il est toujours plus facile de trouver des crédits pour rechercher des causes chimiques au cancer. La possibilité que la femme soit sensibilisée à ce type de maladie parce qu'elle se sent piégée dans un rôle qui ne lui convient pas n'intéresse pas grand monde.

Dans une ballade intitulée « Miss Gee », W. H. Auden exprime bien la relation entre le cancer et une vie de frustration :

Elle arriva chez le docteur
et vite à sa porte sonna ;
« Oh docteur, j'ai là une douleur
qui me cause bien du tracas. »

Le docteur Thomas l'examina
Et l'examina encore
Puis dit en se lavant les mains :
« Vous auriez dû venir plus tôt. »

Après le dîner, il resta assis
Le docteur Thomas. Il roulait
De la mie de pain entre ses doigts
Et dit : Curieuse chose que le cancer.

Personne ne sait ce qui le cause
Même si certains le prétendent ;
On dirait un assassin dans l'ombre
Attendant celui qu'il va frapper.

On le trouve chez les femmes sans enfant,
Chez les hommes sans travail
Comme s'il fallait un exutoire
A leur feu créateur étouffé.

A ce propos, un psychiatre m'a dit : « Tout ce qui rime n'est pas forcément vrai », mais je préfère l'attitude de Lawrence Le Shan qui, avant d'entreprendre une recherche, se tourne vers les poètes pour voir s'ils ont déjà exprimé son idée. Quand c'est le cas, il se met au travail convaincu d'être dans le bon chemin.

L'absence d'exutoire à ses émotions est un thème fréquent dans l'expérience des malades. Les couvents abritent plus de cancéreux que les prisons car l'incarcération n'empêche personne d'exprimer sa rage et sa frustration. J'ai connu le cas d'un jeune homme, ancien chef de bande, qui contracta la maladie de Hodgkin quand sa vie de danger et de camaraderie virile prit fin, la bande s'étant dissoute. Il s'ennuyait terriblement et son traitement restait sans effet. Son psychologue eut alors l'idée de lui conseiller d'entrer chez les sapeurs-pompiers où il retrouverait l'excitation du danger et le plaisir de la fraternité. Le changement fut radical : son organisme réagit au traitement et la maladie régressa. Mais un problème se posa quand on lui offrit une promotion. Sa femme insistait pour qu'il accepte mais il craignait qu'un travail de bureau ne compromette sa guérison. L'avenir dira s'il a suffisamment évolué pour prendre la meilleure décision.

Dans une certaine mesure, donc, le cancer n'est pas une maladie primaire mais une réaction à un ensemble de circonstances qui affaiblissent les défenses naturelles de l'organisme. C'est pourquoi, quand un médecin soigne un cancer, ou toute autre maladie, sans étendre le traitement à l'ensemble de la vie du patient, une nouvelle maladie risque de se développer. Dans la mesure où tout le monde est amené à subir des changements, un traitement vraiment efficace doit permettre au patient de vivre sereinement malgré les agressions extérieures. Le résultat n'est jamais acquis, mais c'est la démarche qui profite à notre corps. Point n'est besoin d'*être* un saint pour guérir, il suffit de tendre vers la sainteté. Comme l'a écrit Richard Bach, auteur de *Jonathan Livingstone le Goé-*

land : « Voici un test pour savoir si votre mission sur terre est terminée : Vous êtes vivant ? Alors elle ne l'est pas. »

Personnalité et programmation

Jeune femme, ma mère souffrait d'une grave hyperthyroïdie et ne pesait que quarante-cinq kilos. Mais elle désirait passionnément un enfant. Elle consulta plusieurs obstétriciens qui, tous, pensaient que son corps ne supporterait pas l'épreuve d'une grossesse et qu'elle en mourrait probablement. Quelques années passèrent sans que son état s'améliore, jusqu'au jour où elle et mon père décidèrent de prendre le risque. Elle devint alors une patiente exceptionnelle, partageant ses espoirs et ses craintes avec les médecins, établissant avec eux une relation affective autant qu'intellectuelle et prenant, avec son mari, la responsabilité ultime de la décision.

Ils trouvèrent finalement un gynécologue qui accepta d'aider ma mère à tenter l'aventure. Il lui promit de faire tout son possible pour qu'elle ait une grossesse normale, à condition qu'elle prenne quinze kilos. Or ma mère disposait d'un atout majeur : une mère juive. La mère prit la fille chez elle, la coucha et la gava consciencieusement pendant trois mois. Ma mère grossit de quinze kilos, conçut, et je naquis. Son hyperthyroïdie disparut après ma naissance et elle eut le bonheur de mettre au monde un enfant parfaitement sain.

Pourtant, l'accouchement fut pénible. Je naquis avec la tête complètement déformée par les forceps. Quand ma mère allait me promener dans le quartier, elle me cachait derrière une gaze. Des voisins s'approchaient de mon landau, soulevaient la gaze, commençaient à s'extasier : « Oh ! quel joli... », puis m'ayant aperçu, ravalaient le reste du compliment. Ma mère décida de ne plus me sortir afin de leur éviter cet embarras. Il n'existe d'ailleurs aucune photo de moi à cette époque. Ma grand-mère, une fois encore, prit la situation en main. Elle massa délicatement mon visage avec une crème jusqu'à ce que mes traits prennent une apparence plus conforme à mon état, soulageant ma mère de sa peine et réaffirmant l'amour inconditionnel qu'elle nous portait.

J'appris donc très tôt que j'étais aimé, plus encore que d'autres bébés nés dans des conditions moins difficiles. Je sais depuis toujours que mes parents m'approuveront, quoi que je choisisse de faire. Et je suis convaincu que ce sentiment dans lequel j'ai grandi m'a permis de penser que je pouvais être qui je voulais et m'a guidé sur la voie que j'ai choisie : aimer et guérir.

Cette expérience précoce avait fait de moi un survivant. La vie se présentait à moi comme une série d'obstacles que je me savais capable de franchir. Si les autres ne m'approuvaient pas, je savais que je pouvais compter sur mes parents et sur l'estime de moi-même qu'ils m'avaient encouragé à cultiver. Et je dois dire que cette chance fut parfois un handicap dans ma profession, parce que je ne me rendais pas compte des difficultés de mes patients.

Ce que j'ai eu le plus de mal à comprendre c'est le fait que les gens ne sont généralement pas le produit d'un amour inconditionnel. En fait, j'estime que 80 % de mes patients n'ont pas été désirés ou correctement aimés dans l'enfance. Même les rats de laboratoire s'avèrent plus vulnérables au cancer quand on les sépare prématurément de leur mère. Ceux que l'on caresse souvent quand ils sont petits, par contre, s'avèrent plus résistants. Quelle différence entre ma situation et celle des gens qui ont entendu leurs parents répéter : « Je voulais un garçon, pas une fille » ou : « Ton père était saoul — nous ne voulions plus d'enfants », ou encore : « J'aurais préféré me faire avorter plutôt que de t'avoir. » Ce genre de message imprime dans l'esprit de l'enfant le sentiment d'être méprisé, inutile, et cette impression ne s'efface jamais. De sorte que la maladie est souvent ressentie comme méritée tandis que le traitement ne l'est pas. La maladie peut aussi représenter la seule façon d'accéder au désir des parents — ou de Dieu, puisque la religion fait peser sur l'individu tout le poids de la culpabilité —, la maladie rachète alors tous nos péchés. Au fond d'eux-mêmes, ces malades pensent que la seule chose à faire pour être acceptés et dignes d'amour c'est de mourir.

J'ai eu comme patiente une jeune new-yorkaise, actrice depuis l'enfance et prénommée Jane. Sa mère lui avait toujours recommandé de faire très attention à ses seins, orgueil de sa silhouette. Elle lui interdisait de dormir sur le ventre et la mettait en garde contre les hommes qui risquaient de la cogner en dansant, entre autres. Bien évidemment, Jane eut un cancer du sein et refusa de se faire opérer. Elle essaya par contre toutes les thérapies alternatives possibles et imaginables. Je lui dis que si elle arrivait à concentrer son extraordinaire énergie sur un ou deux traitements et si elle réussissait à s'aimer davantage, elle avait une chance de guérir. Mais, comme beaucoup d'acteurs, Jane ne vivait que pour plaire : « Si je n'entends plus d'applaudissements, comment saurai-je que je peux être aimée ? » s'inquiéta-t-elle. Elle mourut de son cancer après avoir gaspillé toute son énergie à chercher le traitement miracle.

Mais les miracles viennent de l'intérieur. *Vous n'êtes plus cet enfant mal aimé* ; vous *pouvez* renaître, délivré de vos influences parentales néfastes et de leurs conséquences pathogènes. Si vous choisissez d'aimer, vous ne serez pas toujours aussi parfait que vous le souhaiteriez mais vous apprendrez à vous pardonner. Vous ne guérirez pas vos défauts tant que vous ne vous accepterez pas tel que vous êtes. J'insiste sur ce point parce que la plupart des gens, surtout les plus vulnérables au cancer, sont enclins à pardonner aux autres et à se crucifier eux-mêmes. Je considère que nous sommes tous parfaitement imparfaits et que nous devons nous accepter tels quels.

Les chapitres suivants indiqueront comment reprogrammer sa personnalité, mais laissez-moi d'abord vous conter une anecdote tirée de mon expérience personnelle. Le problème — le mal de mer — paraîtra sans doute dérisoire comparé au cancer, mais les principes sont les mêmes et l'incident me démontra la puissance et la dangerosité potentielle de l'esprit.

Un été, je lus dans un livre que, pour maigrir, il suffisait de s'imaginer pris de nausées au moment de se mettre à table et de bien visualiser la chose. À l'époque, je m'enthousiasmais beaucoup pour ce genre d'expériences et j'étais par ailleurs sujet au mal de mer depuis l'enfance. Les faibles ondulations du bateau suffisaient souvent à me rendre malade. Je décidai donc d'aller plus loin que le livre et de m'imaginer souffrant du mal de mer avant chaque repas. Le lendemain, pour me mettre en condition, je me représentai un labyrinthe dans lequel j'étais perdu et je fus pris de vertiges et de vomissements qui me clouèrent au lit pendant trois ou quatre jours. Jamais je n'avais souffert d'un tel « mal de mer ». Je vous conseille donc de ne jamais former délibérément d'images négatives de votre corps, même dans un but aussi louable que celui de maigrir. Votre visualisation risque de devenir réalité.

En travaillant sur la relation psyché-soma, je finis par réaliser que j'étais programmé à souffrir du mal de mer depuis l'âge de cinq ans. Cette année-là, j'étais allé à la pêche avec mon père, j'avais eu la nausée et je m'étais persuadé que je l'aurais à chaque fois. Nous aimions trop la pêche et le bateau, mes parents et moi, pour y renoncer mais mon plaisir s'en trouvait diminué. De même que certains de mes patients en chimiothérapie commencent à avoir la nausée en arrivant à l'hôpital, j'avais le mal de mer avant de mettre le pied sur le bateau. Je décidai que la plaisanterie avait assez duré et me reprogrammai pour ne plus être malade. L'été suivant, je réussis à emmener plusieurs fois ma femme et mes enfants à la pêche sans éprouver la moindre gêne. J'étais même tellement content de mon succès qu'un jour de gros temps nous restâmes en mer jusqu'à ce que toute la famille commence à se sentir mal, sauf moi.

Pour devenir exceptionnel dans la façon dont on envisage et dont on traite son corps, il faut d'abord prendre conscience des idées que l'on se fait inconsciemment à son propos. Celui qui cesse de penser à la maladie pour anticiper la guérison a déjà posé les bases de son traitement.

Edith, une de mes patientes, petite et maigre, me dit un jour : « Je n'ai pas besoin de vous ni de votre groupe. Quand j'étais petite, ma mère me répétait : ''Toi, maigrichonne comme tu l'es, tu t'en sortiras toujours, quoi qu'il arrive. Tu vivras jusqu'à quatre-vingt-treize ans et il faudra un rouleau compresseur pour t'abattre.'' » Edith a survécu à une crise cardiaque, un cancer du duodenum, la mort de son mari et un cancer du sein qui envahit toute sa cage thoracique. Douze ans après son opération, elle est toujours en vie. À chaque nouvelle épreuve elle entend la prédiction de sa mère.

Si nous inculquions à nos enfants le même optimisme, nous en ferions des survivants. En tant que parents, nous sommes les premiers « hypnotiseurs » de nos rejetons et rien ne nous empêche de leur faire des suggestions positives.

À l'inverse, le conditionnement négatif est trop largement répandu. Au fil des années, j'ai remarqué chez mes patients une forte tendance à contracter les mêmes maladies que leurs parents et à mourir au même âge. À cet égard, le conditionnement me paraît au moins aussi déterminant que la prédisposition génétique (que j'appelle hérédité psychologique, parce que j'ai constaté que certains réussissaient à y échapper après en avoir pris conscience). Quand un malade déclare d'un ton résigné : « J'ai appris que j'avais le cancer en mars, j'ai eu une rechute en mars et nous revoilà en mars... », qu'il a une seconde rechute et meurt en l'espace d'un mois, on commence à douter que le phénomène relève de la génétique. Le fatalisme peut être fatal. Trop de gens pensent qu'ils sont condamnés à rejouer le scénario de leurs parents. Comme me l'a dit une infirmière après une conférence : « Vous m'avez peut-être sauvé la vie, docteur. Je m'attendais à mourir du cancer parce que ma mère en a un et que mon père en est mort. Je n'avais jamais pensé que je pouvais y échapper. »

Récemment, j'ai soigné un patient nommé Henri dont le père déchirait systématiquement la page nécrologique de son journal et d'ailleurs toutes les pages où il était question de maladies. Henri souffrait d'un cancer et sa terreur était extrême. Après un travail difficile, nous avons réussi à lui faire admettre l'opération et il s'en est très bien sorti. Mais la peur suscitée en lui par le fait que ses parents ne lui avaient donné aucun moyen de défense contre la maladie contraste étrangement avec le calme d'Arthur, qui vint me voir le même jour. Arthur était chrétien scientiste et venait me consulter pour obéir à ses parents. Son état était plus grave que celui d'Henri et il ne manifestait pourtant qu'une légitime inquiétude.

Les « gènes » psychologiques peuvent être aussi déterminants que les gènes physiques. Je m'en suis rendu compte en comparant les dessins d'un parent et ceux d'un enfant, tous deux devenus cancéreux. La ressemblance est parfois incroyable. L'un des dessins paraît être la réplique de l'autre, bien que plusieurs années les séparent et qu'aucun des patients n'ait vu le dessin de l'autre. Les parents désespérés et impuissants produisent des enfants désespérés et impuissants.

Les organes cibles

L'empreinte psychologique des premières années détermine en grande partie la prédisposition aux maladies graves mais, de façon plus spécifique, elle peut aussi déterminer la nature et la localisation de la maladie ainsi que le moment où elle apparaîtra.

Prenons l'exemple de Lee, un psychologue qui a participé à plusieurs séminaires de l'ECAP. Il venait d'apprendre que l'enrouement qui le gênait depuis longtemps était dû à un cancer du larynx. Son médecin lui avait parlé d'un « traitement de choix », la laryngectomie : « Il n'y a que deux choses que vous ne pourrez plus faire : chanter et nager sous l'eau. » L'intention de le rassurer sur les conséquences d'une grave intervention était louable mais le médecin avait tout simplement négligé de questionner Lee sur ses activités et il ignorait donc que le chant et la pêche sous-marine étaient ses plus grands plaisirs.

Comme Lee ne fumait pas, la localisation de son cancer paraissait étrange. En travaillant avec nous à l'ECAP et parce qu'il était psychologue, Lee comprit que des facteurs psychologiques étaient en jeu. Sa gorge devait avoir pour lui une signification particulière. Première évidence : la nécessité de bien parler était essentielle dans sa profession.

Mais ce que nous découvrîmes était au-delà de l'évidence. Lee était né dans une famille nombreuse et bruyante. Pour se faire entendre, le petit garçon devait souvent crier. Son père l'attrapait par le cou et lui serrait la gorge en disant : « Tais-toi, Lee, mais tais-toi donc ! » d'une voix sourde et rauque semblable à celle de Lee après sa trachéotomie.

Avec beaucoup de travail et de souffrance, Lee réussit à surmonter les effets négatifs du message de son père. Mais après son opération et malgré l'optimisme des médecins, il sentit qu'il y avait autre chose. Des analyses confirmèrent son intuition : deux nouveaux foyers cancéreux, un lymphome et une tumeur dans le dos, se développaient. Il supporta avec résignation ces nouvelles épreuves et les « traitements de choix » qu'on lui fit subir, jusqu'au jour où on lui annonça qu'il lui restait cinq ans à vivre, sous chimiothérapie.

Alors Lee releva la tête et se révolta. Il dit aux médecins qu'il ne voulait pas de cinq misérables années achetées à coup de drogues ; il voulait se battre et survivre. Il s'inventa un programme de réajustement psychologique et un régime alimentaire draconien. Son cancérologue lui dit qu'il « courait après l'arc-en-ciel », mais l'arc-en-ciel étant un symbole universel d'espoir et de vie, il prit cela pour un encouragement. Il est actuellement vivant et en bonne santé depuis plus de cinq ans et n'a pas eu de rechute bien qu'il ait abandonné tout traitement proprement médical. Toutefois, je ne recommanderais pas à tout le monde de suivre son exemple. Il faut pour cela une force singulière et la capacité d'accomplir de profondes transformations intérieures. En outre, le régime alimentaire qu'il s'impose est si sévère qu'il peut paraître pénible et perdre de son efficacité.

Le cas de Lee n'est pas unique. Certains organes ont une signification particulière liée aux conflits ou aux pertes subis par le sujet, et ce sont ces organes qui risquent de devenir le siège de maladies. Franz Alexander, le père de la médecine psychosomatique, le savait lorsqu'il écrivit, il y a plus de quarante ans : « De même que certains micro-organismes pathogènes ont une affinité spécifique avec certains organes, il est à peu près certain que certains conflits émotionnels ont des caractéristiques spécifiques qui les disposent à affliger certains organes internes. » La découverte des oncogènes a fait faire à l'étude du cancer un grand pas en avant, mais si les oncogènes étaient les seuls facteurs responsables du cancer, la maladie apparaîtrait sous forme de tumeurs multiples réparties dans tout le corps. Or, elle apparaît toujours en un endroit unique et psychologiquement signifiant pour le sujet : l'organe cible.

J'ai parfois l'occasion de discuter avec des psychiatres rencontrés soit comme patients, soit à des conférences. Beaucoup me parlent du besoin que représente la maladie ou de la signification des organes cibles. On m'a pour exemple rapporté le cas d'un psychotique qui retrouvait la santé mentale quand il tombait malade et redevenait psychotique dès qu'il était guéri, et celui d'un homme qui se croyait enceinte et dont le ventre fut effectivement déformé par une énorme tumeur de l'urètre et de la prostate (les organes masculins les plus proches de la matrice) qui lui donnait l'air de l'être.

Une patiente à qui je demandais de décrire sa radiothérapie me répondit : « Je la vois comme un rayon de soleil tout doré qui me pénètre. » Je m'étonnai : « Quelqu'un est venu vous voir ? On vous a expliqué ? » « C'est cette dame », me dit la malade en désignant sa voisine de chambre dont les deux mains étaient bandées. En parlant avec cette dernière, j'appris que six ou sept ans plus tôt, elle avait failli mourir d'un cancer de la plèvre et s'en était sortie grâce à un considérable travail sur elle-même. Je lui demandai : « Et pourquoi avez-vous eu besoin de retomber malade ? » - « Je ne sais pas », me dit-elle.

Elle me raconta qu'elle avait un mari charmant et deux adorables bambins mais qu'elle ne trouvait personne à qui parler de l'évolution spirituelle qui lui avait permis de guérir. À l'hôpital, par contre, tout le personnel, médecins et infirmières, l'écoutait. « Et voilà pourquoi vous êtes revenue avec vos abcès aux mains ! » Je lui proposai de lui faire rencontrer des gens avec qui elle pourrait parler.

Les femmes dont les enfants meurent jeunes ou qui sont malheureuses en amour deviennent particulièrement vulnérables aux maladies du sein et de l'utérus. Nous avons eu à l'ECAP une femme qui avait perdu deux maris et souffrait d'un cancer de l'utérus et d'un zona sur le sein gauche. Je ne crois pas que le fait d'avoir deux organes sexuels atteints et donc de perdre tout attrait sexuel ait été une coïncidence.

Mais le fait de connaître et de comprendre ce phénomène représente aussi un espoir, comme le montre l'exemple de Diana. Le fils de Diana s'était fait écraser par un automobiliste qui avait pris la fuite. Comme la police mettait peu d'empressement à le retrouver, elle s'était mis en tête de le traquer elle-même. Ses amis lui répétaient qu'elle allait y laisser sa santé mais elle continuait. Elle se mit à grossir énormément et à souffrir d'hypertension. Puis elle eut un cancer au sein qui acheva de la désespérer. Mais en discutant avec moi, elle comprit que ses émotions et ses actes avaient contribué à la rendre malade et qu'en les modifiant consciemment elle se mettrait en état de guérir. Après son départ, ma secrétaire me demanda :

« Vous ne lui avez pas dit qu'elle avait un cancer ?

— Bien sûr que si, pourquoi ?

— Parce que je l'ai vue sourire en s'en allant. »

Les malades devinent bien souvent l'existence de ce lien. Le rôle du médecin consiste alors à leur permettre d'utiliser ce savoir. « On m'a toujours dit que je manquais de sang dans les veines, et voilà que j'ai la leucémie », me dit un patient. Une femme engagée dans une liaison compliquée avec un homme marié m'avoue : « J'avais très peur d'attraper le cancer mais je savais que ce serait à l'utérus. » Un père de famille atteint d'un cancer du colon à qui je demandais ce qui lui était arrivé au cours des deux années précédentes me répondit : « Pas grand-chose ». Mais j'appris par sa fille qu'elle-même s'était mariée en dehors de la religion familiale et que son frère s'était enfui de la maison. Plus tard, au cours d'une séance de travail à l'ECAP, quelqu'un dit : « J'ai l'impression que votre fils était un sacré emmerdeur ! » Une malade atteinte de la sclérose en plaques perdit l'usage du bras droit le jour où son aide familiale la laissa tomber avec ses cinq enfants : elle avait perdu son « bras droit ».

De l'extérieur, ces rapprochements peuvent paraître un peu tirés par les cheveux et seul le patient est apte à juger si ils sont pertinents ou non. Ayant maintes fois vérifié le phénomène, j'en ai conclu que nous sensibilisons tel ou tel de nos organes par une sorte de bio-feed-back négatif.

Profil psychologique du cancer

Au IIe siècle de notre ère, Galien affirmait que les natures mélancoliques étaient plus facilement sujettes au cancer que les natures sanguines. Au XVIIIe et au XIXe siècles, de nombreux médecins remarquèrent que le cancer apparaissait souvent à la suite d'une tragédie ou d'une crise, surtout chez les individus que nous appelons aujourd'hui déprimés. Mais, avant la naissance de la psychologie moderne, il n'y avait pas grand-chose à faire pour améliorer l'état des déprimés.

Au XXe siècle, la médecine s'est montrée étrangement réticente à appliquer les nombreuses découvertes concernant la psyché à l'étude du cancer. En 1926 pourtant, Elida Evans, une élève de Carl Jung, avait ouvert la voie avec son livre *Psychological Study of Cancer*, mais l'ouvrage passa presque complètement inaperçu. Elida Evans énonce clairement le risque de cancer encouru par les personnalités édifiées sur la valorisation des êtres et des choses extérieures au moi. Dès qu'une rupture avec l'extérieur se produit, la maladie s'installe. Evans conclut : « Le cancer, comme presque toutes les maladies, est le signe que quelque chose va mal dans la vie du patient, et qu'il ferait mieux de changer de voie. »

Aujourd'hui, grâce à Lawrence Le Shan et à d'autres chercheurs, nous pouvons dresser un portrait psychologique assez précis des personnalités susceptibles d'avoir le cancer.

Le cancéreux type, un homme, disons, a une relation assez distante avec ses parents qui ne lui donnent pas cet amour inconditionnel indispensable pour que l'enfant acquière la notion de sa valeur et de sa capacité à surmonter les obstacles. En grandissant, il devient fortement extraverti, moins par attirance pour les autres que par nécessité de rechercher au-dehors la confirmation de sa propre valeur. L'adolescence est une période plus difficile pour lui que pour d'autres. Son incapacité à nouer des amitiés autres que superficielles l'enferme dans une solitude douloureuse et confirme son manque de confiance en lui.

Il a tendance à se considérer comme faible, maladroit et incapable de réussir dans les activités sportives ou sociales, malgré des succès réels et souvent enviés par ses pairs. Parallèlement, il se forme et entretient une image de son « vrai moi » suprêmement doué, destiné à accomplir des exploits aussi extraordinaires qu'imprécis au bénéfice de l'humanité. Mais ce moi authentique est soigneusement dissimulé, de peur qu'il mette en péril le peu de reconnaissance et d'amour accordé par les autres. Il pense : « Si je me comporte comme j'en ai vraiment envie, de façon enfantine, brillante, aimante et "fofolle", je vais être rejeté. »

Une de mes patientes me dit un jour : « J'étais une enfant joyeuse, amoureuse du monde, et mes parents m'ont dit : "Grandis." J'ai grandi et attrapé le cancer. Maintenant, vous me dites : "Redeviens une enfant." » Je lui expliquai qu'on peut aimer sans retourner à l'enfance et que d'ailleurs, enfantin ne veut pas dire puéril.

À un certain moment, disons vers vingt ans, le futur cancéreux tombe amoureux, se fait un ou deux bons amis, trouve un travail qui lui procure d'authentiques satisfactions, en un mot, il s'installe dans un bonheur exclusivement basé sur des éléments extérieurs. Mais jamais il ne s'attribue le mérite de cette amélioration de son sort. Il lui semble qu'il a simplement eu de la chance, plus qu'il n'en méritait. Jusque-là, tout va bien. Sa personnalité d'adulte est toujours caractérisée par l'absence de confiance en soi et la passivité à l'égard de ses besoins profonds, mais aussi par une dévotion extrême à la personne, à la cause ou au groupe auquel il a voué sa vie.

Tôt ou tard, cela peut prendre des années ou des dizaines d'années, le centre d'intérêt extérieur disparaît. L'ami déménage, le travail devient moins intéressant, le conjoint aimé s'en va ou meurt. Ces choses-là arrivent à tout le monde et sont toujours pénibles à vivre, mais pour celui qui a mis tous ses œufs dans le même panier, c'est la catastrophe. Même si cela ne se voit pas tout de suite. Les autres pensent : « Il prend ça vraiment bien », parce qu'ils ne savent pas le vide qui se creuse en lui. Tous ses vieux fantasmes d'inutilité resurgissent, avec le sentiment que sa vie n'a plus de sens.

Mais il continue son existence habituelle. Ayant, depuis l'enfance, une tendance compulsive à donner, le futur malade se concentre sur ce qui lui reste, jusqu'à l'épuisement de ses ressources. Combien de fois ai-je entendu la famille ou les amis d'un cancéreux répéter : « C'était un saint. Pourquoi lui ? » À vrai dire, le cancer touche énormément de « saints », ces gens à l'honnêteté et à la générosité compulsives qui font systématiquement passer les problèmes des autres avant les leurs. Mais leur gentillesse n'existe qu'aux yeux des autres. Ils aiment au conditionnel. Ils ne donnent leur amour que pour être aimés en retour. Si leur geste n'est pas récompensé, ils deviennent encore plus vulnérables à la maladie. Celle-ci apparaît généralement dans les deux ans qui suivent la disparition de leur indispensable soutien psychologique.

Ce profil a été établi grâce à un travail de psychothérapie individuelle avec un grand nombre de patients, mais il existe maintenant un corpus de données beaucoup plus pointues concernant certains aspects particuliers de ce portrait-robot.

Des tests psychologiques simples proposés à des femmes, dont certaines seulement avaient le cancer du col, ont permis à un chercheur de désigner sans les connaître trente-six des cinquante et une femmes cancéreuses du groupe en découvrant dans leur vie un désespoir ou une perte irrémédiable. Il existe même un questionnaire permettant de détecter le cancer avec une précision de 88 %. La plupart de ces tests sont actuellement beaucoup plus précis que les examens médicaux.

L'une des recherches les plus valables a été menée par le Dr Caroline Bedell qui, en 1946, établit le portrait psychologique de 1337 étudiants qu'elle devait suivre pendant plusieurs dizaines d'années, sur le plan mental et physique. Son but était de découvrir les antécédents médicaux des maladies cardiaques, de l'hypertension artérielle, des maladies mentales et du suicide. Elle n'inclut le cancer dans son étude que comme terme de comparaison car elle pensait à l'époque que celui-ci n'avait pas de composantes psychologiques.

Mais son enquête mit en évidence un fait « frappant et inattendu » : le profil des étudiants devenus cancéreux était pratiquement identique à celui de ceux qui devaient se suicider. Presque tous éprouvaient de grandes difficultés à exprimer leurs émotions, en particulier l'agressivité liée à leurs besoins personnels. Le Dr Bedell découvrit aussi qu'en étudiant les dessins qui faisaient partie de ses tests, elle pouvait prédire quelle partie de leur corps serait touchée par le cancer.

Toute une vie d'auto-dévalorisation peut aussi engendrer d'autres maladies. L'arthrite rhumatoïde chronique, par exemple, correspond souvent à un refus conscient de la réussite. Quand j'expliquai cela à ma mère, elle s'exclama : « Ça, c'est tout à fait moi. J'ai appartenu à un tas d'organisations dont je finissais toujours par devenir vice-présidente, mais quand on m'offrait la présidence je refusais en prétextant que j'étais trop prise par ma vie de famille. »

Il est important que le patient découvre l'origine souvent très lointaine de son mal, mais en ce qui concerne notre but immédiat — guérir —, le problème doit être posé en termes plus pragmatiques. Dans la plupart des cas cela implique l'identification d'un conflit. Pour les cancéreux, il s'agit souvent de comprendre comment les problèmes des autres, considérés comme seuls valables, sont utilisés pour dissimuler les leurs.

Cela provoque bien souvent des luttes de pouvoir. À cet égard, le cas de Norma, membre de l'ECAP et affligée d'un mari tyrannique, est assez significatif. À mesure que Norma apprenait à se recentrer sur elle-même, sa maladie se mit à régresser. Puis, son mari eut une crise cardiaque et entra à l'hôpital. Norma se trouvait devant un choix. Mais au lieu d'obliger son mari à choisir entre évoluer avec elle ou se débrouiller tout seul avec sa maladie, elle opta pour un retour à son ancienne personnalité de femme soumise. Le mari reprit ses habitudes tyranniques et guérit tandis que Norma acceptait de se laisser mourir. Avant de quitter le groupe, elle nous avertit que si nous venions la voir chez elle — « pas de blague, hein ! » — nous ne devions pas essayer de lui faire changer d'avis.

Chacun d'entre nous a plus ou moins les mêmes choix. Le tyran domestique aurait pu apprendre à aimer, Norma aurait pu s'affirmer et continuer à vivre. Mais nous sommes facilement repris par nos vieilles habitudes, même quand elles sont pénibles. Il est toujours difficile, embarrassant et effrayant de changer.

La générosité compulsive est souvent très dure à refréner sans se sentir coupable. Beaucoup de mes patientes arrivent à nos réunions décidées à faire « n'importe quoi pour s'en sortir », mais quand je leur expose notre programme, qui comprend des exercices physiques et des séances de méditation, elles s'exclament : « Mais ça va me mettre en retard pour mon dîner ! » Sharon nous expliqua un jour que, comme la secrétaire de son mari était malade, elle « devait » la remplacer jusqu'à ce qu'il en trouve une autre, mais qu'elle détestait ce travail. Je lui demandai : « Comment espères-tu survivre au cancer si tu te lèves tous les matins avec l'idée que tu vas passer la journée à faire quelque chose que tu détestes ? » Elle se sacrifia pendant presque trois mois pour donner à son mari « le temps de se retourner », comme elle le dit elle-même.

Quand une personne envisage de dire non, ce qui l'aide souvent à se décider, c'est l'idée que sa durée de vie est limitée. Si vous saviez qu'il ne vous restait qu'un jour à vivre, passeriez-vous trois heures dans un couloir d'hôpital à attendre qu'on veuille bien vous faire un examen ? Certainement pas ! Vous insisteriez pour qu'on vous ramène à votre chambre : « Je ne vais pas passer le huitième du temps qui me reste à vivre dans ce couloir. » Alors, on vous ferait probablement votre examen dans les cinq minutes.

Je conseille à tous mes patients de prendre leurs décisions en fonction de ce qui leur semblerait juste s'ils devaient mourir le lendemain, un mois ou un an plus tard. C'est une façon de leur faire prendre une conscience immédiate de leurs désirs, même s'ils n'y ont jamais prêté attention. On ne peut pas entreprendre de véritable psychanalyse avec des gens qui ne vivront peut-être pas assez longtemps pour la terminer. Il faut provoquer des changements rapides et le meilleur moyen c'est de les inciter à se demander ce qu'ils feraient si leur fin était proche.

Réactions individuelles

Le substrat psychologique du cancer ne peut bien entendu être décrit que de façon très générale. Chaque cas est particulier et ne peut servir aux autres qu'à titre indicatif. Cela n'empêche que certains de nos patients cancéreux éprouvent la surprise de leur vie en entendant d'autres cancéreux leur décrire assez justement, dès leur première rencontre, qui ils sont et comment ils vivent. L'expérience est d'ailleurs souvent salutaire. L'individu ainsi percé à jour se dit : « Eh bien, si l'on sait tout de moi, j'ai intérêt à changer. » La résolution des conflits intérieurs doit être le premier travail du malade car, une fois que les choix conscients coïncident avec les désirs profonds, l'énergie mobilisée par la contradiction est libérée au profit du processus de guérison.

En tant que médecin, mon travail consiste non seulement à proposer le traitement le mieux adapté à chaque cas, mais également à aider les malades à se trouver une raison de vivre, à résoudre leurs conflits intérieurs et à libérer leur énergie curative. Bien que le pouvoir de l'esprit soit extraordinaire, il faut souvent quelque chose d'extraordinaire pour le déclencher. C'est pourquoi je demande à mes patients de mobiliser tout le potentiel d'espoir dont ils sont capables. Ceux qui ne comptent que sur Dieu ou sur leur médecin pour guérir minimisent leurs chances. Ils se disent certainement, au fond d'eux-mêmes : « Je ne suis pas tellement sûr de vouloir survivre, alors je m'en tiens aux choix les plus confortables. » Si la fréquence des suicides passifs est encore inconnue, elle n'en est pas moins certaine.

La première tâche, et la plus difficile, consiste à déterminer quelle sera l'approche la plus efficace pour chaque personne. Il ne faut jamais sous-estimer le pouvoir de la vérité, même brutale. Je me souviens d'une malade qui vint me voir, après un accident cardiaque, pour que je l'opère de la vésicule biliaire. Elle ne prenait pas ses médicaments et fumait comme une cheminée. Je lui demandai : « Vous venez me demander de vous tuer ? » La question la surprit : « Personne ne m'a parlé comme ça depuis que j'ai arrêté ma psychothérapie. » Je lui expliquai simplement qu'avant de m'intéresser à sa vésicule biliaire je devais m'occuper de sa dépression et essayer de lui faire reprendre goût à la vie.

Autre cas, celui d'une femme souffrant d'une tumeur au cerveau déjà suffisamment développée pour lui provoquer des crises d'apoplexie. Elle se demandait si elle devait se faire opérer ou se soigner elle-même avec un régime alimentaire approprié. Comme les médecins lui reprochaient de refuser le traitement agressif qu'ils lui proposaient, un de ses amis lui avait conseillé de me consulter.

Notre conversation se poursuivit jusqu'à ce que nous découvrions l'origine du problème : elle était profondément déprimée et pas du tout certaine de vouloir vivre. Elle avait donc choisi la voie facile : un régime alimentaire, même strict, ne bouleverserait pas ses habitudes et si elle mourait, la perte, de son point de vue, ne serait pas énorme. Je m'efforçai donc de lui montrer comment elle pouvait rendre sa vie assez intéressante pour retrouver le plaisir de vivre. Elle serait alors en état d'accepter une intervention urgente et de se préparer à changer de mode de vie.

Je crois que les malades ne devraient jamais refuser les techniques médicales actuelles qui représentent au moins une alternative. La plupart des gens ne sont pas suffisamment forts pour « s'en remettre à Dieu », c'est-à-dire trouver la paix intérieure et la claire conscience des choses qui leur permettraient de guérir. Médicaments et interventions chirurgicales font gagner au patient un temps précieux qu'il peut utiliser à changer sa vie.

Peu après la fondation de l'ECAP, je fus interviewé par une revue, le *Midnight Globe*. L'article publié ne déformait ni mes propos ni ma pensée, mais je fus choqué par son titre, « On peut guérir du cancer par l'esprit, affirme un chirurgien», que je trouvais simpliste et réducteur. Mais en travaillant avec les malades, je m'aperçus peu à peu qu'il exprimait une vérité. L'esprit *peut* guérir le cancer, mais cela ne veut pas dire que ce soit facile.

Il y a une histoire soufi qui exprime fort bien ce paradoxe. Dans une rue, la nuit, un étranger s'arrête auprès d'un homme à quatre pattes devant chez lui, sous un lampadaire. Il cherche ses clés et l'étranger se met à quatre pattes pour l'aider. Au bout d'un moment, l'étranger demande :

— Mais où les avez-vous perdues, exactement ?

— Chez moi, répond l'homme.

Agacé, l'étranger réplique :

— Alors, pourquoi les chercher dehors ?

— Parce que chez moi il n'y a pas de lumière.

La lumière est meilleure au niveau de notre conscience mais nous devons chercher la guérison dans la nuit de l'inconscient. Le médecin travaille dans la lumière. Son domaine est le verbe et la logique. Le monde du patient peut être sombre mais des sources de lumière existent. Chacun d'entre nous possède une étincelle intérieure. Appelez-la étincelle divine si vous voulez, mais elle est là et peut éclairer le chemin de la guérison. Il n'y a pas de maladies incurables, il n'y a que des malades incurables.

4.
LE DÉSIR DE VIVRE

> « Nulle volonté consciente ne remplacera jamais, à long terme, l'instinct de vie. »
>
> Carl JUNG.

En apprenant qu'elle avait le cancer, une de mes patientes s'empressa de distribuer tous ses vêtements à des associations de bienfaisance. Mieux que des mots, ce geste exprimait sa certitude que la maladie la tuerait et qu'elle s'apprêtait à se rendre sans combat.

Ces quatre mots : « Vous avez le cancer » font terriblement peur. Ils suscitent chez les malades diverses émotions dont certaines restent inconscientes et qu'il appartient au médecin de faire passer au conscient.

Le premier mouvement du malade est souvent de refuser le diagnostic, ce qui lui permet de l'oublier pendant un certain temps. J'ai vu des cancéreux plus déprimés six mois après avoir appris la nouvelle que sur le moment, parce qu'il leur fallait ce délai pour entendre ce qu'on leur avait dit. Certains font semblant de ne pas y croire et continuent à vivre comme si de rien n'était. En général, ils ne font que refouler leurs émotions : au fond d'eux-mêmes, ils craquent mais ne veulent pas le laisser paraître, peut-être parce qu'on leur a appris à ne pas « embêter les autres avec leurs histoires ». C'est la meilleure façon de se détruire. Faire semblant pour les autres est une attitude profondément destructrice.

La plupart des malades semblent accepter la vérité, tout en la refusant profondément. Ils se soumettent docilement aux traitements sans jamais s'engager activement dans une démarche personnelle de guérison. L'un de mes patients refusa de participer à l'ECAP en m'expliquant : « Je n'ai pas dit à mes enfants que j'avais un cancer, alors comment pourrais-je venir à des réunions où je risque de rencontrer quelqu'un qui me connaît ? » Pour beaucoup, il est moins pénible, à court terme, de sauvegarder les apparences que d'affronter la peur d'une maladie mortelle. Mais savoir la vérité tout en refusant de l'admettre exclut toute possibilité de réaction positive. Au contraire, partager ses angoisses et ses problèmes engage sur le chemin de l'apaisement et de la guérison. L'essentiel est de connaître son mal et les armes dont on dispose pour le combattre. Je m'efforce toujours de convaincre ceux qui nient leur maladie de l'accepter pour mieux refuser de s'y soumettre passivement.

Comme nous l'avons vu dans les chapitres précédents, les personnes atteintes de cancers le sont souvent après plusieurs mois ou plusieurs années de dépression. Connaître le nom de leur maladie aggrave parfois leur état au point qu'ils se coupent de tout contact humain. Certains considèrent aussi leur mort prochaine comme une sorte de sacrifice ou de martyre. On les verra éviter de dépenser trop d'argent en traitements de peur de léser leurs héritiers. Certains n'ont jamais pensé à eux-mêmes et ne savent tout simplement pas quoi faire. D'autres voient dans leur maladie une occasion de se faire aimer et vont jusqu'à mourir pour gagner l'amour qu'on leur rationne.

Beaucoup de cancéreux ont tendance à s'apitoyer sur eux-mêmes, à se demander : « Pourquoi moi ? » Cette réaction est souvent liée à une rage profonde et pas toujours inconsciente. L'incapacité de répondre à la question : « Pourquoi suis-je affligé d'une prédisposition au cancer ? » les fait se retourner contre Dieu et contre le médecin, messager de la mauvaise nouvelle. Assez curieusement, il se trouve peu de malades pour incriminer les fabricants de cigarettes, de pesticides ou de conservateurs alimentaires, l'industrie nucléaire ou tout autre responsable éventuel. Dans le cas du tabac, les gens se rendent généralement compte qu'ils ont pris un risque en fumant parce qu'ils étaient malheureux, et ils dirigent leur colère contre les membres de leur famille ou de leur entourage qui les ont rendus malheureux. Là où le malade moyen interroge : « Ô mon Dieu, pourquoi moi ? » le patient exceptionnel dira : « Ô mon Dieu, éprouvez-moi. »

Je veux insister sur le fait qu'à ce stade, *toutes* les réactions sont justifiées et doivent être exprimées, la colère en particulier. Les causes du cancer sont complexes et pas uniquement psychologiques. L'hérédité et les substances cancérigènes existent. Il ne faut négliger ni la recherche d'un traitement génétique, ni la dépollution de l'environnement. Mais il ne suffit pas d'avoir des antécédents cancéreux ou d'être exposé à des substances cancérigènes pour devenir cancéreux. Les fumeurs relativement équilibrés, qui font attention à leur alimentation, sont moins exposés que ceux qui dépriment et mangent n'importe quoi. Pour avancer dans la recherche sur le développement des cellules cancéreuses, il faut d'abord déterminer les causes physiques et psychologiques qui empêchent ces cellules de proliférer.

Les malades se contentent souvent d'incriminer des causes extérieures tandis que leurs angoisses personnelles, plus difficiles à cerner, restent dissimulées et les sensibilisent à la maladie. Pour ceux qui savent déjà qu'ils ont un cancer, les aspects psychologiques sont essentiels. Nous ne pouvons rien changer au passé — hérédité, ingestion de substances cancérigènes — mais nous pouvons nous transformer et modifier ainsi notre avenir. Comme l'a dit un de mes patients : « Le cancer n'est pas une sentence, c'est un mot. »

Tout au début de l'ECAP, j'assistai à de violentes explosions de colère. Les membres du groupe n'avaient jamais eu l'occasion de s'exprimer librement et ils arrivaient tous furieux aux premières réunions, furieux contre les médecins, bien sûr. Et leur colère était assez contagieuse pour me gagner, si bien que mes relations avec mes confrères en furent altérées. Je voulais leur parler de mon travail mais la moindre critique me rendait agressif. « Tu es bien comme les autres », leur disais-je d'un ton évidemment méprisant. Heureusement, je pus m'expliquer avec certains et je m'aperçus qu'étant le seul à pouvoir absorber la colère du groupe, je l'avais faite mienne. Aujourd'hui, les membres les plus expérimentés de l'ECAP partagent cette tâche avec moi.

Je ne veux pas dire que la colère contre les autres devrait être contenue, bien au contraire. Il faut encourager les malades à exprimer toutes ces émotions — colère, rancune, haine, peur — qui prouvent combien nous nous sentons concernés par une menace de mort. La recherche a maintes fois prouvé que les gens qui manifestent leurs émotions négatives surmontent mieux l'adversité que les refoulés, qu'il s'agisse de blessés, de mères donnant naissance à des enfants mal formés ou de victimes d'un accident radioactif. Les sentiments refoulés amoindrissent nos réactions immunitaires.

Certains cancéreux ressentent aussi un fort sentiment de culpabilité. Ils s'en veulent, exactement comme les enfants qui, malades, se croient punis pour leur méchanceté. Cette attitude n'est pas entièrement négative dans la mesure où elle permet au malade de prendre une conscience plus juste de sa responsabilité dans la genèse de la maladie. En fait, de nombreuses études ont montré qu'après une catastrophe, les gens qui ont l'impression d'y avoir contribué (même si ce n'est pas le cas) surmontent plus facilement leur traumatisme que ceux qui se sentent victimes et impuissants. Cela est vrai de tragédies telles que le viol, les tremblements de terre et les inondations, autant que de la maladie. Par exemple, une femme qui a été violée peut se dire, quelles que soient les circonstances : « Cela ne serait pas arrivé si j'avais fait plus attention, si j'avais appris à me protéger », elle pourra réfléchir aux moyens de se rendre moins vulnérable à l'avenir. Les chercheurs en ont conclu que ce genre d'attitude permet d'accepter les maux sociaux et les catastrophes naturelles sans être anéanti par le désespoir.

À l'aide de tests psychologiques, Leonard Derogatis a découvert en 1969 que les cancéreux (il s'agissait de femmes atteintes de cancers du sein) capables de ressentir et d'exprimer colère, peur, découragement et culpabilité vivaient bien plus longtemps que les malades stoïques. Ceux qui mouraient en un an s'étaient barricadés derrière leurs défenses psychologiques, refoulement, refus, etc. L'hostilité des survivants à l'égard de leur médecin montrait aussi (nous en avons parlé au premier chapitre) la valeur d'une relation patient-médecin bien comprise. Les travaux de Derogatis constituent une excellente réponse aux chercheurs qui, une trentaine d'années plus tôt, avaient été « impressionnés par l'attitude de docilité polie, humble, presque pénible des patients dont la maladie progressait rapidement par contraste avec la personnalité plus expressive et parfois bizarre » de ceux qui vivaient plus longtemps.

Les quatre questions

Pour aider les malades à choisir leur traitement, j'ai besoin de connaître leur attitude vis-à-vis d'eux-mêmes et de leur maladie. Je dois surtout évaluer leur désir de vivre et le renforcer en leur permettant d'exprimer toutes leurs émotions. Comme l'a écrit Norman Cousins dans *La Volonté de guérir* :

> « La volonté de vivre n'est pas une abstraction théorique mais une réalité physiologique possédant des caractéristiques thérapeutiques.
>
> « Toutes les maladies ne peuvent pas être surmontées, mais bien des gens permettent à la maladie de leur gâcher la vie plus que de raison. Ils lui cèdent inutilement parce qu'ils négligent et affaiblissent leur pouvoir plus ou moins grand de lui tenir tête. Il existe toujours une marge à l'intérieur de laquelle on peut continuer à mener une vie qui ne soit dépourvue de sens ni même de joie, *en dépit de la maladie.* »

Les émotions et les dispositions du malade ne sont pas toujours accessibles à la conscience. Pour les cerner avec précision, j'ai découvert qu'il suffisait d'étudier les réponses à quatre questions fondamentales.

1. *Voulez-vous vivre jusqu'à cent ans ?*

La plupart des gens ne répondent pas sans mentionner une hypothétique garantie de santé. Ils ne prennent pas instinctivement la responsabilité de la qualité de leur vie. Il y a quelques années, un gérontologue demanda à des centaines de personnes : « Jusqu'à quel âge voudriez-vous vivre ? » La majorité ne voulait pas dépasser soixante ou soixante-cinq ans, imaginant qu'au-delà la vie ne pouvait être que dénuée de plaisirs (y compris sexuels), d'indépendance ou de signification, et pleine de difficultés. Les plus âgés, pourtant, souhaitaient vivre plus longtemps et les femmes plus que les hommes.

Cette question en entraîne toujours d'autres, comme : « Vous aimez-vous suffisamment pour prendre soin de votre corps et de votre esprit ? » La réponse est contenue dans le style de vie de chacun. Mangez-vous modérément, en évitant l'excès de sucre, de caféine et de graisses ? Y a-t-il suffisamment de fruits et de légumes frais dans votre alimentation ? Évitez-vous les plats en sauce et les additifs alimentaires ? Fumez-vous ? Prenez-vous un petit déjeuner substantiel et assez de repos ? d'exercice ? Avez-vous beaucoup de centres d'intérêt ? (La plupart des centenaires gardent une activité non salariée jusqu'à la fin.) Recherchez-vous les activités qui vous apportent joie et satisfaction ?

Les réponses dépendent essentiellement du degré de contrôle que vous exercez sur votre vie et donc de la façon, heureuse ou peureuse, dont vous envisagez l'avenir. Une femme merveilleuse, Shirley, devint membre de l'ECAP à quatre-vingt-douze ans. Un jour où chacun évoquait sa peur du cancer, de la douleur, de la mort, etc., je lui demandai : « Et toi, Shirley, de quoi as-tu peur ? »

Elle répondit : « De traverser le parc la nuit en voiture. » Or elle avait vécu tout ce qui effrayait les autres, excepté la mort. Rappelez-vous que si vous décidez de vivre centenaire, les gens que vous aimez risquent de mourir avant vous. Il faut du courage pour rester « la dernière pomme sur l'arbre », comme le dit un de mes patients.

2. *Que vous est-il arrivé au cours de l'année précédent votre maladie ?*

Cette question, avec d'autres tests, permet de dégager les facteurs psychologiques de prédisposition à court terme, exposés au chapitre 3. Elle renvoie aussi, inévitablement, aux facteurs de conditionnement à long terme qui déterminent les réactions de l'individu aux événements récents. Il faut également, et c'est essentiel, tenir compte des stress internes, crise d'identité ou renoncement à un rêve de jeunesse, ainsi que de la réaction à ce stress. La personne a-t-elle exprimé son chagrin, sa joie, relevé le défi ou essayé de rester calme et stoïque ?

3. *Que signifie pour vous la maladie ?*

Si le cancer, par exemple, signifie automatiquement la mort, il y a un problème, et il faut le résoudre avant de s'occuper de la maladie proprement dite. Ce genre d'idée est très tôt imprimé en nous et renforcé par le silence. Quand les grandes personnes disent à un enfant : « On ne parle pas de ces choses-là », ou : « Tu auras exactement ce qu'a ta sœur et il t'arrivera tout ce qui lui arrive », et que la sœur meurt du cancer, les frères et sœurs s'imaginent qu'il n'y a aucun espoir pour eux. Quand elle n'est pas acceptée simplement, la mort, comme la sexualité, peut devenir embarrassante. Le mari qui répète sans arrêt à sa femme : « Ne meurs pas », ou : « Tu vas guérir », quelle que soit la gravité de son état, l'empêche de verbaliser sa peur et d'affronter calmement la mort. Ce genre d'attitude renvoie le malade dans les ténèbres extérieures, là où il n'y a plus d'amour, plus de partage des émotions. Par contre, quand la maladie est vécue comme un défi formidable mais pas insurmontable, on peut dire que le malade dispose d'une base solide pour commencer à se battre.

La réponse à cette question est intéressante, mais les actes et les projets du malade sont encore plus révélateurs. Jennifer avait été placée dans un hospice de vieillards par son médecin qui ne lui donnait pas six mois à vivre. Mais elle ne mourut pas. Quand le personnel de l'hospice lui demanda si elle était impatiente de revoir le printemps, elle dit : « Oh ! oui, j'adore voir les fleurs pousser » ; et si elle aimait l'été : « Beaucoup ! » l'automne ? « Oui, c'est si joli quand les feuilles changent de couleur » ; l'hiver aussi ? « Bien sûr, à cause de la neige. » Finalement, on lui conseilla de rentrer chez elle jusqu'à ce qu'elle se sente prête à mourir, et elle s'inscrivit à l'ECAP.

À l'approche de l'hiver, Jennifer me dit : « Je ne crois pas que je vais m'acheter des vêtements neufs », suggérant ainsi qu'elle se sentait peut-être prête.

Mais à la réunion suivante elle portait un joli ensemble en lainage et je lui demandai si elle avait finalement décidé de s'acheter quelque chose. « Non, mais j'ai descendu quelques vêtements du grenier. » J'en conclus qu'elle avait choisi un compromis, se disant : « Voyons comment se présente l'hiver. Je ne lui fais pas entièrement confiance mais je lui donne sa chance. »

Un autre cancéreux, Matt, était parti voir son médecin avec une mine épouvantable et en revint tout réjoui. Sa femme lui demanda ce qui s'était passé et il répondit : « Rien. Le toubib m'a fait ma piqûre anti-allergique. » Le médecin pensait qu'il vivrait au moins jusqu'au printemps et cela suffit pour que son corps réagisse.

4. *Pourquoi aviez-vous besoin de tomber malade ?*

Comme les deux précédentes, cette question aide le patient à comprendre à quel besoin psychologique répond sa maladie. La maladie donne aux gens la « permission » de faire des choses qu'ils ne feraient pas autrement. Dire non à certaines tâches, obligations, responsabilités, ou aux exigences de certaines personnes. Faire ce qu'on a toujours désiré faire sans jamais en avoir le loisir. Avoir le temps de s'arrêter, réfléchir, méditer et prendre un nouveau départ. La maladie peut aussi servir d'excuse à l'échec. Elle permet parfois de demander et d'accepter plus facilement l'amour des autres, de parler de soi, d'être plus ouvert, plus franc. Même un simple rhume est signifiant. Il veut souvent dire : « Tu travailles trop. Mets-toi au lit et chouchoute-toi un peu. » Prenez le temps de faire ce que vous aimez, vous n'aurez plus besoin de tomber malade.

La maladie peut aussi devenir le seul mode de relation aux autres, une façon de se faire prendre en charge. Ainsi Gladys, une de mes patientes, qui souffrait d'inflammation intestinale depuis cinquante ans, avait appris à manipuler tout son entourage. Au moment où je fis sa connaissance, elle avait un cancer, mais les membres de sa famille paraissaient plus malades qu'elle. Il fallait que quelqu'un prenne soin d'elle vingt-quatre heures sur vingt-quatre et, quand elle eut une infirmière à domicile, elle continua à réveiller les siens pour la servir. Elle souffrait de douleurs terribles qui disparaissaient mystérieusement dès son arrivée à l'hôpital. Presque chaque week-end, elle se faisait transporter aux urgences par ceux de ses enfants qui travaillaient pendant la semaine. Personne n'était donc épargné. Elle réclamait sans arrêt quelque chose, un verre d'eau, un mouchoir, qui se trouvaient parfois à portée de sa main.

Je lui prêtai un jour *The Will to Live** de A. Hutschnecker. Lors de ma visite suivante, elle me dit que j'avais oublié quelque chose et me rendit le livre. Le message était limpide : « Soyez gentil, n'essayez pas de me prendre ma maladie, c'est le seul mode de relation aux autres dont je dispose. » Apprendre à aimer lui faisait peur.

* « La volonté de vivre » (N. du T.).

Je fis d'autres tentatives pour communiquer avec Gladys. Elle disait que j'étais le premier médecin à lui donner quelque espoir mais je crois surtout que j'étais le seul à ne pas me laisser impressionner par ses perpétuelles manœuvres manipulatoires. Chaque fois que je lui donnais un nouveau traitement, elle avait systématiquement tous les effets secondaires possibles. J'appris à la laisser parler puis à lui prescrire des choses qui correspondaient à son système de références. Elle me remerciait beaucoup et disait que j'étais un docteur merveilleux.

Finalement, je lui dis au téléphone que j'avais un nouveau médicament qui allait la guérir mais qu'il s'agissait de piqûres et qu'il fallait qu'elle passe à mon cabinet. J'avais mis sa famille au courant de mon plan et demandé à chacun d'observer ses réactions. C'était *eux* que je voulais sauver de la tyrannie de sa maladie. Elle prit un rendez-vous pour le vendredi suivant mais le recula ensuite d'une semaine parce qu'il faisait « un temps épouvantable ». Le vendredi suivant, elle ne trouva personne pour l'accompagner et m'annonça qu'elle aurait des courses à faire « l'autre vendredi ». Bref, Gladys ne se présenta jamais à mon cabinet. Elle continua pourtant à m'appeler et à venir à l'hôpital où je n'avais pas le fameux traitement. Je savais parfaitement qu'elle refuserait mon offre mais je voulais le faire comprendre à sa famille. Chacun put alors choisir entre continuer à la servir malgré tout ou refuser d'être asservi plus longtemps.

Il est important de savoir qu'on ne peut pas forcer les autres à changer. On ne peut que les aider à changer s'ils le désirent. J'ai eu deux malades, assez semblables à Gladys, souffrant d'un cancer généralisé. Je dis à chacun : « Je vous garantis que vous allez guérir pour peu que vous abandonniez votre travail dans l'entreprise familiale. » L'entreprise en question représentait pour eux beaucoup de fatigue et de soucis mais aussi des satisfactions et un profit substantiel pour leurs futurs héritiers. Tous deux répondirent la même chose : « Il faudra que j'y réfléchisse. »

Un malade de l'hôpital vendit son affaire sur les conseils de son chirurgien qui l'estimait perdu, guérit et reprocha au médecin de l'avoir mis sur la paille. Je lui expliquai que celui-ci avait eu à la fois raison et tort. Il lui avait conseillé de renoncer à son affaire parce que les statistiques le condamnaient, mais le fait d'être libéré de ses soucis de patron et de vivre plus agréablement lui avait finalement permis de guérir.

Mon but n'est pas de juger les motivations de mes patients, mais de les mettre à jour. Cela permet à la famille de savoir où en est le malade et de l'aider à résoudre un éventuel conflit, avec amour mais sans esprit de sacrifice.

Tout au long de notre vie, nous apprenons à associer maladie et récompense. Malade, on reste au chaud et on se repose. Les gens téléphonent ou envoient des fleurs. Les amis se déplacent pour venir nous voir, nous disent qu'ils nous aiment. Nos parents, notre conjoint nous préparent des bouillons et nous font la lecture. L'une de mes patientes me dit un jour que les plus beaux moments de son enfance étaient ceux où elle était malade parce que son père s'asseyait sur son lit et lui prenait la main. Son cas est loin d'être unique. Enfants, on nous permet de manquer l'école, adultes, on nous paie pour rester chez nous, quel plaisir ! Ceux qui jouissent d'une santé de fer doivent, soit travailler tous les jours, soit faire semblant d'être malades. On devrait pouvoir dire à son patron : « Je suis en pleine forme mais comme je veux que ça continue, je prends un petit congé de santé. »

Même notre système d'assurances, sociales ou privées, favorise les malades et pénalise les bien portants. Si les cotisations étaient calculées en fonction des efforts de chacun pour rester en bonne santé au lieu de tenir compte de facteurs tels que l'âge, les antécédents familiaux et un examen superficiel, cela nous inciterait à faire plus attention. Il faudrait instituer certaines obligations — surveillance du poids, interdiction de fumer — qui donnerait droit au remboursement intégral des frais pour une cotisation minimale. Ceux qui refuseraient de s'y conformer devraient payer beaucoup plus cher.

Quand on essaye de faire comprendre aux malades leur part de responsabilité dans leur maladie, on se voit reprocher de « culpabiliser des victimes ». Il ne s'agit pas de cela. Tout le monde meurt un jour ou l'autre et, même si certains se rendent effectivement malades, la culpabilité n'est pas un outil d'analyse intéressant pour étudier les conséquences du passé. C'est un poids supplémentaire qu'aucun médecin ne devrait encourager ses malades à supporter. La maladie et la mort ne sont pas des échecs, elles doivent être envisagées comme des motivations supplémentaires.

S'il est vrai que la plupart des maladies ont une composante psychologique, le fait d'en prendre conscience n'implique pas que l'on se sente coupable ou blâmable. La maladie fonctionne comme une incitation au changement ou comme la compensation d'un manque. Simonton a écrit : « La maladie est la façon dont notre corps nous signale que nos besoins profonds, tant physiques que psychologiques, ne sont pas satisfaits, et les besoins que satisfait l'apparition de la maladie sont très importants. »

Je n'insisterai jamais assez sur le fait que cette question : « Pourquoi aviez-vous besoin de tomber malade ? » doit être posée de façon constructive, jamais comme un reproche du genre : « Regardez dans quel pétrin vous vous êtes fourré. » Elle doit aider les malades à comprendre que les besoins satisfaits par la maladie sont réels et importants. Une fois ces besoins reconnus, la personne peut apprendre à les satisfaire de façon constructive, sans recourir à l'autodestruction.

Des années d'expérience m'ont démontré que le cancer, comme presque toutes les maladies, est psychosomatique. Cela peut paraître étrange à ceux qui croient que les désordres psychosomatiques ne sont pas « réels », mais croyez-moi, ils le sont. Et cette idée n'a rien d'une démission, c'est au contraire un formidable espoir. Le physicien David Bohm a proposé le mot « soma-signifiant » pour mieux décrire le phénomène. Le corps ne sait que ce que lui dit l'esprit. Accepter une part de responsabilité dans son mal, comprendre qu'on y a participé représente un progrès. Si l'on peut contribuer à la maladie, on peut également contribuer à sa guérison.

Toutefois, et j'y reviendrai par la suite, guérir n'est pas l'objectif essentiel. En se proposant comme but la guérison, on risque d'échouer, tandis qu'en recherchant la sérénité spirituelle, *on peut* réussir. En trouvant la paix de l'âme, on peut guérir du cancer, retrouver la vue, marcher à nouveau, car on crée en soi une atmosphère propice à la guérison. Et chacun d'entre nous peut y arriver s'il fait les efforts nécessaires. Mais la première étape consiste à comprendre, de façon réaliste et dénuée de culpabilité, comment l'esprit a contribué aux malaises du corps.

Les messages de l'inconscient

Le corps et l'esprit sont en perpétuelle communication, mais surtout au niveau inconscient. C'est pourquoi le médecin qui interroge le malade ne doit pas prendre toutes ses réponses pour argent comptant. Ce qui apparaît comme un profond désir de vivre peut n'être qu'une attitude volontariste ou une comédie, non une participation authentique à la force vitale. Il est donc nécessaire d'aller au-delà du verbal, du conscient, pour s'assurer que le malade dit vraiment ce qu'il ressent. La plus sûre façon d'y parvenir, c'est d'examiner, comme le faisait Jung, les images de son inconscient.

Ces images apparaissent spontanément dans les rêves et peuvent servir à détecter une maladie physiologique. Mais le processus est tellement complexe et implique parfois des connexions tellement lointaines que Jung lui-même refusa d'en faire la théorie. Recueillir et interpréter les rêves « diagnostics » était une des méthodes pratiquées par les médecins des temples. Hippocrate et Galien l'ont utilisée. Aujourd'hui, c'est un art perdu auquel certains psychologues commencent tout juste à s'intéresser. Ce n'est donc pas un outil utilisable par l'ensemble des médecins.

Toutefois, certains rêves spontanés sont relativement faciles à interpréter. Sandy, par exemple, fit un rêve assez clair au début de son cancer. Elle se trouvait à un embranchement devant trois routes : l'une grise et noire où des gens peinaient sous de lourds fardeaux, l'autre pleine de couleurs vives et de passants joyeux, la troisième dissimulée par la brume. Après avoir dessiné cette vision et discuté avec le groupe, elle comprit que les deux premières routes représentaient son cancer, comme un fardeau et une source de désespoir, ou comme une possibilité de changer et de vivre mieux, tandis que la troisième représentait le choix qu'elle devait faire. Elle supporta très bien sa thérapie et sortit de l'épreuve transformée. Elle écrivit des articles pour raconter son expérience et reprit des études. Aujourd'hui, elle exerce un nouveau métier et se porte à merveille.

Il y a aussi des rêves qui s'expliquent d'eux-mêmes tellement leur imagerie est évidente pour le patient. Une de mes malades ayant rêvé qu'elle avait les cheveux rasés et le mot « cancer » écrit sur le crâne s'éveilla persuadée qu'elle avait des métastases au cerveau. Aucun symptôme physiologique ne permettait de confirmer son intuition mais, trois semaines plus tard, le diagnostic de son rêve se révéla exact. Moi-même, j'eus pendant quelque temps des malaises qui auraient pu provenir d'un cancer. Je fis un rêve où j'étais dans un groupe de cancéreux qui me désignaient comme le seul bien portant. Des analyses confirmèrent l'exactitude de cette image.

Un jour où, à l'hôpital, je parlais des rêves, une infirmière me raconta l'anecdote suivante : elle était très malade depuis plusieurs semaines sans qu'on puisse découvrir ce qu'elle avait. Une nuit, elle vit en rêve un coquillage s'ouvrir, un ver se dresser dans l'ouverture, et une vieille femme, montrant le ver, lui dit : « Voilà ce qui ne va pas. » L'infirmière comprit en s'éveillant qu'elle souffrait d'une hépatite virale et les analyses confirmèrent ce diagnostic.

Ce genre de rêve donne souvent des informations plus précises que les analyses médicales. Un jeune leucémique rêva par exemple que les fondations de sa maison étaient rongées par les termites. Il venait pourtant de subir une ponction lombaire dont les résultats étaient normaux. Nous l'encourageâmes à se concentrer, par la méditation, sur l'idée que les termites étaient exterminés, mais il rêva ensuite de vers dans des pommes de terre et mourut en trois semaines. Il savait, intimement, ce que les analyses n'avaient pas découvert.

Mais ce qui rend malaisée l'interprétation des rêves, c'est que la signification des symboles dépend d'événements ou d'émotions individuelles souvent inconscients. Les rêves peuvent être étudiés à deux niveaux. D'abord au niveau de l'imagerie personnelle que le patient connaît bien. Ensuite au niveau plus profond, inconscient, des symboles et des mythes dont l'interprétation est souvent problématique. Tous ceux qui veulent s'en donner la peine peuvent décrypter leurs rêves au premier niveau. Pour les y aider, il existe un certain nombre d'ouvrages excellents.

Mais la meilleure façon d'exprimer puis d'étudier le contenu de l'inconscient, c'est le dessin. Pour guider mes patients, je leur donne les instructions suivantes :

1. Sur une feuille de papier blanc posée verticalement, vous dessinerez : vous-même, votre traitement, votre maladie et vos globules blancs en train de combattre la maladie. Servez-vous de crayons de toutes les couleurs, y compris le noir et le blanc.

2. Sur une autre feuille, posée horizontalement, dessinez un paysage ou un souvenir, toujours en couleurs.

3. Vous pouvez également représenter votre maison, les membres de votre famille ou toute autre image (arbre, bateau,

oiseau, etc.) qui exprime un contenu inconscient signifiant. Tout ce qui concerne vos problèmes, conflits ou choix relatifs à votre travail ou à votre maladie, peut aussi avoir de l'importance.

Le dessin permet d'éviter les pièges du langage et d'exprimer directement les messages symboliques universels de l'inconscient. Ce que nous disons est souvent travesti car nous savons manipuler le langage et l'utiliser, consciemment ou non, pour dissimuler ce qui nous préoccupe. Mais la communication visuelle est toujours véridique dans la mesure où nous ne savons pas tricher avec cette forme de langage, qui est celle de l'inconscient collectif. Quelles que soient notre apparence, notre religion, notre race, notre culture ou la langue que nous parlons, nous avons tous en nous les mêmes images archétypales.

Il faut bien sûr posséder un minimum d'informations sur un individu pour interpréter ses dessins. Supposons qu'un malade se représente vêtu d'un costume noir. S'il dit qu'il a choisi cette couleur pour la simple raison qu'il portait un costume noir ce jour-là, inutile d'invoquer le symbolisme des couleurs pour en tirer des conclusions sur son état psychologique.

Moyennant certaines précautions, le dessin ouvre donc une fenêtre sur l'inconscient. La psychothérapeute jungienne Susan R. Bach, qui a systématisé l'interprétation des représentations graphiques spontanées, écrit :

> « L'étude de ce matériel spontané peut nous donner un aperçu de la relation psyché-soma comprise comme le couple le plus ancien et le mieux assorti du monde, voué à la vie et à la santé de l'individu, chacun selon ses droits, son mode d'expression et ses lois propres.
>
> « Une étude plus poussée et une meilleure compréhension m'ont convaincue que l'élément somatique est également reflété dans les dessins, les rêves, l'œuvre des artistes, la trame des contes de fées, les figures héroïques de la mythologie et jusque dans les peintures préhistoriques des premiers hommes. Toutes ces représentations peuvent être comprises comme l'expression de l'homme global. »

J'ai découvert que l'analyse des dessins constitue l'un des atouts majeurs du médecin dans l'établissement de pronostics. J'y ai même recours en salle d'urgences chaque fois que c'est possible. Quand un enfant se plaint de douleurs abdominales, par exemple, et ne dessine que son visage avec de grands yeux qui semblent dire : « Je n'aime pas cet endroit », il y a fort à parier qu'il n'a rien de grave. Je me souviens d'un jeune homme qui avait coloré son ventre en vert. Dans son dossier, chaque détail me soufflait : « Opère », mais le vert est une couleur saine, naturelle, et son dessin indiquait qu'il fallait plutôt chercher du côté de la tête, des parties génitales et du pied. Cet homme avait effectivement des problèmes psychologiques et sexuels, ainsi qu'une ancienne blessure au pied. Nous attendîmes, et il se rétablit sans intervention chirurgicale. Nous apprîmes par la suite que ses douleurs abdominales étaient une réaction à ses médicaments, pas une maladie. Cette expérience et d'autres, similaires, m'ont amené à me considérer comme un « chirurgien jungien ».

Associée à d'autres tests psychologiques, l'étude de l'imagerie mentale s'est avérée plus utile que les examens de laboratoire pour déterminer l'avenir des malades. Les Simonton ont par exemple établi des comparaisons entre la valeur prévisionnelle des facteurs psychologiques et celle des analyses sanguines de cent vingt-six cancéreux. Les résultats leur ont permis de conclure : « Les analyses sanguines fournissent des informations sur l'état actuel de la maladie, tandis que les variables psychologiques donnent des aperçus sur son développement futur », et « l'imagerie apparaît comme le matériel le plus précieux pour présager des états futurs de la maladie. » En analysant les dessins de deux cents malades, Jeanne Achterberg réussit à prédire lesquels mourraient dans les deux mois et lesquels survivraient plus longtemps, avec une précision de 95 %.

L'exemple d'un jeune homme nommé Michel illustre fort bien la valeur prophétique des images. Michel souffrait d'une entérite grave depuis plusieurs années et ne pouvait plus se passer de sédatifs. Dépressif, dégoûté de tout et de lui-même, il demandait chaque soir à Dieu de ne pas se réveiller le lendemain. Au bout de deux mois, il se dit que Dieu voulait sans doute des instructions plus précises, et il pria pour avoir une tumeur au cerveau. Deux mois plus tard, il avait sa tumeur. D'abord incapable de parler, il fut bientôt complètement paralysé. Mourir en dormant est une chose, mais se retrouver dans l'incapacité de bouger et de communiquer en est une autre. Alors Michel se rappela être venu me voir quelques années plus tôt. Il revint, participa aux réunions de l'ECAP, commença à regarder le monde avec amour et à exprimer cet amour.

La première fois que Michel vint à l'ECAP, sa tumeur était en rémission. Il dessina un arbre dont le contour ressemblait à un cerveau vu de profil. Entre les branches de l'arbre, il fit de larges taches noires. Cela m'apprit qu'il avait une récurrence, bien que son dernier scanner n'en montrât aucune trace. J'évitai de l'affoler en le lui disant, mais je l'incitai à parler avec les autres membres du groupe de la façon dont il réagirait à une éventuelle rechute.

Dans cet exemple, l'arbre symbolisait le cerveau mais il peut représenter bien d'autres choses, y compris la vie du malade et son évolution.

Après une longue bagarre avec le cancer et malgré sa paralysie, Michel décida de quitter l'hôpital. Il en était arrivé à dire qu'il se sentait « bien » parce qu'il n'avait plus peur, parce qu'il était serein. Mais son médecin croyait que je lui mentais sur son état. Il ne lui donnait que deux semaines à vivre et avertit la mère de Michel que ce ne serait « pas une partie de plaisir mais une véritable horreur ». Sa famille réussit à créer autour de lui une telle atmosphère de chaleur et d'amour que, sans le moindre médicament, Michel finit par retrouver l'usage de ses bras. Son neurologue eut le courage d'aller le voir et de lui dire : « Maintenant, je comprends de quoi parle Bernie Siegel. »

Michel vécut encore huit mois et sa famille, groupée autour de lui, se prépara avec infiniment d'amour à se séparer de lui. Un matin, sa respiration se fit oppressée et sa mère lui dit : « Tu sais, Michel, tu peux t'en aller si tu veux. Je m'en remettrai. Nous t'aimons tous beaucoup et tu nous manqueras mais ne t'en fais pas pour nous. » Il prit une inspiration, puis deux, et mourut.

Le philosophe Benedetto Croce écrit : « Le vrai bonheur doit se gagner en apprenant à aimer avec assez d'élévation d'esprit pour acquérir le pouvoir de résister au chagrin... Il faut dépasser l'amour ancien par un amour encore plus grand, encore plus beau. » Pendant huit mois, Michel a donné aux siens la force de trouver cet amour qui les a aidés à vivre et à surmonter leur chagrin.

L'interprétation des dessins sera étudiée dans un chapitre ultérieur, mais je veux présenter ici deux symboles importants, l'arc-

Nous voyons ici une femme passive qui ne se donne qu'à moitié (elle se représente de profil) à son problème. Elle voit sa maladie comme un insecte, symbole négatif. Son traitement est dessiné en noir, couleur du désespoir, et ne pénètre pas son corps, révélant son refus.
Ce dessin évoque une issue négative si la personne ne change pas. Le fait qu'elle regarde vers la droite (l'Est, la lumière) n'est pas suffisant pour inverser la tendance.

Linda, est le personnage central. Elle s'est colorée en oranger, couleur qui indique le changement. Le cerf-volant violet montre qu'elle est prête pour une paisible transition spirituelle, mais son mari tient la ficelle. Comprenant qu'il dépendait beaucoup trop d'elle et qu'il n'était pas prêt à accepter sa mort, Linda décida de ne pas mourir et de suivre une chimiothérapie. Un jour son mari lui dit : « Chérie, j'ai coupé la ficelle. Tu peux t'en aller si tu veux. » Elle répondit : « Je mourrai jeudi à deux heures, quand les enfants seront là. » A l'hôpital, je lui demandai si elle avait des questions à me poser sur la mort. Elle rit et me dit : « Je ne suis encore jamais morte alors je ne saurais pas quelles questions poser. » Elle quitta son corps tranquillement, au jour et à l'heure qu'elle avait choisis.

Ce dessin de ma femme Bobbie montre comment l'inconscient exprime les événements de notre vie. Les cinq arbres représentent nos cinq enfants et, comme vous pouvez le voir, l'un d'eux n'est pas dans l'alignement. La solution se trouve dans les sept nénuphars groupés par quatre et par trois en bas du dessin. A l'époque, deux de nos fils, Jon et Stephen, étaient au collège à Chicago. Le troisième, Jeff, se posait des questions sur son avenir. Le groupe de quatre nénuphars nous représente tous les deux avec les jumeaux encore à la maison. Le groupe de trois, c'est Jon, Stephen et Jeff partis à Chicago. Quand nous avons étudié le dessin, nous savions que Jeff allait partir.
Six roseaux séparent la famille en deux groupes et, six semaines après ce dessin, Jeff nous quittait pour aller rejoindre ses frères.

J'ai fait ce dessin pendant un séminaire d'Elisabeth Kübler-Ross. Remarquez la cime de la montagne recouverte de neige (blanc sur blanc signifie que quelque chose est caché) et le poisson hors de l'eau (le symbole spirituel hors de son élément).

Deux arbres sont séparés par une barrière qu'un troisième arbre semble enjamber. L'arbre représente souvent la psyché et/ou le soma. Dans le cas présent, les deux arbres de gauche symbolisent un couple séparé par un problème (la barrière). L'un des arbres porte des fruits. Il représente celui qui, dans le couple, gagne de l'argent, et se trouve presqu'en dehors du dessin.
Le problème à résoudre était le fait que la femme travaillait alors que l'homme était sans emploi et ne faisait aucun effort pour en trouver un. Cette femme devait donc choisir entre trois solutions : le quitter, accepter le statu quo ou rester en refusant d'accepter la conduite de son mari. Cette indécision apparaît dans le dessin de l'arbre central qui n'est ni d'un côté ni de l'autre de la barrière.

Ce malade s'est dessiné tout petit et assis sous un gros arbre protecteur qui symbolise sa femme. Les nuages noirs appartiennent à l'avenir et les fruits tombés sous l'arbre représentent le temps qui lui reste à vivre. Dans la mesure où les gens sont capables de changer, nous essayons toujours de modifier les images négatives, mais les malades ont souvent un savoir intérieur qui, une fois exprimé, les soulage d'un grand poids.

Cette image exprime une attitude positive par rapport au traitement par radiations. Le corps de la malade est installé dans une machine bleue (couleur de la santé) et traversé par des rayons rouges et jaunes (spirituels et célestes) à l'endroit de la maladie. La malade prévoit que le traitement donnera de bons résultats, sans effets secondaires. Son acceptation du traitement est totale, consciemment et inconsciemment.

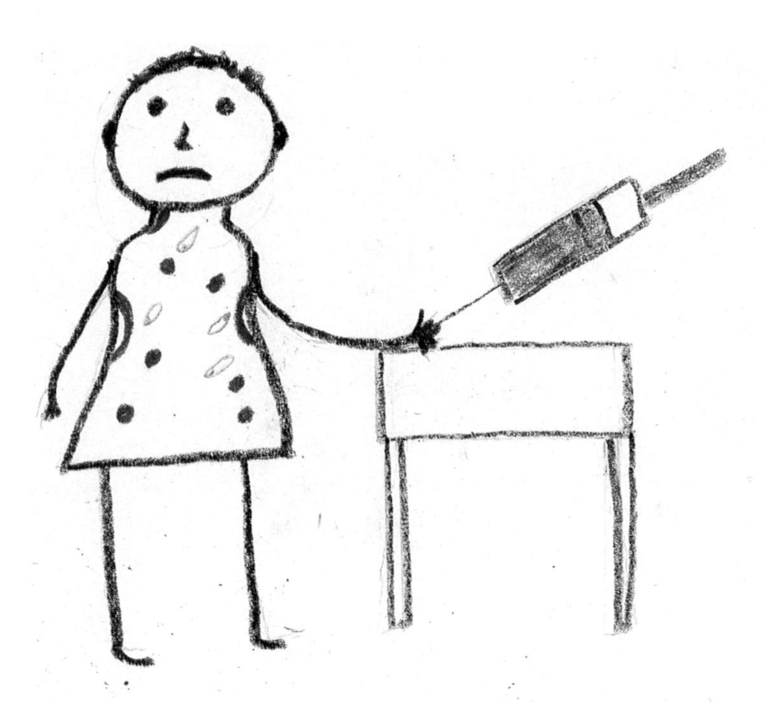

Cette femme a eu la franchise de montrer le désespoir que lui inspirait l'idée d'une chimiothérapie. Son visage est triste, sa silhouette dessinée en noir. Pourant, son inconscient lui conseille d'accepter le traitement qui lui fera du bien : la seringue est violette, couleur spirituelle, et les pieds du personnages sont tournés vers le traitement. Ce dessin la convainquit de tenter la chimiothérapie et tout se passa très bien. Ses résistances fondirent en même temps que sa tumeur.

Quand je lui demandai de dessiner son médecin en train de la soigner, Estelle dessina le diable lui injectant du poison. Elle représenta aussi son mal sous la forme d'un insecte, image négative si l'on considère la difficulté de se débarrasser de ces petites bêtes.
Elle me fut envoyée à cause des effets secondaires que lui procurait son traitement. Son problème était de n'avoir aucun contrôle sur ce traitement. Elle n'aimait pas son médecin et refusait de se faire soigner mais sa famille l'y obligeait. Son seul recours était de se rendre tellement malade qu'il fallut interrompre le traitement.
Je lui dis qu'elle pouvait très bien changer de médecin et arrêter toute thérapie – c'était sa vie, après tout, pas celle des autres. Voyant qu'elle pouvait reprendre le contrôle de la situation, Estelle s'expliqua avec sa famille, avec son médecin, et reprit sa thérapie comme elle l'entendait.

– Ouf, je suis bien content que ces types-là s'en aillent!
– Il nous faudra des semaines pour en venir à bout.

Dessin de Yann qui nous a beaucoup appris sur l'amour et la guérison. Ses globules blancs évacuent les cellules cancéreuses au lieu de les tuer. Je crois que l'idée d'attaquer la maladie correspond au désir de 20 % des malades, tandis que 80 % préfèrent une approche moins agressive.

Dans cette scène de plage, cinq oiseaux et cinq personnages symbolisent ou représentent la famille. Comme les oiseaux, les personnages sont séparés en deux groupes. Trois sont couchés sur des serviettes qui symbolisent leur impuissance, leur incapacité à aider les deux personnages qui jouent au ballon ou les deux oiseaux qui volent à l'écart. Le dessin met en scène des problèmes personnels et des conflits entre les parents d'un enfant cancéreux.

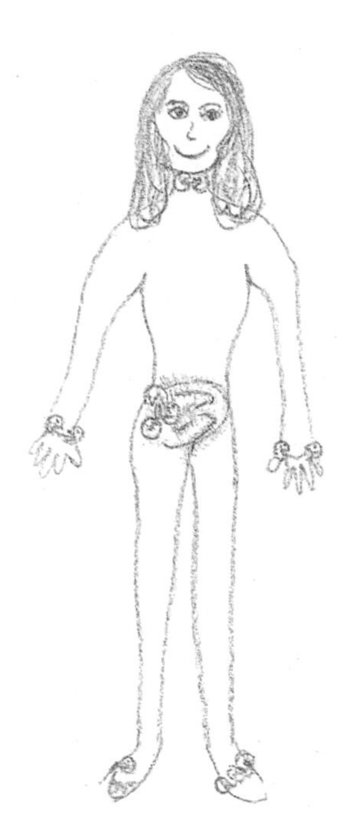

Le personnage représenté ici manifeste tous les signes d'un éventuel changement positif. L'importance du dessin dans la page exprime la bonne idée que son auteur a d'elle-même. Elle se tient dans une position neutre (bras le long du corps) et prête à prendre les choses en mains (doigts écartés).
Ce qui m'inquiète un peu c'est son sourire. Il répond symboliquement « très bien » à la question « comment allez-vous ? » mais peut-être n'est-il qu'une façade. En faisant semblant d'aller bien, le malade s'épuise pour le seul bénéfice des autres. Si le vrai bonheur fait du bien, l'hypocrisie est toujours auto-destructrice.

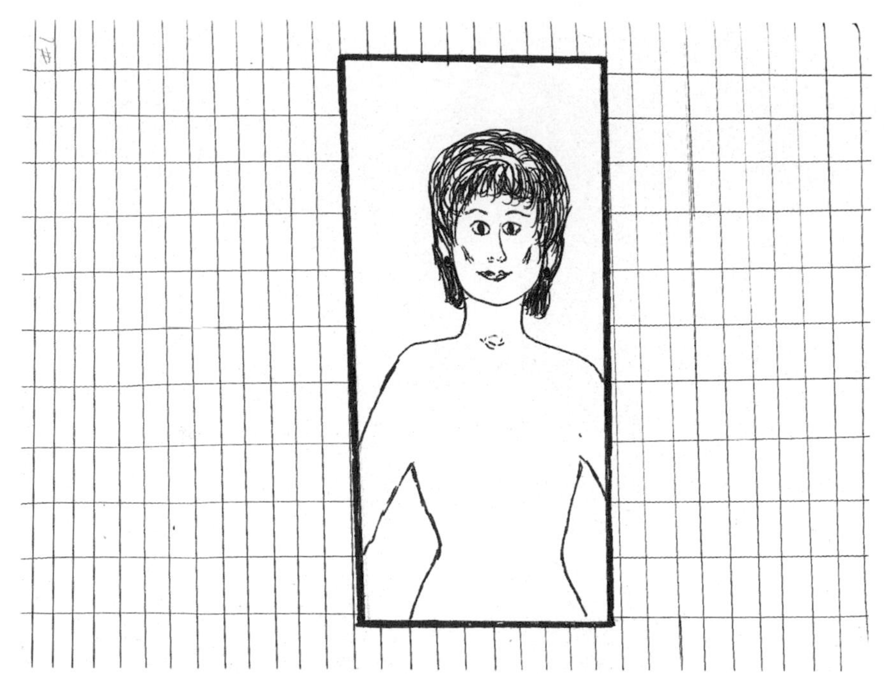

C'est une jeune femme qui a fait ce dessin, y compris le quadrillage de toute la page. Elle se sent prise au piège par l'attitude de ses parents qui signifie « ne crie pas, ne raconte tes problèmes à personne, ne divorce pas, ne dis pas que tu as envie d'être aimée. » Tous les barreaux de sa prison sont des interdits. Quand elle comprit ce qu'exprimait son dessin, elle prit son mari par la main et tous deux entreprirent une psychothérapie.

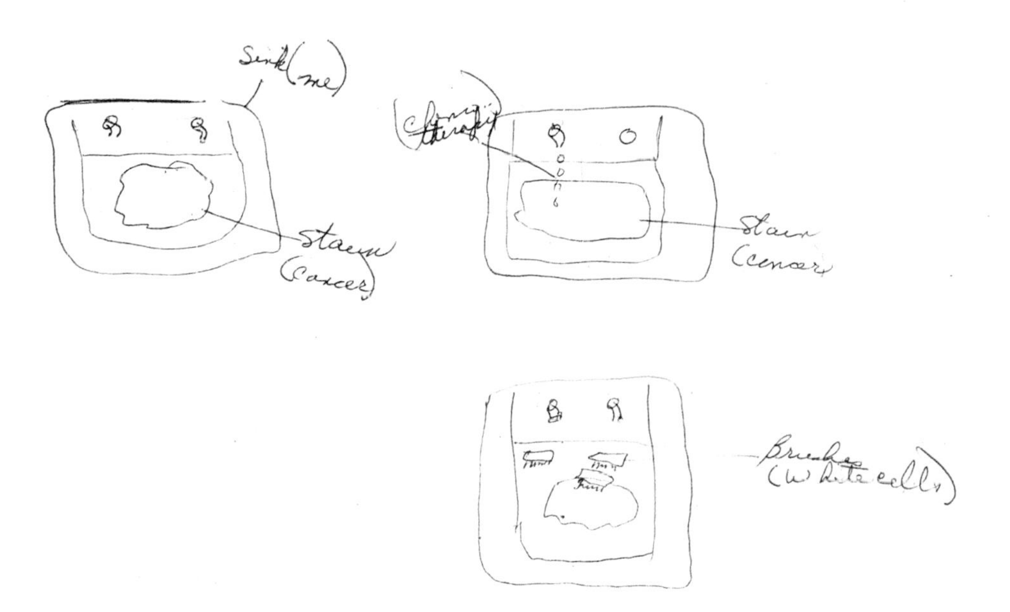

Cette femme s'est représentée sous la forme d'un évier parce qu'elle avait l'impression d'être le déversoir de toute la famille, de donner plus d'amour qu'elle n'en recevait. Quand je lui expliquai qu'elle se ferait du bien en se débarrassant de sa rancune, elle me dit : « Non, ma rancune et ma rage m'aident à vivre. » Refusant de mobiliser son énergie pour guérir, elle mourut peu après et sans s'être réconciliée avec ceux qu'elle aimait.

Cancer du rectum atteignant tout le bassin symbolisé par une maison rouge dont la forme rappelle celle du bassin, avec ses trois orifices : anal, vaginal et neuro-vasculaire.
Après un traitement physique et psychique de la patiente, la maison s'est transformée en une image paisible où entre la spiritualité et où deux personnes (les arbres) apportent aide et protection. Les fenêtres vides et l'absence de cheminée (l'air chaud ne peut pas sortir, la tension ne se relâche pas) parlent des difficultés relationnelles qu'elle a encore avec son mari.

en-ciel et le papillon. Dans les rêves, la mythologie et l'art, l'arc-en-ciel représente l'espoir et exprime tout notre potentiel émotif, toute notre vie. Le papillon symbolise la métamorphose, le passage de la laideur à la beauté, de la haine à l'amour et de cette vie à une autre. Dans les camps de concentration nazis, des enfants ont griffonné des papillons sur les murs de leur dortoir. Soljenitsyne, qui survécut lui-même au cancer et au goulag, crée à partir de ces deux symboles une image particulièrement signifiante dans l'extrait du *Pavillon des cancéreux* cité au début de ce livre.

Une volonté exceptionnelle

Quel que soit le contenu des dessins, le simple fait que le malade accepte de les faire indique son profond désir de survivre. Il faut du courage pour prendre le risque de révéler à d'autres des choses qu'on préférerait peut-être ne pas savoir sur soi-même. Certains refusent ce risque, manifestant ainsi qu'ils n'ont pas envie de participer à leur traitement. Ils s'excusent en prétextant : « Je n'ai pas de crayons de couleurs » ou « j'ai égaré vos instructions ». D'autres appellent, de très loin parfois, pour dire qu'ils viennent à une réunion de l'ECAP le lendemain. Je leur dis : « Attendez. Il y a un petit travail à faire avant. De la lecture et du dessin. » « Parfait, répondent-ils, je ferai ça pour demain. » C'est ce genre de patient agressif qui a les meilleures chances de s'en tirer.

Si l'on veut devenir un patient exceptionnel, il ne faut reculer devant rien, même l'exploration de son inconscient. Dans le prochain chapitre, j'expliquerai comment acquérir la « conscience claire » dont parle Soljenitsyne, mais aucun conseil ne vous sera de la moindre utilité si vous n'avez pas d'abord le courage de relever le défi, prendre votre vie en main, trouver votre voie, réaliser vos désirs et, quel que soit votre âge, décider de ce que vous ferez quand vous serez plus grand.

Il y a plusieurs années, j'ai reçu une lettre d'une femme extraordinaire, Loïs Becker. Après une année éprouvante au cours de laquelle son père était mort d'un cancer, son mari s'était fait opérer, son oncle et sa tante avaient été grièvement blessés dans un accident de la route, elle décida de faire quelque chose de joyeux, avoir un deuxième enfant. Au cours d'un examen, sa gynécologue lui trouva une grosseur au sein droit et lui fit immédiatement faire une biopsie.

« J'attends trois jours la confirmation de ce que je sais déjà intuitivement. Trois jours vautrée devant la télé à regarder n'importe quoi. Le téléphone sonne : lundi on me coupe le sein. Je suis enceinte de treize semaines, j'ai trente-trois ans.

« Ils le font. C'était nécessaire. Couture de trente centimètres du côté droit, plus de relief, plus de sein. Dans ce sein, il y avait douze tumeurs.

« J'ai le choix entre trois solutions : avortement immédiat, césarienne ou accouchement provoqué à trente semaines, grossesse et accouchement normaux. Mon cancer est hormono-positif et mon corps regorge littéralement d'hormones. Aucun traitement possible si je garde mon bébé. Et si je choisis avortement plus thérapie, j'ai une chance sur six de vivre encore cinq ans !

« Je choisis la solution des trente semaines. Pas pour sauver le bébé, pour quitter l'hôpital. Je ne veux plus qu'ils me touchent. Ils mettent deux longs tubes aspirants dans ma cicatrice et je rentre chez moi. Janvier, dans le Minnesota, il gèle à pierre fendre.

« Il y a beaucoup plus que cinq mois de janvier à mai quand on est une bombe à retardement humaine. Chaque jour mon bébé pousse, chaque jour mon corps produit davantage de ces hormones tellement dangereuses pour moi. Mes chances d'atteindre le terme de ma grossesse sans que mon cancer s'étende sont minimes. Je suis tellement désemparée, tellement pleine de rage et si profondément, profondément triste que mon visage s'installe dans une immobilité de masque. Ma capacité de concentration complètement détruite, je perds le goût de lire (l'un des grands plaisirs de ma vie). Je n'espère même pas fêter ses huit ans avec ma fille, le 30 juin 1978. Je lui achète des cadeaux et je fais les paquets en février. Je songe à mon enterrement.

« Mais il y a deux personnes en moi, aussi acharnées l'une que l'autre à prendre le dessus. L'une attend le médecin et réagit comme je viens de le décrire, mais l'autre hurle des obscénités chaque fois que ma voiture passe devant l'hôpital. Celle-là décide un jour de lutter malgré l'autre qui la harcèle tous les jours, quelquefois d'heure en heure, pour lui faire lâcher prise et accepter.

« Physiquement, la mastectomie n'a pas été très douloureuse. J'ai la poitrine, le haut du bras et le dos insensibles, mais je cicatrise vite et sans complications. Mais depuis le début, j'ai mal au bras, tellement mal que je reste parfois plusieurs jours sans pouvoir le tendre. C'est justement le bras droit, alors plus question de gratter ma guitare. De toute façon, je n'ai pas le cœur à chanter.

« Dès ma sortie de l'hôpital, je me suis mise à l'écoute de mes intérieurs. Je voulais entendre mon corps et mon esprit me dire comment les aider à survivre. J'avais des réponses et j'essayais de les respecter, même dans mes pires jours de déprime et d'indifférence. Mon corps disait ''bois du jus d'orange'', envie étrange, inconnue de moi. J'ai bu du jus d'orange et c'était exactement ce qu'il me fallait. J'ai choisi avec beaucoup de sérieux ce que je mettais dans mon corps. Je disais aux aliments de me donner des forces. Je disais à chaque vitamine, quand elle passait dans mon gosier, d'aller au bon endroit et de faire ce qu'il fallait parce que c'étaient mes seules pilules anti-cancer.

« Mon corps disait : ''Remue-toi, Loïs, allez, remue-toi !'' Rentrée chez moi depuis une demi-heure, je sortis faire une promenade. Très dur. J'avais peur de perdre l'équilibre, de tomber sur le côté. Je boitais comme une vieille dame. Mais j'ai des jambes solides. J'ai acheté un pédomètre et parcouru des kilomètres. Au printemps, je marchais, je courais, je marchais, je courais, jusqu'à ce que le bébé prenne trop de place.

« En lui donnant de l'exercice, je disais à mon corps que je l'aimais, que je le voulais fort et sain. Je repris le yoga. Au début, je ne pouvais bouger mon bras que de quelques centimètres, mais je l'obligeai à en faire chaque jour un peu plus. Je repris mes haltères et, tension, flexion, malgré la douleur, je me refis des muscles. Je récupérai rapidement l'usage de mon bras droit et je m'en sers aujourd'hui tout à fait normalement.

« Mon corps et mon esprit me disaient : ''Fais l'amour'' et ils avaient raison. En faisant l'amour (et mes autres formes d'exercice), je retrouvais ma liberté, je redevenais moi-même, je n'avais plus le cancer.

« Mon esprit disait : ''J'ai besoin de calme. J'ai besoin de me reposer de cette tension qui m'étouffe. Occupe-toi de moi.'' Je ne connaissais rien à la méditation mais je trouvai dans des livres empruntés à la bibliothèque la technique qui me convenait le mieux. J'appris à méditer. Après l'agitation de la course à pied, la méditation faisait tomber mon corps dans un cocon de douceur, profond et sombre, paisible et réconfortant. Je me mis à vivre pour ces instants-là.

« Pendant mes séances de méditation, je pratiquais l'exercice illégal de la médecine... Je disais à mon corps d'être fort et bien portant. Je disais à mon système immunologique de me défendre. Tous les soirs, je passais en revue mon cerveau, mes os, mon foie et mes poumons. Je m'installais en eux et je leur demandais de refuser le cancer. Je regardais mon sang couler avec force dans mes veines. Je disais à mes cicatrices de se refermer très vite et à mon autre sein de ne pas faire de bêtises puisqu'il ne nous restait que lui, à mon mari et à moi. Encore aujourd'hui, je dis tous les soirs à mon corps et à mon esprit : ''Je ne veux pas du cancer. Je n'en veux pas !''

« Les médecins me palpent, se penchent sur mes radios, me laissent rentrer chez moi. Voici le printemps, puis mai.

« Tentative d'accouchement provoqué, fin mai. Dix heures d'efforts, de douleurs affreuses, sans résultat. Les autres, ceux qui ne sont pas sur la table de travail, veulent recommencer le lendemain. Bébé et moi n'avons qu'une idée : rentrer à la maison. Je me dis que trois ou quatre semaines supplémentaires ne vont pas me tuer ! Et j'envisage avec bonheur d'accoucher à terme, avec la sage-femme. Je rêve d'un bel accouchement après cette grossesse d'enfer.

« Une de mes amies a eu son bébé le 13 juin et je devine que je vais faire la même chose. Je commence à perdre les eaux quand j'arrive à l'hôpital. Jolie chambre, plantes vertes et un grand lit. Ma sage-femme est bonne, dans tous les sens du mot. Les contractions se font plus rapprochées, plus fortes et je cesse d'avoir peur. Je me sens sûre de moi. Mon bébé va naître, quel bonheur !

« Je suis trempée, mon lit est trempé. La sage-femme me raconte ce qu'elle voit, je suis à six centimètres. Son visage change. J'expulse le cordon avant l'enfant. Je comprends immédiatement qu'il peut mourir. Elle dégage la tête du bébé, la repousse à l'intérieur pendant que je pousse vers l'extérieur. Je sais maintenant ce que le mot supplice veut dire. Je l'entends dire que le pouls du bébé est à 60.

« La césarienne était peut-être la seule solution. Ils passent une heure à examiner mes viscères. Ils ne voient rien d'autre que des viscères. Quand mon mari me l'annonce, c'est un immense soulagement !

« Le bébé est un petit garçon de quatre kilos et cinquante-trois centimètres. Nathan est son prénom. Il est très mignon avec ses cheveux bruns, ses longs cils noirs et sa myocardiopathie, plus connue sous le joli nom de souffle au cœur. C'est congénital. C'est grave. Il va certainement falloir l'opérer. Et le pire pour moi c'est qu'il va falloir retourner régulièrement à cet hôpital que j'exècre. Chaque fois que j'en sors, je suis tellement crevée et déprimée qu'il me faut plusieurs jours pour me remettre. Je vais les laisser ouvrir mon bébé et trancher dans sa chair comme ils ont tranché dans la mienne, pour son bien.

« Nathan souffre de défaillance cardiaque congestive pendant les six premiers mois de sa vie. Il prend de la digitaline deux fois par jour. Il transpire quand il tète. Sa petite poitrine maigre se soulève bien trop vite, son foie et son cœur sont énormes. Il faut l'hospitaliser. Je reste avec lui. Je me sens défaillir quand j'apprends qu'il n'a plus 50 % de chances de s'en sortir mais 25 %.

« Et puis, entre six et sept mois, il commence à aller mieux. (J'aime à penser qu'il m'a entendue lui murmurer à l'oreille : "Nathan, tu vas guérir, tu peux guérir !!!")

« Surprise des médecins. Il prend du poids. Sa respiration se calme et son foie commence à désenfler.

« En mai 1979, Nathan n'a plus de souffle au cœur. C'est encore plus merveilleux qu'un premier anniversaire ! Plus de trou, son cœur est tout entier. Nathan pousse sur ses jambes et se dresse de toute sa hauteur. Je commence à croire en son existence.

« Après l'accouchement, j'avais eu une vilaine surprise. Je n'avais *vraiment* pas de sein du côté droit. Au moment où les jeunes mères se réjouissent de remettre leurs vêtements ajustés, d'en acheter de nouveaux, de passer l'été en bikini, il fallait que moi, débarrassée de la robe-sac qui dissimulait toutes mes formes, je m'habitue à ce corps nouveau qui serait désormais le mien. Pas facile.

« Le mot dépression est trop faible pour décrire l'état dans lequel je me trouvais. Mais je m'obligeai à tenir mes bonnes résolutions. Sept mois après l'accouchement, j'avais toujours dix kilos de trop mais, dès que Nathan alla mieux, je fus prise d'un nouvel accès d'énergie positive.

« Je perdis mes kilos. Je me remis à la méditation et aux vitamines. Je n'avais plus besoin de marcher, je pouvais courir. Je dois dire que je cours tellement bien que j'envisage de faire des compétitions. Mon programme de remise en forme ? Yoga, course à pied, vélo. Entraînement quotidien, nécessaire, qui m'aide à survivre.

« Physiquement, je suis redevenue moi-même. Tout habillée, bien sûr. Et je commence même à me trouver moins grotesque quand je suis nue. Mes cicatrices ne sont pas particulièrement seyantes mais mon mari devient aveugle quand il les regarde et j'apprends peu à peu à voir à travers ses yeux.

« J'ai appris à penser *d'abord* à moi. Personne ne m'y a aidée. Personne ne m'a même jamais laissé entendre que j'avais une chance. Les médecins m'ont complètement déprimée avec leurs statistiques. Des gens bien intentionnés m'ont pratiquement réduite à néant avec leur pitié. Mais malgré eux, malgré tout, j'ai fait ce qu'il fallait et ça a marché. Chaque jour qui passe renouvelle ma confiance en la domination de "l'esprit sur la matière".

« Je pense au cancer tous les jours mais je pense aussi à la force de mon corps et aux plaisirs qu'il me donne. Je continue à parler à mes viscères. J'ai la sensation d'une unité corps-esprit (âme aussi, probablement) que je ne connaissais pas. Le cancer m'a permis de découvrir qui j'étais et j'aime la personne que j'ai découverte. »

Après six ans de rémission due à sa seule force de caractère, Loïs est morte.

Le cancer apparaît souvent en réponse à des événements tragiques et je crois effectivement que si l'on ne profite pas de ces moments-là pour évoluer psychologiquement, l'évolution se fait quand même, physiquement et contre notre intérêt. Comme l'écrit le thérapeute jungien Russell Lockhart :

« La phénoménologie du cancer est remplie d'images de culpabilité et de punition, de promesses faites à soi-même ou aux autres de changer, de vivre mieux sa vie au cas où on guérirait. La psychologie de ces sacrifices involontaires est bien différente de celle des sacrifices volontaires. Il y a des moments et des saisons dans la vie d'un individu où le sacrifice de l'essentiel est nécessaire à son évolution. Si ce sacrifice n'est pas accompli volontairement, c'est-à-dire consciemment et dans la douleur de la perte subie, il se fera inconsciemment. Alors l'individu ne se sacrifie pas pour évoluer, il est sacrifié à une évolution devenue perverse. »

A contrario, une évolution psychologique et spirituelle réussie serait capable de renverser le processus de la maladie. L'énergie nécessaire au cancer serait détournée au profit de la recherche du moi, et la tumeur serait attaquée par le système immunitaire. La tumeur deviendrait un corps étranger et inutile. Tout se passerait alors comme si l'individu renaissait et rejetait l'ancien moi avec sa maladie, devenant ainsi capable d'identifier la tumeur comme distincte et séparée de sa nouvelle personnalité. Ce processus me fait penser aux découvertes récentes dans l'étude des malades à personnalités multiples. L'une des personnalités peut être diabétique, l'autre pas. Le même patient sera un jour allergique, pas le lendemain. Si l'une des personnalités se brûle le doigt avec une cigarette, la brûlure disparaît tant que l'autre personnalité domine, pour réapparaître ensuite. De même, quand la personnalité d'un cancéreux (ou d'un autre malade) change de façon positive, son corps devient capable d'éliminer la maladie qui n'appartient pas au nouveau moi.

II

LE CORPS DE L'ESPRIT

5.

LE DÉBUT DU VOYAGE

> « Le monde n'est pas un jeu divin mais une destinée divine. Le fait que le monde existe, et l'homme, et la personnalité humaine, et toi, et moi, cela enferme un sens divin. La Création — elle s'accomplit en nous, elle nous pénètre de son feu, elle nous transforme par son incandescence ; nous frémissons, nous nous sentons mourir, nous nous soumettons. La Création, nous nous associons à elle, nous rencontrons en elle le Créateur, nous nous offrons à lui comme ses aides et ses compagnons. »
>
> Martin BUBER, *Je et Tu*.

La décision du patient de prendre une part de responsabilité dans son traitement doit être prise quand il est encore sous le choc du diagnostic et qu'il s'efforce de conserver le désir de vivre. Comme nous l'avons vu au chapitre 2, c'est le devoir du médecin d'instaurer un climat de confiance avec le malade en l'écoutant et en respectant ses croyances, conscientes ou inconscientes. Le meilleur moyen de favoriser cette confiance et l'indépendance du malade c'est d'être simplement humain, attentif et bienveillant en évitant de se poser en sauveur. Mais certains médecins sont tellement enkystés dans ce rôle que leurs patients doivent les aider à changer. Dans ce but, je conseille aux malades de leur parler de la Déclaration des droits du malade, rédigée sous forme de lettre ouverte :

« Cher docteur,

« Ayez l'amabilité de ne pas me cacher votre diagnostic. Nous savons tous les deux que je suis ici pour apprendre si j'ai le cancer ou une autre maladie grave. En sachant ce que j'ai, je sais contre quoi je me bats et je fais reculer la peur. En refusant de m'apprendre le nom et les réalités de mon mal, vous me privez d'une chance de guérir. Vous hésitez peut-être à me dire la vérité mais je la connais déjà. Cela vous arrangerait peut-être de ne rien me dire mais cela me blesserait, docteur.

« Ne me dites surtout pas combien de temps il me reste à vivre ! C'est mon affaire. Ce sont mes désirs, mes espoirs, mes valeurs, ma force et ma volonté qui en décideront.

« Dites-moi comment j'ai contracté cette maladie et pourquoi. Aidez-nous, moi et les miens, à vivre *avec elle*. Apprenez-moi comment mobiliser mon corps et mon esprit contre elle. La guérison vient de l'intérieur et je veux associer mes forces aux vôtres. Si nous faisons équipe, je vivrai mieux et plus longtemps.

« Docteur, ne laissez pas vos doutes, vos craintes et vos préjugés affecter ma santé. Ne soyez pas un obstacle à ma guérison, même si elle doit faire mentir vos statistiques. Donnez-moi une chance de gagner.

« Parlez-moi de vos convictions et de vos méthodes. Aidez-moi à les faire miennes. Mais n'oubliez jamais que mes convictions seront toujours les plus déterminantes. Ce en quoi je ne crois pas ne me fera aucun bien.

« Laissez-moi vous dire ce que la maladie représente pour moi : mort, douleur, peur de l'inconnu. Si mes convictions me font préférer la médecine alternative à l'officielle, ne m'abandonnez pas. Essayez de me convaincre et ayez la patience d'attendre ma conversion. Il viendra peut-être un jour où je serai au plus mal et où j'aurai besoin de votre traitement.

« Docteur, apprenez-moi à vivre avec ma famille quand vous n'êtes pas là. Prenez le temps de répondre à nos questions. J'ai besoin de sentir que vous m'écoutez et que je peux tout vous dire. Ma vie sera plus longue et plus riche si vous et moi parvenons à établir une relation signifiante. J'ai besoin de vous pour me guider sur le chemin où m'engage la maladie. »

Prendre ensemble les bonnes décisions

J'essaie toujours de présenter le traitement médical type — radiations — chimiothérapie — opération — comme une énergie qui peut guérir le malade. La médecine permet de gagner du temps, temps qui sera mis à profit par le patient pour trouver, avec mon aide, la volonté de vivre, de changer et de guérir. La principale difficulté, quand on essaie d'évaluer l'efficacité des thérapies alternatives, provient du fait que certains malades arrivent à guérir quel que soit le traitement qu'ils choisissent, parce qu'ils y croient. En ce qui me concerne, je ne suis pas opposé à ces thérapies quand elles sont préférées par le patient de façon positive et non par peur. Quand on me dit par exemple : « Docteur, j'ai une peur affreuse de l'opération alors je vais me soigner autrement », je ne suis pas d'accord. La détermination est bienfaisante pour le corps, la peur est toujours destructrice. Un traitement choisi par crainte d'un autre n'aura certainement aucune efficacité.

J'essaie de faire comprendre aux gens que c'est *le corps* qui guérit, pas le traitement. Toute guérison est scientifique. Lors d'une conférence récente, quelqu'un me demanda d'expliquer comment trois personnes qui suivaient, l'une un régime macrobiotique, l'autre un régime diamétralement opposé et la troisième une chimiothérapie pouvaient avoir toutes trois des résultats. Je crois que le corps peut utiliser n'importe quelle forme d'énergie pour guérir — rappelez-vous l'exemple du Krebiozen et de l'*aqua simplex* —, du moment que le patient y croit.

Imaginons que je conseille comme traitement du cancer de manger trois tartines de confiture par jour. Certains malades vont guérir et seront prêts à jurer que la confiture les a sauvés. D'autres, pleins d'espoir, mangeront aussi des tartines et s'en trouveront fort bien. Mais cela n'aura rien à voir avec la confiture. C'est l'espoir et les transformations apportées à leur vie qui leur feront du bien.

Il faut donc choisir une thérapie en laquelle on croit et s'y tenir, avec une attitude positive. A chacun selon ses besoins. Celui-ci voudra un programme complet de vitamines ; celui-là trouvera que c'est trop de pilules ; un autre préférera confier ses problèmes à Dieu. Certains ont besoin de se prendre complètement en main, de devenir leur propre « entraîneur », comme cette patiente qui voyait régulièrement son hypnotiseur, choisit elle-même la date de son opération et engagea une infirmière pour s'occuper d'elle. Elle voulait maîtriser la situation dans tous ses détails et se tenir prête à toute éventualité. Elle est aujourd'hui vivante, en bonne santé et vient de donner une grande réception pour fêter sa « première année de rémission ».

Dans la mesure où les cancéreux sont souvent des gens qui dominent mal les situations, au point que leurs propres cellules se révoltent, le seul fait de prendre une décision constitue souvent un tournant dans leur vie. Pour Henry, ce tournant fut pris le jour où il refusa de continuer la chimiothérapie parce que cela le rendait trop malade. Son cancérologue lui dit qu'il était fou et qu'il allait mourir. Cela mit Henry dans une telle colère qu'il avait envie de boxer le spécialiste. Au lieu de cela, il sortit et se mit à courir. Depuis, le sport est devenu sa passion, presque sa profession. Il court, nage, escalade des montagnes, bref il met toute son énergie dans le mouvement, dans la vie. En sept ans, il a complètement guéri du cancer.

Apprendre aux malades à méditer est l'une des meilleures façons de les aider à surmonter leurs craintes et à choisir le traitement qui convient à leurs convictions. A cet égard, le cas de Bruce, ce psychothérapeute familial qui découvrit la méditation à la suite d'une de mes conférences, est exemplaire. Bruce était devenu alcoolique et opiomane pour avoir abusé de ces drogues à la suite d'un douloureux accident de ski. Son foie était gravement atteint et les médecins envisageaient de lui poser un shunt porto-cave pour permettre au sang de contourner l'organe malade. Pendant qu'il méditait, une voix intérieure lui dit : « Il faut renverser la vapeur » et lui donna un programme en quatre points :

1. Une semaine de vitamine C en intraveineuse.
2. Méditation quotidienne.
3. Consulter un nutritionniste.
4. Utiliser un ordinateur.

A l'époque, Bruce ignorait totalement la valeur des injections de vitamine C mais il trouva quelqu'un pour les lui faire. Le dernier conseil, par contre, le laissa perplexe, jusqu'au jour où il lut dans un journal qu'on pouvait programmer un ordinateur à diffuser des images subliminales. Comme il disposait d'un ordinateur, Bruce créa l'image d'une figure spirituelle protectrice et programma la machine pour que cette image apparaisse régulièrement sur son écran, flash invisible parmi d'autres images. (J'ai aussi entendu dire que l'image subliminale de globules blancs attaquant les cellules cancéreuses avait donné d'excellents résultats.) En quelques mois, Bruce fut débarrassé de sa toxicomanie, son foie redevint normal, et le projet d'opération fut abandonné.

Les discussions du groupe servent aussi à convaincre les malades qu'ils peuvent choisir les méthodes curatives qui leur conviennent. A l'ECAP, certains sont à la vitamine C, d'autres suivent un régime alimentaire, d'autres encore suivent le traitement médical habituel et certains n'ont pas de traitement du tout. Au début, je me demandais si tous ces gens n'allaient pas perdre leur temps et leur énergie à discuter de la valeur relative de chaque traitement et à essayer de convertir les autres. Mais je me trompais. Ils sont tous persuadés d'avoir fait le meilleur choix et ne remettent pas en question les décisions des autres. La diversité favorise l'ouverture d'esprit et permet de se convaincre qu'il n'existe pas une seule solution, une seule voie vers la guérison. Le groupe constitue une famille, mais plus ouverte que la plupart des familles. C'est un environnement où chacun se sent libre de dire et de faire ce qu'il veut, où ceux qui ont déjà accompli un travail sur eux-mêmes deviennent « thérapeutes » pour aider et guider les nouveaux venus.

D'une façon générale, j'estime que chaque patient doit focaliser son énergie sur une ou deux techniques auxquelles il croit profondément. Cependant, un certain nombre d'options — complément vitaminique, exercice physique, méditation — constituant des atouts supplémentaires sont proposées à l'ECAP.

Minimiser les effets secondaires

Je n'essaie pas à tout prix de persuader mes patients d'accepter la chimiothérapie ou les rayons s'ils les considèrent comme toxiques car je sais que ce serait contraire à leur intérêt. Ils manifesteraient leur opposition en ayant tous les effets secondaires possibles et me diraient ensuite : « Regardez où j'en suis maintenant. Je n'aurais jamais dû vous écouter. » Ou ils résisteraient plus ouvertement en jetant dans les toilettes tous leurs médicaments. Un des membres de l'ECAP à qui son cancérologue avait prescrit un certain médicament à prendre deux fois par jour pendant une semaine s'aperçut que la boîte ne contenait que cinq pilules. Il téléphona à son médecin pour lui dire qu'il vomissait et qu'il n'avait pas assez de pilules. Le médecin répondit : « Nous allons adapter le traitement, mais vous êtes le premier en deux ans qui se plaigne de ne pas avoir assez de pilules. » Apparemment, les autres les avaient tout simplement jetées dès les premiers vomissements. Des analyses pratiquées par le Dr Levine sur des cancéreux en chimiothérapie ont prouvé que 60 % d'entre eux n'avaient aucune trace de médicament dans le sang. Et pourtant, les statistiques sont toutes fondées sur le fait que les malades prennent leurs médicaments. Certains cancérologues insistent maintenant pour que le traitement soit pris sous contrôle médical, mais une relation plus confiante entre médecin et malade serait à mon avis préférable.

J'estime que les trois quarts des effets secondaires consécutifs aux radiations et à la chimiothérapie proviennent d'une attitude négative des patients, suscitée et entretenue par les médecins. Dans la plupart des cas, ceux-ci présentent le traitement en disant : « Voilà tous les malaises qu'il risque de vous procurer, mais si vous avez de la chance il vous fera aussi du bien. » Cette façon d'insister d'abord sur les aspects négatifs met le patient dans une attitude de rejet par rapport au traitement. Quand il arrive au bout de la liste des effets secondaires, le « non » est si bien ancré dans son psychisme qu'il refuse aussi les bienfaits qu'il pourrait en retirer.

Qui pourrait reprocher à un médecin d'insister d'abord sur l'aspect positif d'un traitement, dans la mesure où il ne promet rien ? Il suffit d'inverser la proposition : « Ce traitement peut vous faire beaucoup de bien. Il est possible qu'il ait aussi quelques inconvénients, mais je ne le crois pas. » De cette façon, les malades sont mis en confiance et, arrivés au bout de la liste des effets secondaires, ils sont persuadés qu'ils n'en auront aucun. On devrait aussi leur rappeler systématiquement que les cellules saines ont plus de chances de résister à la médication que les cellules cancéreuses.

L'expérience de Martin, membre de l'ECAP, illustre fort bien cet aspect des choses. Avant qu'il aille voir son médecin, nous avions discuté de la confiance et de l'espoir comme facteurs déterminants des réactions individuelles. Son médecin lui prescrivit une chimiothérapie, et l'infirmière lui expliqua qu'il devait prendre un antiémétique à 8 heures, sa première pilule à 9 heures et un autre antiémétique à 10 heures. Elle lui conseilla en outre de disposer des journaux sur ses tapis pour le cas où il n'arriverait pas aux toilettes à temps, et de garder près de son lit un seau, avec de l'eau pour que le vomi ne colle pas aux parois. Martin fut tellement énervé par ces recommandations qu'il lui fallut deux heures pour se décider à commencer. Mais notre conversation l'aida à se rappeler tout le bien qu'il pouvait tirer du traitement et à oublier le reste. Finalement, il prit sa pilule, s'endormit et se réveilla le lendemain matin sans le moindre malaise. Il me dit par la suite : « Si nous n'avions pas eu cette discussion, j'aurais laissé tomber. »

Cette programmation négative explique pourquoi un quart des malades commencent à vomir *avant* de prendre leur médicament. En Angleterre, on a donné à un groupe de malades des pastilles de sel en leur disant que c'était leur chimiothérapie, et 30 % d'entre eux ont perdu leurs cheveux. Les behavioristes ont montré que certaines techniques utilisées pour vaincre les phobies pouvaient supprimer les vomissements, mais lorsque la chimio est administrée dans un climat de bonne entente médecin-malade, quand elle est précédée d'un travail sur l'imaginaire et sur les problèmes personnels du patient, aucune autre technique n'est nécessaire. Une malade nommée Estelle me fut envoyée un jour parce qu'elle cumulait absolument tous les effets secondaires possibles. Quand je lui demandai de dessiner son traitement, elle dessina le diable en train de lui injecter du poison. Elle n'avait jamais dit à personne ce qu'elle pensait du traitement mais nous réussîmes à aborder la question avec elle, à lui rendre son pouvoir de décision et à améliorer ses rapports avec le médecin, ce qui lui permit de reprendre sa chimiothérapie.

Les malades que je peux voir avant leur traitement pour les rassurer ont beaucoup moins d'effets secondaires que les autres. La marijuana ou autres antiémétiques deviennent inutiles. Marie, membre de l'ECAP, venait de prendre sa pilule à l'hôpital et le médecin lui dit qu'elle allait avoir des nausées. Elle était persuadée du contraire mais il insista pour qu'elle emporte une boîte de Compazine. Elle nous raconta : « Je rentrai chez moi et, au bout de deux heures, j'eus un spasme. Je me dis que j'allais être malade. » Elle se précipita sur l'armoire à pharmacie, prit un comprimé, l'avala et se sentit tout de suite mieux. Quelques heures plus tard, nouveau spasme, elle cria à sa fille de lui apporter un comprimé de Compazine qu'elle trouverait dans l'armoire à pharmacie. Quelques minutes plus tard sa fille lui dit : « Je ne trouve pas de Compazine. Il y a de la Coumadine, mais c'est tout. »

Marie avait vu un grand « C » sur la boîte, supposé que c'était la Compazine et pris un comprimé qui l'avait soulagée. Or la Coumadine est un anticoagulant. Marie comprit qu'elle s'était calmée toute seule. Les autres l'avaient persuadée qu'elle aurait la nausée mais elle n'avait besoin ni de cette nausée ni du médicament.

Une autre patiente, Anita, vint me voir pour un cancer du sein récurrent. Après avoir extrait un ganglion de son aisselle, je lui proposai radiations et chimiothérapie. Anita tenait un magasin d'alimentation diététique et n'avait pas pris de médicaments depuis dix-sept ans, aussi ne pouvait-elle pas accepter ma proposition. Elle avait entendu parler des effets secondaires, et ses amis disaient tous que ce serait horrible.

Je lui expliquai que ces deux méthodes donnent de bons résultats, avec des effets secondaires négligeables ou nuls quand on y croit et quand on les envisage comme une énergie apportée à l'organisme. Je lui citai des exemples où des malades suivis par moi n'avaient eu aucun problème, je l'envisageai à visualiser ces deux formes de traitement. Elle réussit à voir les rayons X comme une énergie bénéfique, et le traitement lui fit beaucoup de bien. Plus tard, elle accepta de la même façon la chimiothérapie et la supporta parfaitement. Elle continua à tenir son magasin et à s'occuper de ses enfants. Ses amis la mirent en garde contre les poisons qu'elle ingurgitait, mais comme son état s'améliorait sensiblement, ils finirent par changer d'avis.

Il suffit parfois d'un tout petit détail pour transformer la réaction d'un malade. Une jeune membre de l'ECAP vomissait régulièrement tout de suite après sa chimiothérapie. Au moment de monter en voiture, son mari qui venait la chercher à l'hôpital lui donnait toujours un sac dans lequel elle rendait. Un jour, en ouvrant le sac, elle y trouva un bouquet de roses. Plus jamais elle n'eut de nausées...

La force de la conviction

La conviction du patient détermine l'efficacité du traitement ainsi que l'importance des effets secondaires. Les radiations peuvent être un rayon de mort ou une douce lumière bienfaisante. Quant à la chimiothérapie, elle attaque d'abord les cellules à métabolisme rapide, cellules cancéreuses et follicules pileux, si bien que la perte des cheveux peut et doit être interprétée comme la preuve que le traitement agit. Je connais une infirmière tellement contente de son traitement qu'elle se dit « accro à la chimio ». Gréta, de l'ECAP, se représentait ses médicaments sous la forme d'« enzymes gloutons », image empruntée à la publicité d'une marque de lessive. Elle dit à son médecin qu'elle préférait ne pas entendre parler des effets secondaires pour ne pas se laisser influencer. Elle n'eut jamais de réaction négative importante.

Gréta dit un jour : « Je crois que le cancer était la meilleure chose qui pouvait m'arriver. Si je peux aider quelqu'un à vaincre cette maladie, il me semble que cela en valait la peine et que je l'ai eue pour ça. » Les gens qui en arrivent là ont terriblement souffert, mais le travail qu'ils ont fait sur eux-mêmes leur a permis de donner un nouveau sens, une nouvelle dimension à leur vie. Cela ne veut pas dire qu'ils ne se débarrasseraient pas de la maladie en cinq minutes s'ils le pouvaient, mais qu'ils ont conscience des progrès qu'elle leur a permis d'accomplir. Le désir d'apprendre d'une expérience et d'aider les autres rend n'importe quelle forme de traitement supportable.

Quelle que soit la méthode choisie pour retrouver la santé physique, il est essentiel qu'elle ne porte pas atteinte à la santé mentale. Un programme de chimiothérapie, par exemple, peut et doit être conçu pour respecter les activités du malade. Un étudiant nommé Denis me fut envoyé par son médecin parce qu'il supportait mal son traitement. Il m'expliqua : « On me donne mes médicaments le vendredi soir, le samedi soir et le dimanche pour que je sois malade pendant le week-end et rétabli le lundi pour mes cours. Mais je n'ai plus le temps ni de sortir, ni de faire du sport. »

Je lui demandai pourquoi il ne prenait pas ses médicaments en semaine et il me répondit : « Mon médecin et ma mère pensent que c'est mieux ainsi, et cela fait partie du protocole. »

Je lui dis : « Écoute, c'est de ta vie qu'il s'agit ; mais à ta place je sauterais un week-end ou je prendrais mes comprimés le lundi pour garder le temps de vivre. »

Le vendredi suivant, coup de fil de la mère me demandant si je savais où était Denis. Quelques heures plus tard, coup de fil de Montréal où Denis était allé voir sa petite amie. Il rentra le lundi pour sa chimio, et n'eut aucun effet secondaire. Il continua à se soigner selon ce nouveau protocole et guérit.

Le mercredi suivant, sa mère vint me trouver. Je crus d'abord qu'elle allait me jeter son sac à la figure, mais elle me dit : « Je savais que vous aviez raison. Il a fait l'aller et retour à Montréal avec une vieille guimbarde que je n'aurais même pas prise pour faire deux cents mètres. Le lundi, quand il est rentré, j'ai voulu aller faire mes courses avec cette voiture et, au bout de deux cents mètres, elle a effectivement rendu l'âme. J'ai compris que son voyage était "protégé" ! »

L'objectif principal de l'ECAP est de susciter chez les malades et leur entourage ce genre d'autonomie et de vigilance en les aidant à trouver la paix spirituelle et à supporter les aléas de la vie. Nous avons acquis la conviction que la résolution des conflits, la réalisation du moi profond, la conscience spirituelle et l'amour dégagent une énergie formidable qui enclenche le processus biochimique de guérison.

Un médecin prénommé Arnold fit un moment partie de notre groupe. Il méditait tous les soirs en promenant son chien. Une nuit, dans la rue, il entendit Dieu lui dire : « Tu es Jésus. » « Mais, je suis juif », répondit Arnold.

« Oui, tu es juif, comme Jésus. »

Arnold pensa que Dieu lui conseillait de se soigner lui-même par l'imposition des mains et commença à se palper le corps.

Quand il raconta cette histoire au groupe, je lui demandai : « Il ne t'est pas venu à l'idée que Dieu te suggérait d'aimer et de croire ? En tant que médecin tu as réagi de façon mécanique et fait le geste mécanique de te tâter le corps, mais le message était sûrement "Change. Élève ton âme." »

Les différents groupes de l'ECAP se réunissent deux fois par semaine. L'organisation n'a pas de but lucratif et nous ne demandons à nos adhérents qu'une modeste participation aux frais s'ils peuvent la donner. Personnellement, je pense que cette forme de thérapie ne devrait pas constituer la seule source de revenus de son responsable. Je passe beaucoup de temps avec les malades, et je ne veux pas qu'ils se demandent combien cela va leur coûter.

Les seules conditions d'admission à l'ECAP sont les dessins et une fiche personnelle avec les réponses aux quatre questions et des renseignements d'ordre familial. Les dessins — autoportrait, maladie, globules blancs, traitement — sont étudiés au cours d'entrevues individuelles avant que le malade soit admis dans un groupe. Nous mettons à la disposition de tous une bibliothèque de prêt pour encourager les malades à se tenir le mieux informés possible.

Pendant les réunions, nous discutons de tous les aspects de notre vie, choix du traitement, alimentation, exercice, origines psychologiques de la maladie, problèmes de la souffrance et de la peur, techniques de réduction du stress. Nous aidons les malades à se définir des buts dans la vie, à trouver des occasions de jouer et de rire, à aborder leurs problèmes sexuels et à créer autour d'eux un réseau de soutien, familial ou amical. Mais nous nous efforçons surtout de les hisser ou de les maintenir au niveau de ce qui est souvent la plus dure épreuve de leur existence, en développant et en appréciant pleinement ce qu'il y a d'unique dans leur personnalité. A bien des égards, notre action ressemble à celle des Alcooliques anonymes. Comme eux, nous proposons une « famille instantanée » et non réprobatrice. Nous nous demandons aussi quel est le but de la vie et pourquoi nous sommes sur terre. Chaque réunion se termine par une séance de méditation. La famille de l'ECAP est souvent plus compréhensive et plus aimante que la famille biologique.

Un cancérologue m'a demandé un jour : « Vous n'avez pas la formation d'un psychothérapeute, comment savez-vous que vous ne faites pas de mal à ces malades ? » J'ai répliqué : « Je les aime. Je ne les aide peut-être pas mais je suis sûr de ne pas leur faire de mal. » En dehors de l'ECAP, les malades peuvent suivre une psychothérapie, mais quand on a une maladie potentiellement mortelle, on ne peut pas toujours s'offrir le luxe d'une analyse prolongée. Le fait de revivre ses tendances destructrices n'est pas forcément souhaitable, mieux vaut utiliser des méthodes qui rendent la vie joyeuse et désirable. Je dis à mes patients : « Vivez vos journées et vos émotions comme si vous alliez mourir demain. Par la suite, si vous en ressentez le besoin, vous aurez peut-être le temps de faire un retour sur vous-mêmes afin de découvrir pourquoi vous êtes qui vous êtes. »

En sept ans d'expérience à l'ECAP, je n'ai reçu que deux lettres critiquant notre action, et toutes deux émanaient de psychiatres jaloux de leur autorité sur leurs patients. L'un nous reprochait d'avoir prêté un livre à son patient et l'autre d'avoir encouragé le sien à cesser de prendre ses antidépresseurs. Je n'ai aucun scrupule à recommander la même approche de la maladie à mes confrères, quelle que soit leur formation, pourvu qu'ils le fassent avec bienveillance.

La suite de ce chapitre est consacrée aux aspects « externes » du programme — aux méthodes permettant de changer *ce qu'on fait*. Dans les chapitres suivants, nous étudierons les aspects « internes », c'est-à-dire la façon de changer *ce que l'on est*. Ne perdez pas de vue que, si je parle surtout du cancer, c'est parce que ma pratique quotidienne m'amène à voir beaucoup de cancéreux, mais je suis persuadé que les mêmes pratiques peuvent améliorer toutes les maladies. A l'ECAP nous avons obtenu des résultats positifs avec des malades atteints de diabète, sclérose en plaques, arthrite, problèmes neurologiques, obésité, asthme, SIDA et cancer. L'un de nos membres, venu au groupe pour un cancer mais plus préoccupé par son asthme, réussit en quelques mois à se passer complètement de cortisone et presque de tout médicament. Il sut alors qu'il était sur la bonne voie car, dans sa famille, les tueurs avaient toujours été l'asthme et l'emphysème. Comme le dit un de mes confrères : « Je n'ai pas vraiment l'impression que les patients de Bernie vivent plus longtemps, mais il est certain qu'ils vivent mieux, et c'est la seule chose qui compte », mais j'affirme : « Montrez-moi un malade qui aime la vie, je vous montrerai quelqu'un qui va vivre longtemps. »

L'alimentation

L'alimentation joue un rôle essentiel quel que soit le traitement adopté, mais je ne crois pas que l'on puisse prescrire un régime unique pour tous les patients. Personnellement, je donne volontiers des conseils diététiques et des vitamines, mais je crois plus important d'aider les gens à s'aimer eux-mêmes et à écouter leur corps. Quelqu'un qui ne se respecte pas négligera en bloc tous les conseils qu'on peut lui donner — manger correctement, faire de l'exercice et ne pas fumer. Beaucoup de gens ont perdu le contact avec leur corps, comme on finit par ne plus entendre le tic-tac familier d'une horloge. J'essaie de les inciter à rétablir la communication corps-esprit qui leur permettra non seulement de mieux manger mais aussi de mobiliser leurs forces mentales pour guérir.

Les conseils diététiques que je donne généralement ont été mis au point par l'Institut américain de recherche sur le cancer.

1. Réduire la consommation de graisses — saturées ou non — à 30 % des calories quotidiennes. Ce qui veut dire limiter la consommation de viande, éviter toute friture et se restreindre en beurre, crème, sauces de salade, etc.
2. Manger davantage de fruits, légumes et céréales complètes qui contiennent les cinq éléments connus pour protéger du cancer : béta-carotène, vitamine C, vitamine E, sélénium et fibres alimentaires.
3. Réduire (ou supprimer) la consommation d'aliments conservés dans le sel ou grillés au charbon.
4. Modérer (ou supprimer) la consommation de boissons alcoolisées.

A cette base, on peut ajouter quelques précautions supplémentaires :

Supprimer
- le sel ;
- tous les excitants, café et thé par exemple ;
- tous les sucres et farines raffinés ;
- les graisses hydrogénées ;
- le poivre et autres épices fortes ;
- tous les aliments contenant des additifs alimentaires ou des conservateurs artificiels.

Ce dernier point concerne en particulier la charcuterie et toutes les viandes d'animaux élevés aux hormones, aux antibiotiques ou autres.

Certains cancéreux attribuent leur guérison à un régime diététique strict. Le Dr Antony Sattilaro, par exemple, affirme avoir guéri d'un cancer de la prostate avec métastases osseuses grâce à la macrobiotique, qui est à la fois un régime alimentaire et un mode de vie. Il insiste aussi sur l'idée qu'on rencontre toujours le guide dont on a besoin au moment où on en a besoin. Dans son cas personnel, il revenait de l'enterrement de son père, mort d'un cancer. Obsédé par l'idée de sa propre mort, il fit une chose tout à fait exceptionnelle pour lui, prendre deux auto-stoppeurs. Or, l'un d'eux était un cuisinier macrobiotique qui lui expliqua qu'il n'était pas obligé de mourir et qui le guida sur le chemin de la guérison.

Je crois beaucoup, moi aussi, à certaines coïncidences signifiantes, mais je ne conseillerai pas pour autant de prendre des auto-stoppeurs ou d'adopter un régime strictement végétarien. Je pense que l'attitude mentale et spirituelle de chacun compte davantage que n'importe quel régime. Mais il est vrai que, statistiquement, les végétariens ont de meilleures chances de survie. Les adventistes du septième jour, par exemple, ont moins de cancers du côlon et du rectum que l'ensemble de la population américaine, mais les mormons, dont la consommation de viande est légèrement supérieure à la moyenne nationale, en ont encore moins...

Je me souviens d'un malade, Charlie, qui adorait le salami et les saucisses. Malgré son cancer, il insistait pour que sa femme lui en achète. Elle lui obéissait mais, persuadée que ces viandes trafiquées lui feraient du mal, elle les jetait à la poubelle au lieu de les lui servir, ce qui déclenchait invariablement d'âpres disputes entre les époux. Quand Charlie me demanda conseil, je lui dis qu'il devait écouter ses envies. Que les sermons et les « Ne meurs pas » de son entourage étaient facteurs d'angoisse et que manger devait rester un plaisir. « Si j'avais un cancer généralisé, je ne laisserais personne m'empêcher de manger de la charcuterie chaque fois que j'en ai envie. Cependant, le jour où vous reprendrez goût à la vie, vous sentirez que ce genre de nourriture ne vous fait pas de bien et vous cesserez d'en avoir envie. »

L'exercice physique

Notre corps est fait pour bouger et il n'est pas bon pour nous de rester constamment assis ou couchés. Les gens qui prennent régulièrement de l'exercice sont moins souvent malades que les sédentaires. A l'hôpital, les opérés qui se lèvent et marchent dès qu'ils en sont capables se rétablissent plus rapidement que les autres.

Le mouvement profite à la fois directement et indirectement au corps. Il stimule le système immunitaire et nous permet de résister aux agressions extérieures. Des expériences ont montré que, quand un animal est stressé et mis dans l'incapacité de bouger, sa santé s'altère. Par contre, s'il conserve sa liberté de mouvement, le même stress ne semble pas l'affecter. En 1960, un groupe de chercheurs a constaté que l'extrait de muscle tonifié par l'exercice injecté à des souris cancéreuses ralentissait le développement des tumeurs et pouvait même les éliminer complètement. L'extrait de muscle non exercé n'avait par contre aucun effet.

Psychologiquement, les bienfaits de l'exercice sont tout aussi importants. Le simple fait d'aménager son emploi du temps pour pouvoir se consacrer régulièrement à cette activité fondamentale suffit à redonner confiance en soi. De plus, l'exercice sous toutes ses formes permet d'être à l'écoute de son corps et de ses besoins en oubliant toute autre préoccupation.

Les sports répétitifs, course, marche à pied ou natation, par exemple, donnent l'occasion de méditer puisqu'ils se font sans y penser. Mais l'exercice n'est profitable que s'il ne constitue pas une façon de fuir ses problèmes ou une excuse pour ne pas rester chez soi. L'activité physique a donné de très bons résultats dans le traitement des dépressions et constitue également une arme puissante contre les maux physiques.

Le choix d'une discipline et la fréquence à laquelle on s'y astreint dépend absolument de chaque individu. Je recommande personnellement une demi-heure à une heure par jour ou tous les deux jours. Rappelez-vous seulement qu'un corps malade soutiendra une cadence moins rapide qu'un corps sain. Fatigue excessive et douleur sont des signaux d'alarme qui vous inciteront à ralentir sans forcément vous arrêter. Mais l'exercice ne doit jamais devenir une corvée, sinon il manque son but ; au lieu d'être un moment de communication entre corps et esprit, il devient un stress supplémentaire. Chacun choisira donc la ou les activités qui lui plaisent et s'exercera jusqu'à ce qu'il sente son corps agréablement fatigué mais détendu. Si vous êtes dans l'incapacité momentanée de pratiquer votre activité, imaginez que vous êtes en train de le faire, cela stimulera également votre corps. J'utilise cette technique quand j'ai de longs trajets à faire en voiture.

Le jeu et le rire

Le rire, que l'on a pu appeler « la musique de la vie », rend supportable l'insupportable, et le malade qui possède un bon sens de l'humour a de meilleures chances de guérir que celui qui prend tout au sérieux.

Je me souviens de Joëlle, une femme que ses rondeurs imposantes n'empêchaient pas de venir aux réunions avec un short, un débardeur, des chaussettes et un chapeau invraisemblable — costume évidemment destiné à nous faire rire. Un jour, elle nous montra sur ses dernières radios que son cancer avait presque disparu et je dis : « Je sais pourquoi. » Tout le monde se tourna vers moi, attendant je ne sais quelle explication savante. « Aucun cancer qui se respecte n'accepterait de rester plus longtemps dans un accoutrement pareil ! » Joëlle fut la première à rire de ma plaisanterie. Pour avoir le sens de l'humour, il faut garder une tournure d'esprit enfantine, c'est-à-dire proche de l'innocence et du jeu. Tant que les gens sont vivants, ils peuvent trouver des raisons de rire et nous devons les y aider*.

Le rire produit une pulsation rythmée du diaphragme, qui contracte les poumons, augmente la teneur en oxygène du sang et tonifie tout le système cardio-vasculaire. C'est un véritable « jogging interne », un massage en profondeur de nos viscères. L'anticipation — le début d'une histoire drôle, une situation promettant d'être comique — produit une augmentation de la tension qui modifie notre pouls, la chaleur de notre peau et notre tension artérielle. Cette tension se relâche brusquement en contractions musculaires quand nous rions. Tous les muscles de la poitrine, de l'abdomen et du visage entrent en mouvement, et quand l'histoire est vraiment « tordante », les bras, les jambes et tout le corps sont concernés. Après le rire, tous les muscles se détendent, y compris le cœur, le pouls et la pression sanguine diminuent légèrement. Des physiologistes ont montré que la relaxation musculaire et l'angoisse étaient incompatibles, et que la relaxation consécutive au rire durait environ quarante-cinq minutes.

---

* Cf. *Psychosomatique du rire*, Henri Rubinstein, coll. Réponses, R. Laffont éd. (N. de E.).

Selon certains travaux scientifiques, le rire augmente aussi la production par le cerveau de catécholamines, substances diverses au nombre desquelles se trouve l'adrénaline souvent défavorable à la guérison. Toutefois, l'augmentation de certains de ces composés dans le sang peut aussi réduire l'inflammation en activant une autre partie du système immunitaire. De plus, ils augmentent la production d'endorphines, les opiacés naturels du corps. Ces deux réactions se produisent pendant et après le rire. Nous voyons donc que l'humour peut soulager la douleur directement, par des moyens physiologiques, aussi bien qu'en distrayant notre attention et en permettant à tout notre corps de se détendre. L'un de mes patients regardait régulièrement des émissions de télé comme « La caméra invisible » ou des films des Marx Brothers et avait calculé que dix minutes de franche hilarité lui donnaient deux heures de sommeil sans douleur. Puisque tous les hôpitaux disposent aujourd'hui de téléviseurs, j'espère que nous aurons bientôt une chaîne spéciale destinée aux malades, qui diffusera des films comiques, de la bonne musique, des séances de méditation, etc.

La fonction psychologique de l'humour est surtout de nous faire prendre du recul, de placer les événements dans une perspective différente. Les psychologues ont remarqué qu'un des meilleurs indices de la santé mentale c'est la capacité de se moquer gentiment de soi-même. Comme cette charmante vieille institutrice qui avait baptisé Harry et Larry ses deux orifices. Quand elle me disait que Larry faisait encore des siennes, son humour nous mettait tous les deux plus à l'aise pour parler de choses graves.

Julie, une jeune femme qui vint à l'ECAP à cause d'une cécité due au diabète, nous apprit à tous que le rire embellit la vie. Un soir, au restaurant, ses amis la firent asseoir sur une chaise et elle, supposant qu'elle se trouvait devant une table, entreprit de s'en rapprocher. Elle avança, avança, et se retrouva au milieu de la salle. Tout le monde la regardait sans savoir comment réagir. Finalement, elle se cogna contre une table dont les occupants lui proposèrent de se joindre à eux. Comprenant ce qui s'était passé, Julie se mit à rire et tout le restaurant éclata de rire avec elle.

Un autre jour, Julie se promenait avec son fiancé qui guidait ses pas en disant : « Attention, une marche à monter, deux marches à descendre, etc. » Il prenait son rôle tellement au sérieux qu'il rata lui-même un trottoir et se retrouva assis par terre. Julie lui tendit sa canne en riant : « Tu vois, tu en as plus besoin que moi. » Depuis, Julie a retrouvé la vue — véritable guérison miracle — et n'a plus peur de devenir aveugle : « La cécité m'a appris à voir et la mort m'a appris à vivre », nous a-t-elle dit. Aujourd'hui, elle est une de nos thérapeutes à l'ECAP.

L'exercice, le rire et le jeu sont intimement liés. Tous trois doivent être envisagés dans le même esprit, tous trois produisent des effets similaires sur le corps et sur le psychisme. A l'ECAP, l'humour fait partie de notre pratique. Il nous arrive de pleurer mais nous rions aussi. Nous incitons les gens à retrouver l'enfant qui est en eux car nous savons que les personnalités rigides et renfermées sont celles qui ont le plus de mal à guérir ou à changer. Il y a des gens qu'il faut obliger à jouer pour qu'ils ne se sentent pas coupables de le faire.

Quand dans un dessin quelqu'un représente ses émotions sous la forme d'une petite boîte noire ou d'un cercle minuscule, il n'est pas bien difficile d'en conclure que l'expression de ses sentiments est complètement bridée. Beaucoup de gens doivent lutter pour se libérer d'un long conditionnement et de l'influence de messages destructeurs tels que « Sois courageux », « Ne me déçois pas », « Dépêche-toi », « Fais un effort », « Sois forte » et « Séduis-moi ». C'est pourquoi beaucoup de gens doivent se forcer à jouer. Carl Simonton était dans ce cas et il s'obligea à consacrer une partie de son temps au jeu. Il choisit le jonglage et réussit à devenir ce que son conditionnement ne l'avait pas préparé à être.

L'amusement, le plaisir doivent devenir les priorités de notre vie. Comme tous les changements positifs, cette inclination ne peut naître en nous que si nous avons déjà accompli le premier pas — nous aimer nous-même.

Chacun d'entre nous doit prendre le temps de trouver des livres, des films, des spectacles drôles, de jouer aux jeux qu'il aime, de faire des plaisanteries, des dessins, du coloriage, selon ce que préfère l'enfant qui est en lui. Le jeu n'est pas seulement un passe-temps agréable, c'est aussi un désinhibiteur qui ouvre la porte à la créativité, élément essentiel des changements profonds dont nous parlerons au chapitre 8. Si vous choisissez d'aimer et de rendre les autres heureux, vous rencontrerez sur votre chemin l'amour et le bonheur. Le premier pas vers la sérénité intérieure c'est la décision de donner de l'amour et non d'attendre qu'on vous en donne.

6.

LA MOBILISATION DES FORCES SPIRITUELLES

« La révélation ne découle pas de l'inconscient, elle est le maître de l'inconscient... elle prend possession de l'élément humain existant pour le refondre : la Révélation est la forme pure de la rencontre. »

Martin BUBER.

Les techniques permettant d'entrer en contact avec l'inconscient et de maîtriser ses pouvoirs ont toujours fait partie de l'éducation de base dans certaines cultures, surtout en Orient et dans les sociétés tribales pré-industrielles. En Occident, cette approche du réel a été presque complètement négligée, au profit de l'apprentissage de la logique qui permet aux hommes de disséquer leur environnement. Mais au cours des vingt dernières années, la fascination du public pour les philosophies orientales combinée avec un courant d'intérêt déjà ancien chez les psychologues a éveillé la curiosité de la profession médicale pour la capacité du psychisme à guérir le corps.

Parmi les techniques psychologiques appliquées à la maladie physique, la plus largement utilisée est la technique dite d'imagerie mentale ou visualisation. Je vais expliquer en quoi consistent ces différentes techniques et présenter ensuite quelques exemples de mise en pratique, qui ne nécessite rien d'autre qu'un local calme, un ami ou un magnétophone. J'aborderai séparément la relaxation, l'hypnose, la méditation et la visualisation bien qu'elles participent de la même démarche, comme vous le comprendrez en les pratiquant vous-même.

La relaxation

Ce n'est pas s'endormir devant la télé ou papoter avec ses amis. La relaxation consiste à ralentir l'activité du cerveau, à dégager le corps et l'esprit de toute stimulation externe. C'est une façon de « faire le vide » qui prélude à l'accession aux couches les plus profondes du psychisme. Le but consiste à se mettre dans un léger état de transe où le cerveau n'émet pratiquement plus que des ondes alpha, d'une fréquence comprise entre huit et douze cycles par seconde. Cet état de relaxation profonde est le premier pas vers l'hypnose, le bio-feed-back, le yoga de méditation et toutes les formes d'exploration mentale.

Il existe différentes formes de relaxation, toutes à peu près semblables. Pourtant, le Dr Ainslie Meares soutient que les directives verbales, même les plus simples, ont pour effet de stimuler la pensée logique. Sa méthode personnelle consiste à provoquer la relaxation par des attouchements légers et des sons rassurants mais non verbaux, et il fait état de résultats intéressants avec des cancéreux. Il pense aussi que l'effet est optimisé quand le patient doit surmonter un petit inconfort physique, en étant assis sur un tabouret bas ou une chaise à dossier droit, par exemple. Mais tout le monde ne dispose pas en permanence d'un thérapeute pour l'accompagner dans son travail de relaxation, et la technique habituelle, verbale, donne aussi d'excellents résultats.

Pour plus de détails sur la pratique de la relaxation, reportez-vous à l'annexe.

Ne vous découragez pas si vous ne réussissez pas du premier coup. Relaxation et méditation sont peut-être particulièrement difficiles à réaliser dans le contexte de la vie urbaine. Nous sommes perpétuellement assaillis par le bruit, la publicité, la violence et un déluge d'informations médiatiques, si bien que nous avons le plus grand mal à supporter le silence et l'inactivité, même pendant quelques minutes. Nous avons élevé autour de nous un rempart d'indifférence qui nous protège de ces agressions mais qui émousse aussi notre sensibilité. Le calme nous fait peur parce qu'il nous redonne le temps de penser et de sentir.

La méditation

Quelqu'un a dit un jour : « Prier c'est parler, méditer c'est écouter. » Je dirais que c'est une méthode qui nous permet d'arrêter momentanément d'écouter les sollicitations du quotidien et qui nous rend capables de découvrir d'autres réalités, nos pensées et nos sentiments profonds, les produits de notre inconscient, la paix de la conscience pure et l'éveil spirituel.

Il ne s'agit donc pas d'une écoute passive mais d'un processus actif. La méditation est une façon de concentrer l'esprit vers un état de calme et d'éveil qui le rend étranger aux événements extérieurs et plus attentif à ce que nous voulons lui montrer, des images de guérison, par exemple.

Il existe différentes méthodes pour y parvenir. Certaines préconisent de fixer son attention sur un son ou un mot symbolique (mantra), ou bien sur une image, flamme d'une bougie ou mandala. D'autres conseillent de se concentrer sur le rythme tranquille de la respiration ou d'écarter de son esprit toute pensée qui s'y présente. Mais l'objectif est toujours le même : réaliser en soi un vide profondément apaisant qui fortifie l'esprit en le libérant de ses préoccupations habituelles.

A force de pratique, une méditation bien dirigée peut conduire à l'expérience de la fusion avec le cosmos et à l'illumination, mais au début elle ne provoquera que des changements légers et subtils. La méditation vous apportera d'abord une meilleure faculté de concentration. Puis vous deviendrez progressivement mieux centré sur vous-même et, par conséquent, moins vulnérable aux agressions extérieures et plus serein.

Il n'existe à ma connaissance aucune autre technique capable d'opérer de telles améliorations de la qualité de la vie. Un jour, j'ai reçu une lettre d'un groupe de femmes qui avaient commencé à méditer pour embellir leur poitrine. Elles y avaient réussi mais l'expérience de la méditation avait aussi tellement embelli leur vie que la question de leur tour de poitrine était devenue parfaitement secondaire.

Les bénéfices physiologiques de la méditation ont été fort bien étudiés par des chercheurs occidentaux contemporains. Nous savons donc qu'elle tend à diminuer ou à normaliser la tension artérielle, le pouls et le taux d'adrénaline dans le sang. Elle produit aussi une modification des ondes cérébrales dans le sens d'une moindre excitabilité. Ces effets somatiques reflètent un changement psychologique qui se manifeste par une réduction des conduites hyper-compétitives de type A souvent responsables d'accidents cardiaques. La méditation élève également le seuil de la douleur et diminue l'âge biologique. Associée à l'exercice physique, elle procure des bénéfices encore plus grands. Bref, en ralentissant le processus de détérioration du corps et de l'esprit, elle permet de vivre mieux et plus longtemps.

La science occidentale commence tout juste à étudier les effets de la méditation et de la visualisation sur la maladie, bien que les inter-relations entre cerveau, glandes endocrines et système immunitaire (telles que nous les avons décrites au chapitre 3) expliquent probablement la façon dont se produisent ces effets. Des chercheurs ont constaté que la pratique régulière du yoga et de la méditation augmentait de 100 % le taux de trois hormones importantes du système immunitaire dans le sang.

D'autres études ont montré que la méditation et la visualisation d'images de guérison amélioraient la réaction des globules blancs et les réponses hormonales au stress physiologique. Un des tests consistait à plonger le bras des sujets dans l'eau glacée, et ceux qui étaient entraînés à la méditation supportaient beaucoup mieux la douleur que les autres. Par ailleurs, deux tiers d'entre eux se révélèrent capables d'arrêter l'écoulement du sang après une prise de sang, en se concentrant simplement sur la veine une fois l'aiguille enlevée. C'est très facile et je vous engage à essayer la prochaine fois qu'on vous piquera une veine. Il a aussi été démontré que relaxation et méditation diminuaient le besoin d'insuline chez les diabétiques.

Toutes les études réalisées à ce jour montrent que la volonté de puissance, avec ses inquiétudes et ses angoisses permanentes, active continuellement le système nerveux sympathique (excitateur) et désactive parallèlement le système parasympathique (calmant). Cela entraîne une décharge presque constante d'adrénaline dans le sang, qui diminue la capacité de réaction à d'autres stress, la maladie par exemple. Des analyses récentes ont montré que les individus motivés par le pouvoir avaient moins d'immunoglobulines dans la salive que les individus plus altruistes. A ce propos, voici ce qu'écrit le professeur Mac Clelland : « Cela voudrait dire que, pour échapper au stress et aux maladies associées à la volonté de pouvoir, il faut évoluer, transformer cette envie de pouvoir en désir d'aider son prochain. La maturité, l'amour et le détachement réduisent l'activation du système sympathique et ses effets potentiellement néfastes sur la santé. » Or, rien ne vaut la méditation pour trouver le calme et le détachement nécessaires à l'évolution.

La visualisation et l'hypnose

L'anthropologue Claude Lévi-Strauss a noté que, dans le monde entier, la médecine primitive est basée sur une « manipulation psychologique de l'organe malade » ou suggestion d'une image dans l'esprit du malade plongé dans une transe profonde. Carl et Stephanie Simonton ont adopté des méthodes similaires, et leur première expérience avec un cancéreux, en 1971, fut un succès. Leur patient, qui souffrait d'un cancer de la gorge, se montra exceptionnellement imaginatif et discipliné. Il fut traité par radiations pendant deux mois bien que, de l'avis des spécialistes, ses chances de guérir aient été minces. Mais il avait si bien visualisé son traitement et ses globules blancs qu'il n'eut aucun effet secondaire et que son cancer disparut définitivement. Il décida ensuite de soigner son arthrite, qui le rendait impotent depuis vingt-quatre ans, avec la même technique d'imagerie mentale et il ne lui fallut que quatre mois pour s'en débarrasser. Ces résultats spectaculaires permirent aux Simonton de développer leur technique, bien qu'elle ne donnât pas toujours d'aussi excellents résultats. Il n'est pas rare que la première personne à essayer un nouveau traitement s'en trouve particulièrement bien. Cela est dû à l'effet placebo mais aussi à l'intérêt intense, au désir et à l'espoir des expérimentateurs.

Le processus de visualisation doit son efficacité à une « faiblesse » du corps humain qui ne sait pas faire la différence entre une expérience purement mentale et une expérience vécue. Le psychologue Charles Garfield a étudié des rescapés du cancer et conclu que la plupart d'entre eux étaient capables de se mettre dans un état psychique qui permettait à leur corps d'accomplir des performances comparables à celles d'athlètes. Garfield établit un rapprochement entre la pratique de ces ex-cancéreux et les méthodes utilisées par les sportifs des pays de l'Est, méthodes qui leur assurent des succès remarqués aux jeux Olympiques depuis quelques dizaines d'années. Les entraîneurs de ces pays font s'allonger leurs « élèves » et leur passent de la musique douce, largos baroques par exemple, dont le tempo est de soixante mesures par minute. Au bout de quelques minutes, leur rythme cardiaque se synchronise avec celui de la musique, ce qui provoque une détente de tout l'organisme. Chacun s'imagine alors — en couleurs et dans les moindres détails — en train de remporter une victoire. Cet exercice est répété jusqu'à ce que l'acte physique devienne une simple reproduction de l'acte mental. Les chercheurs soviétiques ont montré que les sportifs qui passaient les trois quarts de leur temps à s'entraîner mentalement réussissaient de meilleures performances que ceux qui privilégiaient la préparation physique*.

La musique baroque n'est pas la seule qui donne de bons résultats. On peut aussi utiliser différentes sortes de musique classique, des ballades anciennes, des morceaux de toutes époques et de toutes origines. Certains préféreront des bruits naturels, chants d'oiseaux, ressac de la mer, chute d'une cascade, etc. L'essentiel est que, musique ou bruits, l'enregistrement soit plutôt apaisant que stimulant et qu'il plaise à la personne concernée. A l'ECAP, nous commençons toujours les réunions en écoutant de la musique. Cela nous aide à créer l'ambiance de « confrontation amicale » qui préside à nos rencontres. La musique aide chacun à se détendre et à affronter des vérités parfois désagréables tout en sachant que les autres ont une grande affection pour lui.

Mais il n'est pas indispensable d'écouter de la musique pour visualiser des images. Avec la pratique, la capacité de concentration se développe et permet de méditer n'importe où, même dans le métro. Les bruits environnants peuvent alors se mêler aux images mentales pour rendre la transe plus profonde. La seule chose indispensable pour que la visualisation soit efficace, c'est l'imagination. Ceux qui en manquent devront se faire aider par un spécialiste qui adaptera à chacun la technique de visualisation ou d'hypnose qui lui convient. Vous trouverez des précisions à ce sujet dans l'annexe.

Le pouvoir de l'imagination est clairement démontré par le cas

---

* M. Feldenkrais, *La Conscience du corps*, coll. Réponses, Laffont éd.

de Tom, un petit garçon atteint d'une tumeur au cerveau. Estimant qu'aucun traitement ne pouvait plus le sauver, les médecins l'avaient renvoyé chez lui, persuadés qu'il allait mourir. Mais ses parents l'emmenèrent dans un centre de bio-feed-back où, une fois par semaine, il avait un entretien avec un thérapeute. On lui parla de la méthode des Simonton. Très réticent au début, Tom finit par imaginer des lance-roquettes tournant autour de sa tête et, comme dans un jeu vidéo, attaquant sa tumeur. Il voyait son cancer « gros, gris et bête », il ne lui laissa aucun répit.

Au bout de quelques mois, il dit à son père : « Je viens de faire un tour dans ma tête avec mon vaisseau spatial et je n'ai pas trouvé ma tumeur. » Distrait, le père lui répondit : « Ah ! bon. C'est bien. » Quand l'enfant réclama un scanner, le médecin conseilla aux parents de ne pas gaspiller leur argent puisque la tumeur était incurable. Tom allait tout à fait bien et retourna à l'école. Un jour, en classe, il tomba et le médecin déclara : « Vous voyez ? Je vous l'avais bien dit. C'est sûrement à cause de sa tumeur qu'il est tombé. » Les parents décidèrent alors de faire le scanner, et le cancer avait complètement disparu.

Si l'on pouvait dire à tout le monde : « Sortez vos lance-roquettes », le problème serait simplifié. Malheureusement cette méthode ne réussit pas toujours. Nous connaissons mal son mode d'action, nous ne savons ni comment la personnaliser ni comment provoquer le changement inconscient qui déclenche le processus de guérison.

Nos années d'expérience nous permettent seulement de dire que l'image doit être choisie par le malade qui doit la voir aussi clairement que si ses yeux la voyaient et s'y sentir parfaitement à l'aise. Je pense que l'une des faiblesses du livre des Simonton réside dans l'oubli des aspects spirituels de la guérison. Comme leurs premiers patients étaient plutôt des agressifs, ils ont supposé que tout le monde voudrait attaquer et tuer son cancer. Mais la plupart des gens sont profondément troublés à l'idée de tuer quoi que ce soit, même un virus. Ce refus n'est pas toujours aussi conscient que dans le cas de Yann qui répondit à son cancérologue : « Je suis non violent, objecteur de conscience, et je ne veux *rien* tuer, même pas ma leucémie. »

Yann entreprit une psychothérapie, s'efforça d'acquérir une conscience claire, prit vingt grammes de vitamine C par jour, médita, bref se soigna à sa façon. Il imagina les cellules de son système immunitaire se saisissant délicatement des cellules cancéreuses, non pas pour les tuer mais pour les évacuer de son organisme. Son état s'améliora lentement mais sûrement pendant quatre ans. Et puis un jour d'hiver, il glissa sur du verglas, sa tête heurta le sol et il fut assez gravement commotionné. On lui conseilla de rester allongé pendant un mois et il en profita pour méditer plusieurs heures par jour. Une fois remis, il passa ses examens habituels et le médecin lui dit : « Votre formule sanguine n'a jamais été aussi bonne. » « Si on lui donnait un coup sur la tête tous les mois, il guérirait sûrement », ajouta sa femme.

En ce qui concerne le cancer, l'attitude de Yann est probablement plus réaliste que le modèle guerrier puisque les cellules malignes sont fabriquées par l'organisme du malade. Les attaquer équivaudrait dont à s'attaquer soi-même. Par ailleurs, la plupart des gens ne se sentent capables de tuer que par amour, pour défendre ceux qu'ils aiment, parents, enfants ou amis. Des études psychologiques ont montré que seuls 15 % environ des soldats ont envie de tuer l'ennemi — à moins qu'ils ne se prennent d'amitié pour leurs camarades et qu'ils ne veuillent les défendre.

Mais les cancéreux ont souvent le plus grand mal à s'aimer suffisamment pour vouloir se défendre. Ils ont donc intérêt à imaginer leurs globules blancs sous la forme de requins ou d'ours polaires. À l'ECAP, l'imagerie que nous préférons représente le cancer comme une *nourriture* consommée par les globules blancs déguisés en enzymes gloutons. À l'instar des guérisseurs des tribus primitives qui encouragent les malades à se concilier les puissances animales, je conseille à mes patients d'utiliser une symbolique animalière. C'est ainsi qu'un enfant se représentait son cancer comme de la pâtée pour chat et ses globules blancs comme une troupe de chatons affamés, tandis qu'un autre malade voyait des graines picorées par des oiseaux. Voir son cancer mangé par ses globules blancs peut vouloir dire : « Cette tumeur va me nourrir et me donner des forces pour guérir. » L'image a l'avantage d'être proche de la nature réelle des globules blancs et d'offrir un cadre où la maladie peut être considérée comme un aliment pour l'évolution psychologique. Autre référence symbolique possible, celle de la délinquance. Une partie du corps, comme un enfant désobéissant, fait des bêtises et doit être ramenée dans le droit chemin de la santé par le traitement et la discipline.

7.
LES IMAGES DE LA MALADIE ET DE LA GUÉRISON

« On ne peut rien enseigner à un homme. On ne peut que l'aider à découvrir ce qui est en lui. »

GALILÉE.

J'ai commencé à travailler sur l'imagerie et le cancer en adoptant les méthodes décrites par les Simonton dans *Imagerie du cancer* et j'ai, moi aussi, remarqué des différences signifiantes entre les images choisies par chacun en fonction de son attitude face à la maladie. Ces différences concernaient la taille de la tumeur, l'agressivité des globules blancs et la façon de symboliser le traitement.

J'utilisais cette méthode depuis un an d'une manière assez mécanique quand, à l'automne 1979, je participai à un séminaire d'Elisabeth Kübler-Ross sur la transition vie-mort. Les dessins que je fus amené à faire pendant ce séminaire (voir cahier photos) me permirent de mieux comprendre la relation qui existe entre inconscient et vie émotionnelle.

L'utilisation des dessins pour l'exploration de l'inconscient est une technique mise au point par Carl G. Jung, reprise et précisée par ses disciples, Susan Bach entre autres. Je l'ai apprise avec Elisabeth Kübler-Ross et, en l'utilisant à mon tour, j'ai compris qu'il existait un symbolisme des couleurs, que des séquences entières du passé, du présent et de l'avenir se révélaient dans les dessins. Mais j'ai compris également que les associations symboliques étaient souvent aussi complexes et révélatrices que les rêves.

En 1933, Jung interpréta le rêve suivant, qui lui avait été soumis par un médecin, sans la moindre information concernant le patient :

> « Près de moi, quelqu'un posait des questions sur la façon de lubrifier une certaine machine. Quelqu'un d'autre suggéra que le lait serait le meilleur lubrifiant. Apparemment, je pensais qu'il valait mieux utiliser de la boue liquide. Puis, un étang fut vidé et dans la vase se trouvaient deux animaux de races disparues. L'un était un minuscule mastodonte, l'autre, je ne m'en souviens plus. »

Jung diagnostiqua justement une rétention du liquide cérébro-spinal probablement due à une tumeur. Il fonda son interprétation sur le fait que l'un des liquides « boueux » du corps s'appelle en latin *pituita* et que le mot mastodonte dérive de deux mots grecs signifiant « mamelle » et « dent ». Il en déduisit que l'image du mastodonte correspondait aux corps mamillaires, structures en forme de seins situées au fond du troisième ventricule, « étang » de liquide cérébro-spinal à la base du cerveau.

Questionné sur la façon dont il en était arrivé à cette conclusion, Jung répondit simplement :

> « ... Pourquoi il me paraît évident que ce rêve révèle un symptôme organique ? Si je vous l'expliquais, vous m'accuseriez du plus terrible des obscurantismes... Quand je parle d'archétypes, ceux d'entre vous qui sont au courant me comprennent, mais ceux qui ne le sont pas pensent : "Ce type est complètement fou, il parle de mastodontes et de leurs différences avec les serpents et les chevaux." Il faudrait que je vous donne un cours de quatre semestres sur la symbolique avant que vous puissiez apprécier ce que j'ai dit. »

Le psychologue Russel Lockhart conclut, dans un article intitulé « Le cancer dans les mythes et les rêves » : « Les organes et les processus physiologiques ont la capacité de stimuler la production d'images mentales liées de façon signifiante à un type de désordre physique et à sa localisation. » Ce phénomène se produit certainement grâce à des messages électriques et/ou chimiques envoyés par la région malade au cerveau qui les traduit en images. De même qu'une salamandre ne peut pas faire repousser un membre sectionné si on lui sectionne aussi les nerfs, nous ne pouvons pas recevoir les messages si notre système nerveux est endommagé ou si nos esprits sont fermés à la communication consciente avec psyché et soma.

Pour interpréter les rêves, il faut une bonne connaissance de l'étymologie et de la mythologie. Comme Jung, je crois que l'esprit dispose en permanence de l'expérience de nos vies antérieures. C'est la seule façon d'expliquer pourquoi certaines personnes rêvent dans des langues qu'ils ignorent ou dans le langage universel des symboles qu'ils ne savent par interpréter une fois réveillés. Les dessins sont plus faciles à comprendre parce qu'ils font appel à un symbolisme plus simple, plus directement lié à la vie quotidienne, et parce qu'on peut décider de leur thème.

Je demande à mes patients de se dessiner eux-mêmes, de dessiner leur traitement, leur maladie et leurs globules blancs en train d'éliminer la maladie. Afin de mettre en lumière d'autres aspects de l'inconscient, je leur demande aussi de faire un dessin libre et, quand j'ai besoin d'informations supplémentaires, de se représenter chez eux, en famille, au travail, dans la salle d'opération, etc.

L'un des conflits les plus fréquents dans la vie des malades concerne leur traitement. Au niveau conscient ou intellectuel ils se disent souvent : « Ce traitement va me faire du bien », tandis qu'inconsciemment ils pensent : « C'est du poison. » Si le traitement est déjà commencé et que le malade réagit par des symptômes d'empoisonnement, une seule solution, arrêter. Mais si sa résistance apparaît déjà dans ses dessins, on peut discuter et le faire changer d'avis. En lui proposant de visualiser sa guérison par le traitement choisi, on modifie, on reprogramme son attitude inconsciente.

Je m'entretiens longuement avec chaque patient du contenu de ses dessins, soit avant sa première réunion de l'ECAP, soit à l'hôpital avant de l'opérer. Les dessins sont un très bon moyen de faire exprimer au malade des choses qu'autrement il aurait gardées secrètes. Il suffit de les regarder pour y lire des conflits, des peurs, des réticences. Peu importe ce que chacun sait de la technique d'interprétation, l'inconscient connaît toujours plus de symboles qu'on ne le croit et trouve des façons personnelles de révéler ce que dissimule la conscience.

Susan Bach, qui a travaillé pendant plus de trente ans avec des malades et leurs dessins, en particulier dans des hôpitaux pour enfants, écrit :

> « Nous pouvons en déduire que l'être humain sait exprimer, au moyen de cette communication non verbale et dans un idiome qui lui est propre, son état tant psychologique que somatique. Sur le plan somatique, ces images peuvent révéler des événements du passé, des diagnostics et des pronostics. Sur le plan psychologique, nous pouvons y voir ce qui se passe et ce qui s'est passé dans son esprit, des traumatismes anciens, par exemple, et comment le dessin peut aider le malade à exprimer ses espoirs, ses craintes et ses pressentiments. De plus, ces dessins établissent un pont entre le médecin, le patient, sa famille et le monde extérieur. Je crois que leur contenu et ce qu'il implique devrait inciter le corps médical à aider les malades, surtout les plus gravement atteints, à vivre au plus près de leur être essentiel avant que le cercle de leur vie ne se referme.
>
> « Finalement, nous pouvons nous demander comment une production spontanée peut refléter, comme le fait le rêve, la situation globale de la personne. J'en suis arrivée à voir, en trente ans de travail clinique, qu'à travers l'imagerie des dessins spontanés et des rêves quelque chose de lumineux transparaît, quelque chose que j'appelle le ''savoir intérieur'' et qui peut donner une nouvelle dimension à nos recherches. »

Vous trouverez, reproduits dans le cahier hors-texte, des dessins réalisés par des malades. Ils ont été choisis pour illustrer différents aspects de ce que cette technique permet de découvrir. Je n'ai pas cherché à en donner une interprétation complète. Je n'ai pas non plus essayé d'exposer l'art de l'interprétation en lui-même. Il faudrait pour cela un livre entier.

8.
DEVENIR EXCEPTIONNEL

« L'espoir est la créature avec des ailes
Qui se perche dans l'âme
Et chante l'air sans paroles
Et ne s'arrête jamais. »

Emily DICKINSON.

C'est en s'engageant dans les parachutistes que le psychologue Al Siebert eut pour la première fois l'occasion de s'intéresser à la personnalité des survivants. Les officiers chargés de son entraînement étaient en effet les seuls rescapés d'une unité massacrée au combat pendant la guerre de Corée. Siebert eut la surprise de constater que ces hommes durs faisaient preuve d'une infinie patience. Quand une faute était commise, ils réagissaient en plaisantant au lieu de se fâcher. Il écrivit à l'époque : « Ce qui me frappait le plus en eux c'était un mélange de vigilance extrême et de décontraction. On aurait dit qu'ils disposaient d'une sorte de radar personnel perpétuellement en alerte. » Il en conclut que ce n'était pas seulement la chance qui leur avait permis d'échapper à la mort.

Tout au long de sa carrière, Siebert a continué à étudier des survivants et il a défini leur caractéristique essentielle comme étant la bipolarité de leur personnalité. Ils sont tout à la fois sérieux *et* ludiques, durs *et* gentils, logiques *et* agressifs, introvertis *et* extravertis, etc. Cette singularité, qui les situe hors des catégories psychologiques traditionnelles, leur confère une grande souplesse d'adaptation et un large éventail de ressources personnelles.

Comment une telle personnalité peut-elle échapper à l'immobilisme né de la contradiction ? Après avoir interrogé des centaines de personnes, Siebert découvrit que les survivants établissent une hiérarchie dans leurs besoins et que, contrairement à la plupart des gens, ils veulent les satisfaire *tous*. Ces besoins sont, par ordre d'importance : la survie, la sécurité, la reconnaissance par les autres, l'estime et l'affirmation de soi. Mais, au-delà de ces objectifs personnels, il existe chez les survivants un besoin de synergie que Siebert a défini comme le désir que tout se passe bien pour soi-même *et* pour les autres.

Les survivants agissent donc non seulement dans leur intérêt propre mais aussi dans l'intérêt d'autrui, et ce dans les situations les plus difficiles. Ils mettent de l'ordre, organisent la sécurité et l'efficacité chaque fois que c'est nécessaire. Ils donnent d'eux-mêmes et laissent le monde meilleur qu'ils ne l'ont trouvé. Leur clarté de vues et l'assurance qu'ils en retirent leur permettent de garder leurs forces pour les choses vraiment importantes. Quand tout va bien, ils s'autorisent à prendre une position d'observateurs, ils s'intéressent à l'évolution des situations et anticipent les problèmes qui peuvent surgir. S'ils ont parfois l'air indifférent, ce sont les « amis des mauvais jours » sur lesquels on peut toujours compter.

Survivre à la maladie

La description faite par Siebert de la personnalité des survivants correspond tout à fait à celle des malades traités par les Simonton ou à l'ECAP. Voici comment les Simonton ont caractérisé les patients exceptionnels : ils exercent, généralement avec succès, une profession qu'ils aiment, ils continuent à travailler pendant leur maladie ou s'absentent très peu. Ils sont sensibles et créatifs mais dotés d'une forte personnalité qui s'affirme parfois avec violence. Ils sont conscients de leur valeur et sûrs d'eux-mêmes. Ils s'aiment et se montrent rarement dociles. Ils mènent leur vie comme ils l'entendent. Intelligents, ils possèdent le sens des réalités. Autonomes, ils n'ont aucun *besoin* du groupe, bien qu'ils *valorisent* l'action collective. Centrés sur eux-mêmes, ils sont également indulgents et attentifs aux autres. Ils manifestent des tendances non conformistes et un sens moral permissif. Dénués de préjugés, ils apprécient la diversité chez les autres.

Par rapport à la maladie, ils gardent leur indépendance et s'efforcent de trouver des solutions plutôt que de sombrer dans la dépression. Ils vivent les épreuves comme des défis, pas des échecs. Dans une salle d'attente, vous les verrez lire ou méditer au lieu de regarder dans le vide. Comme l'a dit un des membres de l'ECAP : « Le pessimisme est un luxe que je ne peux pas me permettre. » Une de mes malades cancéreuses vomissait systématiquement tous ses repas pendant sa chimiothérapie. Elle commençait à dépérir. Mais elle trouva la solution : elle faisait sonner son réveil à quatre heures du matin et prenait un petit déjeuner copieux. Ensuite elle se recouchait et, à huit heures, mangeait son déjeuner. De cette façon, elle avait digéré deux repas avant d'aller à l'hôpital, ce qui lui rendit toute sa vitalité.

Notre objectif, à l'ECAP, consiste à développer chez les malades la souplesse d'adaptation et l'assurance qui caractérisent les survivants. L'une de mes patientes me demanda un jour si quelqu'un avait déjà réchappé de la maladie dont elle souffrait. Je lui dis : « Si vous étiez dans un camp de concentration, demanderiez-vous au gardien si d'autres prisonniers ont déjà réussi à s'échapper ? » Or, justement, cette femme avait été internée dans un camp. Elle comprit donc très bien ce que je voulais dire.

De même que le pessimisme engendre le pessimisme, la positivité s'alimente d'elle-même, et le corps reflète l'attitude de l'esprit. En 1979, j'étais à Chicago avec trois de mes patientes pour participer à une émission de télévision. Le maquilleur entra dans la loge où nous étions nombreux, regarda tout le monde et demanda : « Alors, qui sont les cancéreux, parmi vous ? » Il devait s'attendre à voir des gens verdâtres. L'incident fut vécu par ces trois femmes comme la meilleure séance de psychothérapie qu'elles aient jamais eue et leur donna un formidable élan de confiance en elles.

L'une rencontra par hasard un ancien ami, resta à Chicago et l'épousa. Elle décida aussi de ne pas traiter son cancer du sein par irradiation. Elle est aujourd'hui bien portante et je crois que son remariage et sa nouvelle vie ont beaucoup contribué à sa guérison. Une autre, qui avait eu deux fois le cancer, est aujourd'hui en bonne santé. Quant à la troisième, elle est morte, non des suites de son cancer, mais de complications consécutives à une greffe de la moelle épinière.

L'un des aspects les plus encourageants du travail de l'ECAP c'est la solidarité qui s'y développe entre malades. L'une de mes patientes me raconta récemment que son frère l'avait appelée pour lui dire qu'il allait subir une grave opération. Elle lui expliqua longuement comment devenir un patient exceptionnel et, quelques jours plus tard, il lui apprit qu'il allait quitter l'hôpital six jours après son opération alors que les médecins pensaient le garder deux à trois semaines.

Siebert estime, lui aussi, que les qualités du survivant peuvent s'acquérir — bien qu'on ne puisse pas les enseigner comme on enseigne l'algèbre ou la chimie. Il s'agit pour lui d'un vaste processus d'évolution psychologique et neurologique, évolution paradoxale puisqu'elle implique à la fois une maturation et la fidélité ou le retour aux valeurs de l'enfance. (Nous parlons bien entendu de devenir enfantin, pas infantile.)

Voici, selon Siebert, les critères d'une maturation réussie :

- Faculté de jouer comme le font les enfants heureux, pour le seul plaisir de jouer.
- Capacité de s'absorber si complètement dans une activité que l'on perd la notion du temps et de toute préoccupation extérieure ou intérieure, que l'on s'oublie à siffloter, à chantonner ou à parler tout seul.
- Curiosité universelle et innocente de l'enfant.
- Attitude observatrice, impartiale.
- Droit à l'erreur, au ridicule, à l'humour.
- Acceptation de toute critique nous concernant.
- Imagination active, faculté de rêver, de jouer avec les idées, de converser avec soi-même.

Siebert a également déterminé les comportements qui prouvent que l'individu fonctionne au niveau synergique :

- Empathie avec les autres, y compris ses adversaires.
- Capacité de percevoir les lignes d'ensemble et les relations dans une organisation ou une installation.
- Reconnaissance de la perception subliminale ou de l'intuition comme sources d'informations valables.
- Sens du temps (*timing*), surtout dans le discours ou dans l'action individuelle.

- Capacité de percevoir les prémices d'une situation et d'agir en conséquence.
- Non-conformisme coopératif : refus d'être régi par des lois ou des standards sociaux jugés impropres, mais respect de ces lois et standards par égard pour autrui — sinon tentative de les transformer. En d'autres termes, abstention de tout geste inutile.
- Comportement aisé dans les situations difficiles ou complexes que les autres trouvent déroutantes ou effrayantes.
- Attitude confiante et positive, dans l'adversité.
- Capacité d'intégrer les situations nouvelles, inattendues ou désagréables et de se laisser transformer par elles.
- Faculté de positiver ce que les autres considèrent comme des accidents ou des malheurs.
- Sentiment de devenir plus intelligent et de mieux apprécier la vie à mesure que l'on vieillit.

Considérés comme des paliers à franchir successivement, ces progrès peuvent paraître irréalisables, mais j'espère vous convaincre, en les étudiant dans les chapitres suivants, qu'ils découlent tout naturellement d'une évolution personnelle vers l'amour, amour de soi et amour des autres. Il est difficile mais jamais impossible de changer. Il faut le vouloir et se mettre en situation d'y réussir. Deux méthodes peuvent vous aider : la première consiste à travailler, soit dans un groupe de thérapie, soit avec des gens que vous aimez, pour cerner vos tendances et vos comportements avant de les améliorer ; la deuxième, c'est l'exercice régulier de la méditation avec visualisation de vous-même tel que vous désirez devenir. Cette dernière méthode a le mérite de vous faire travailler au niveau de l'inconscient, où se produisent les changements en profondeur, au lieu de vous limiter au champ de la conscience.

Respect de soi et créativité

« Ce qui importe, c'est l'opinion que vous avez de vous-même. Trouvez le personnage que vous êtes et cessez de jouer la comédie ; votre profession c'est d'être », écrit Quentin Crisp, auteur et conférencier qui se qualifiait d'« épave retraitée » et écrivit le récit de sa longue quête de lui-même. Quand ils étaient enfants, ses frères voulaient devenir footballeur professionnel et capitaine de navire. Lui n'avait d'autre ambition que d'être un invalide chronique et c'est exactement ce qu'il fut jusqu'au jour où il « cessa de jouer la comédie ». Ayant renoncé à se préoccuper de l'opinion des autres sur ses manières et sa façon de vivre excentriques, sur ses costumes voyants, ses cheveux teints et ses idées gentiment subversives, il retrouva une santé robuste et entreprit de parcourir le pays pour donner des conférences. Il avait plus de soixante-dix ans quand il arrêta.

Quand on s'accepte, quand on ose être soi-même, on se porte beaucoup mieux, affirme aujourd'hui la science. Des recherches ont montré que les gens qui pleurent attrapent moins de rhumes que ceux qui refoulent leurs larmes. Ce genre de réalités est généralement mieux compris par les femmes que par les hommes car celles-ci acceptent et vivent leurs émotions tandis que les hommes sont davantage préoccupés par leur travail. C'est sans doute la raison pour laquelle les groupes de l'ECAP sont essentiellement composés de femmes. Les femmes survivent d'ailleurs plus longtemps que les hommes aux mêmes types de cancer.

Les psychologues estiment que moins de 20 % de la population possède un « centre de contrôle interne », c'est-à-dire un système de valeurs et de références personnel qui ne prend pas nécessairement en compte l'opinion dominante. Cette forme d'intégrité constitue le noyau de la personnalité des survivants, dont la proportion par rapport à l'ensemble des malades est sensiblement la même. Comme l'a écrit un psychologue, « le développement de l'individualité est une garantie de vie et de santé. Il élève l'individu audessus de l'autorité collective ». J'ai constaté qu'en milieu rural ou défavorisé, le pourcentage de patients exceptionnels était plus élevé, mais la nécessité d'être indépendant et de se débrouiller tout seul est aussi plus grande.

Le fait de devenir soi-même libère la créativité. Délivré des conventions et de la peur des autres, l'esprit se tourne vers de nouveaux objectifs, trouve des solutions originales et découvre que la beauté et la paix viennent de l'intérieur. L'être devient capable de prendre des risques, de vivre sa vie comme une aventure.

Dans ses mémoires, Robert Müller donne un merveilleux exemple de ce qu'une mentalité de survivant peut accomplir sous la pression du danger. En 1943, Müller était membre de la Résistance et, sous le nom de Parizot, s'était infiltré dans un ministère du gouvernement de Vichy où il recueillait des informations sur les mouvements des troupes allemandes. Averti *in extremis* que la Gestapo venait pour l'arrêter, il n'eut que le temps de se réfugier dans un grenier du ministère. Mais il comprit bientôt qu'une demi-douzaine de soldats, sûrs de le trouver, allaient fouiller systématiquement tout le bâtiment.

Müller connaissait le programme d'autosuggestion et de pensée positive du docteur Coué, grâce à un ami tuberculeux, condamné par les médecins, qui lui avait réclamé l'ouvrage. Müller l'avait lu, et la guérison de son ami l'avait convaincu de l'efficacité de la méthode.

A force de se répéter que sa situation pouvait être vue comme une aventure palpitante, Müller réussit à se calmer et à envisager une solution à laquelle les Allemands ne pouvaient pas s'attendre : descendre à leur rencontre.

Il ôta ses lunettes, se plaqua les cheveux en arrière, alluma une cigarette, prit sous son bras un dossier qui traînait sur un bureau et, le plus calmement du monde, descendit l'escalier. A mi-chemin, il rencontra sa secrétaire que deux soldats se préparaient à interroger et lui demanda quelle était la cause de toute cette agitation. Impavide, la jeune femme lui répondit que « ces messieurs » cherchaient monsieur Parizot. « Parizot ? » s'exclama Müller « je viens de le croiser, au quatrième étage ! » Les Allemands se précipitèrent et Müller fut mis en sûreté par ses amis.

Peu de gens connaissent des situations aussi extrêmes, mais nous avons tous des occasions de faire preuve d'imagination. On peut changer de profession, abandonner une carrière sécurisante mais ennuyeuse pour une autre, plus épanouissante. Il y a l'exemple de cet étudiant en droit qui, apprenant qu'il avait un cancer et qu'il risquait d'en mourir, décida de se lancer dans la politique pour défendre ses idéaux. « La vie est en elle-même tellement risquée que la meilleure façon de la vivre c'est en prenant des risques », déclara-t-il plus tard à un journaliste. C'est ainsi que, devenu sénateur, il n'eut pas peur de prendre publiquement parti contre la guerre du Viêt-nam, de militer en faveur des droits civils et de défendre des positions écologistes, attitude dangereuse pour sa carrière.

Il ne fait aucun doute que les satisfactions professionnelles sont importantes pour la santé. Certains se plaignent de leur situation et prétendent qu'il n'y a pas suffisamment de professions créatrices. Ils ont peut-être raison, mais il y a aussi fort peu de gens créatifs. Rien ne s'obtient sans effort et, comme l'a dit William James, la plupart des gens vont trop loin dans les limites étroites qu'ils se sont imposées.

Ceux qui souffrent de ne pas avoir un métier gratifiant se posent en victimes, mais rien ne pourra les aider s'ils ne commencent pas par s'aider eux-mêmes. Je crois d'ailleurs qu'on donne une importance excessive à l'aspect « métier » de l'activité humaine. J'entends souvent ce genre de questions : « J'aimerais bien devenir thérapeute, où pourrais-je exercer ce métier ? » Si la personne travaille, je lui dis : « Eh bien, regardez autour de vous, vous verrez que tout le monde souffre là où vous travaillez. En aidant vos collègues, vous deviendrez thérapeute. » L'un de mes patients, jeune homme atteint, il y a huit ans, de deux tumeurs au cerveau dont une maligne, explique : « Avant, j'étais un vrai salaud. Je posais des tapis chez les gens et je leur réclamais du fric. C'était tout ce qui m'intéressait. Maintenant, ce que je fais (il travaille bénévolement à l'hôpital) ne me rapporte pas un sou mais j'adore ça. »

« L'obstacle majeur, c'est l'idée que le travail soit le seul but valable de l'existence — ou, souvent pour les femmes, l'éducation des enfants », écrit Stephanie Mattews. Voilà encore un domaine où méditation et visualisation apportent une aide précieuse. L'individu s'isole momentanément des soucis et des contraintes de son travail, et se raconte en images un avenir meilleur. La visualisation canalise l'énergie mentale vers la réalisation du résultat désiré et, quand on commence à agir en fonction de ce but, on crée, à la fois consciemment et inconsciemment, de nouvelles opportunités.

Nos pensées et nos actes préparent chaque jour notre avenir. Je conseille aux malades de tenir le journal de leurs pensées afin de comprendre comment celles-ci, en motivant leurs actes, ont influencé leur avenir. Jung a dit : « L'avenir se prépare longtemps à l'avance, c'est pourquoi les clairvoyants peuvent le deviner. »

A l'ECAP, nous aidons les malades angoissés par l'incertitude du lendemain à se définir des raisons de vivre. Certains refusent cet effort sous prétexte qu'ils ne vivront peut-être pas assez longtemps pour atteindre les buts qu'ils pourraient se proposer. Ils se disent aussi que plus l'existence est joyeuse et intéressante, plus il est difficile de la quitter. Il faut donc un réel courage pour considérer la vie comme un jeu, comme un don ou comme l'occasion de faire quelque chose.

Il y a quelques années, j'ai été contacté par Howard, un homme à qui son médecin venait de dire qu'il lui restait trois mois à vivre. Rentré chez lui, il s'était assis dans le salon et avait demandé à sa femme de décommander son rendez-vous chez le dentiste. Sa femme lui avait dit : « Écoute, je ne supporterai pas de te voir là, vissé à ton fauteuil, en train d'attendre la mort, pendant trois mois. » Howard fit un très long voyage pour venir me voir et je lui dis : « Si vous êtes capable de venir jusqu'ici, vous n'êtes pas du genre à mourir facilement. Vous n'êtes pas comme les autres, vous êtes un bagarreur. » Dix-huit mois plus tard, Howard est toujours vivant. La presse locale a publié son histoire et une photo de lui méditant dans son bain. « Mon vieux, vous avez de la chance », lui a dit son médecin. « Ce n'est pas de la chance mais une lutte de tous les instants », a répliqué Howard. Une simple petite phrase : « Vous n'êtes pas comme les autres », l'avait décidé à réagir. J'essaie toujours de montrer à mes patients que c'est dans le mouvement que réside le salut. Tendre vers la sainteté permet au corps de retrouver la santé.

A l'ECAP, quand nous nous fixons des buts, ce n'est jamais dans des limites temporelles déterminées. De cette façon, nous évitons le sentiment d'échec lié au non-respect d'une échéance. Nous voulons aider les malades à choisir des objectifs réalistes, qui rendent immédiatement l'avenir plus désirable et dont la réalisation leur donne le sentiment d'une victoire personnelle. Nietzsche n'a-t-il pas dit que : « Celui qui avait le "pourquoi" de la vie pouvait s'accommoder de presque tous les "comment". » Vivre pour soi-même et sans égoïsme, voilà le but ultime.

Nous aidons les malades à se fixer une série d'objectifs qui répondent à l'ensemble de leurs besoins. Beaucoup de gens, surtout parmi les hommes, ont tendance à axer leur vie sur le travail, alors que les femmes se préoccupent davantage des autres, en oubliant leurs propres besoins. Chacun doit donc apprendre à tenir compte de tous les aspects de sa vie — travail, bien-être physique, sentiments, spiritualité, plaisir — quand il se propose un but. Il doit aussi prendre conscience des besoins auxquels répond sa maladie et trouver la façon de les satisfaire autrement.

Le processus de restructuration de soi-même implique que l'on cesse de se considérer comme une chose — un ensemble d'habitudes, un emploi, un rôle. Rester prisonnier d'une image de soi-même c'est être déjà mort. Il faut retrouver sa dynamique interne, sa capacité de changement. Cela veut dire accepter d'être, par définition, parfaitement imparfait, accepter que la mort est inévitable et que certains choix peuvent accélérer notre processus de destruction. Nous ne connaissons pas la date de notre mort mais, dans les limites de cette incertitude, nos choix sont presque illimités.

Comme l'a écrit George T. Lock Land à propos de la cellule vivante :

> « La nature de la cellule, de même que ce que nous appelons la ''nature humaine'', n'est pas d'*être* mais d'être *en devenir*. Elle n'est pas entièrement déterminée et se détermine en grande partie elle-même. Puisque l'humain récapitule les séries d'événements qui se produisent dans la cellule, son comportement dépend des alternatives d'évolution possibles. Si les conditions de nutrition et de feed-back permettent de nouveaux schémas d'évolution, il en résultera un comportement créatif et responsable. Sinon, l'absence d'alternative aura pour conséquence une régression vers des schémas d'évolution plus primitifs. »

Ou, comme l'a écrit Robert Henri à propos des artistes :

> « Quand l'artiste est vivant dans un être, quelle que soit son activité, il devient inventif, curieux, audacieux, personnel et intéressant pour les autres. Il dérange, agace, émerveille et ouvre la voie vers une plus grande compréhension. Là où ceux qui ne sont pas artistes referment le livre, il l'ouvre et montre qu'il contient encore des pages. »

Indépendance et affirmation de soi

Les gens qui sourient toujours, ne parlent jamais de leurs problèmes et négligent leurs besoins personnels sont les plus susceptibles de tomber malades. Leur problème essentiel est souvent d'apprendre à dire non sans se sentir coupables. Beaucoup ne commencent à vivre pour eux-mêmes, à dire aux autres ce qu'ils ressentent, qu'à la suite du choc de leur diagnostic. Pour Thelma, dont j'ai parlé au chapitre 2, le premier pas vers l'affirmation d'elle-même fut de fermer sa porte malgré le téléphone qui sonnait et d'appeler la police pour se défendre des menaces de son mari.

L'une des meilleures façons pour un malade d'affirmer son indépendance et sa confiance en lui c'est d'établir avec son médecin une relation de coopération. Trop de patients n'osent pas poser de questions, de peur d'embêter l'homme qui va les guérir. Or, ce n'est pas le médecin qui guérit mais le malade. Et il a besoin pour y arriver de croire à son traitement, qu'il soit traditionnel ou alternatif. C'est ce que nous nous efforçons de faire comprendre au sein de l'ECAP et que, bien souvent, les médecins doivent apprendre aussi. Un jour, à l'hôpital, un patient me demande :

« Qu'est-ce qui ne va pas, docteur ?

— Rien, pourquoi ?

— Vous avez l'air soucieux.

— Je ne suis pas soucieux, je réfléchis.

— Eh bien, réfléchissez dans le couloir et souriez quand vous êtes ici. »

Les malades sont nos meilleurs professeurs.

Quand une infirmière se plaint qu'un malade refuse de se déshabiller pour enfiler sa chemise d'hôpital ou pose un tas de questions sur les traitements qu'on lui a prescrits, je réponds : « Bravo ! Il vivra plus longtemps. » Comme je l'ai dit au chapitre un, les malades « difficiles » sont ceux qui guérissent vite, survivent longtemps, ont les meilleures défenses immunitaires. C'est pourquoi j'encourage tout le monde à se comporter en individu à part entière quand il entre à l'hôpital. J'ai même établi une liste de suggestions que nous appelons, ma femme et moi, « Du bon usage de l'hôpital » :

1. Emportez des vêtements pratiques et confortables. Essayez de marcher le plus possible.
2. Prenez aussi de quoi décorer votre chambre. Assurez-vous que vos fenêtres donnent sur le ciel et/ou le monde exté-

rieur. Si on vous donne une chambre ouvrant sur un mur aveugle, refusez-la.

3. Contestez l'autorité, posez des questions sur les examens et les thérapeutiques auxquels on va vous soumettre. Affirmez vos droits aux égards, au confort, avant et pendant les traitements et examens.
4. Faites connaître aux médecins vos besoins et vos désirs personnels. Proposez-leur de discuter, d'échanger des livres ou des cassettes.
5. Procurez-vous un magnétophone et des écouteurs pour pouvoir écouter vos morceaux préférés. Enregistrez vos conversations avec le médecin pour pouvoir les réécouter ou les faire entendre à votre famille.
6. Si vous devez vous faire opérer, emportez votre magnétophone dans la salle d'opération pour écouter de la musique, un programme de méditation ou ce que vous voudrez pendant et après l'opération.
7. Demandez au chirurgien et à l'anesthésiste de vous répéter des messages positifs pendant l'opération. Le plus simple étant que vous allez vous réveiller détendu, assoiffé et affamé.
8. Dites au chirurgien de vous parler pendant l'opération, avec franchise mais avec optimisme, et d'éviter à tout prix ce qui pourrait être un message négatif.
9. Parlez à votre corps. La veille de l'opération, dites à votre sang d'éviter la région sur laquelle doit porter l'intervention, demandez à vos tissus de cicatriser rapidement.
10. Arrangez-vous pour que ceux qui vous aiment et vous soutiennent vous appellent au téléphone ou vous rendent régulièrement visite.
11. Levez-vous le plus rapidement possible après une opération. Sortez de l'hôpital pour vous promener, déjeuner avec des amis, aller à des réunions.

Affirmez nettement et calmement qui vous êtes et ce que vous voulez, on vous traitera avec beaucoup plus de considération. Emma, une de nos patientes exceptionnelles, était tellement déprimée par les murs grisâtres de la salle d'attente de son cancérologue qu'elle se leva un jour et dit : « Cet endroit est franchement morbide. On s'y sent mal et je refuse que les gens continuent à y venir tant qu'on n'aura pas refait la peinture. » La secrétaire lui dit : « C'est impossible. »

Emma répliqua simplement : « C'est fait », et le bureau fut repeint en bleu ciel. Emma est devenue « celle qui nous a fait repeindre le bureau » et elle est traitée comme un être humain, pas comme une malade.

Elle souffrait de nodules pulmonaires et demanda à son médecin : « Comment savez-vous que mes nodules sont dus au cancer et pas à un parasite ? » (Il existe une maladie parasitaire des chiens qui se manifeste par des nodules pulmonaires.) Le docteur répondit : « Dans 99 % des cas, il s'agit du cancer. » Elle insista, il admit qu'il n'en était pas sûr, elle réclama des analyses. Les analyses montrèrent qu'il pouvait très bien s'agir d'un parasite. Alors le médecin se rangea à l'avis d'Emma. Il téléphona à un confrère : « J'ai ici une patiente qui présente des nodules pulmonaires et je me demande s'ils sont cancéreux ou parasitaires. » L'autre répondit : « Dans 99 % des cas, ils sont cancéreux. » Mais le médecin d'Emma préféra faire de nouvelles analyses avant de se prononcer. L'assurance d'Emma et sa ténacité avaient donné à leur relation une plus grande efficacité thérapeutique.

Les quatre visages de la foi

Atteinte d'un cancer du pancréas extensif et rebelle à tous les traitements, Phyllis rentra chez elle. Quelques mois plus tard, elle revint à mon cabinet et fut examinée par l'un de mes associés. Pendant la consultation, celui-ci me fit appeler « pour me dire quelque chose d'intéressant ». J'entrai et il m'annonça : « Son cancer a disparu. »

« Phyllis, dis-je, racontez-moi ce qui s'est passé.

— Oh, vous savez bien ! J'ai décidé que j'avais envie de vivre cent ans et j'ai confié ma vie à Dieu. »

Mon livre pourrait s'arrêter ici car je crois que la paix intérieure peut tout guérir. Notre salut est dans la foi, solution aussi simple que difficile à mettre en pratique.

Pour m'en assurer, je m'adressai directement à Dieu (les chirurgiens ont cette prérogative) et lui demandai pourquoi je ne pouvais pas mettre un écriteau dans ma salle d'attente disant : « Confiez vos problèmes à Dieu, vous n'avez pas besoin de moi. » Dieu répondit : « Je vais te montrer pourquoi. Rendez-vous à l'hôpital demain matin dix heures. » (Dieu aime bien jouer au docteur.) Le lendemain il me dit : « Allons voir ton patient le plus mal en point. » Je lui proposai une femme cancéreuse que son mari venait d'abandonner. « Bonne idée », dit Dieu, et nous montâmes. J'expliquai à cette femme : « Madame, Dieu va venir vous expliquer comment guérir. » (Je prends toujours la précaution de Le présenter à mes malades pour leur éviter un choc.) « Merveilleux ! » dit-elle. Dieu entra dans la chambre : « Tout ce que vous avez à faire c'est aimer, accepter, pardonner et choisir d'être heureuse », dit-il. Elle leva les yeux vers Lui et demanda en souriant : « Vous connaissez mon mari ? »

La plupart d'entre nous voudraient que Dieu modifie les événements de notre vie pour que nous n'ayons pas à faire l'effort de changer intérieurement. Nous préférons nous décharger sur Lui de la responsabilité de notre bonheur. Nous trouvons plus facile de nous poser en victimes, de souffrir et de nous plaindre plutôt que de travailler activement à notre réalisation personnelle.

Pourtant, quand nous choisissons d'aimer, l'énergie se répand dans notre corps et le guérit. L'énergie est amour. L'énergie est intelligente et accessible à tous. Je me trouvai donc devant un dilemme : si l'amour divin peut guérir les malades, pourquoi dois-je rester chirurgien ? Je me tournai à nouveau vers Lui : « Dieu, tu sais que certains malades guérissent en se confiant à Toi ; alors, dois-je rester chirurgien ? Ne vaudrait-il pas mieux apprendre aux gens à aimer ? » Et Dieu, de sa belle voix mélodieuse, me dit : « Bernie, il faut rendre à Dieu ce qui est à Dieu et au chirurgien ce qui est au chirurgien. » (C'est une habitude qu'Il a de parler en paraboles. A vous de vous débrouiller pour traduire le message.) J'en conclus que Dieu et moi avions chacun notre rôle à jouer.

Laissez-moi vous raconter une histoire que j'ai un peu adaptée pour illustrer ce que je veux dire. Un malade du cancer apprend par son médecin qu'il ne lui reste plus qu'une heure à vivre. Il court à la fenêtre, lève les yeux vers le ciel et dit : « Mon Dieu, sauvez-moi ! » Venant de nulle part, une belle voix mélodieuse répond : « Ne crains rien, mon fils, je te sauverai. » Complètement rassuré, l'homme se remet au lit. Un chirurgien entre dans sa chambre :

« Si je vous opère dans moins d'une heure, je peux vous sauver. — Non merci, Dieu a promis de s'en charger », dit l'homme. Tour à tour, un oncologue, un radiesthésiste et un nutritionniste viennent lui proposer de le sauver, mais il les renvoie tous avec le même : « Non merci, Dieu s'en occupe ».

Au bout d'une heure, l'homme meurt. Il monte au ciel et se précipite vers Dieu : « Que s'est-il passé ? Vous aviez promis de me sauver et pourtant je suis mort ! » « Gros nigaud, je t'ai envoyé un chirurgien, un oncologue, un radiesthésiste et un nutritionniste. Que voulais-tu de plus ? »

Le médecin a un rôle à jouer quand le patient choisit la médecine pour se soigner. Je peux être à la fois un don de Dieu et un outil, selon la définition du remède que donne la Bible.

A l'ECAP, nous avons distingué quatre formes de foi indispensables à la guérison : la foi en soi-même, en son médecin, en son traitement et la foi spirituelle. Nous avons beaucoup discuté des trois premières, mais la dernière, si difficile à atteindre pour la plupart d'entre nous, constitue la clé d'accès aux trois autres.

La spiritualité peut prendre différents aspects. Elle n'implique pas nécessairement la pratique d'une religion déterminée. Nous savons d'ailleurs que les dévots (ces gens capables de vous donner des « ulcères spirituels », comme l'a dit un de mes patients) en sont parfois dramatiquement dépourvus. Du point de vue du guérisseur, il me semble que la spiritualité doit inclure la croyance en un ordre, en un sens de l'univers. Pour moi, la force qui soustend la création est une énergie aimante, intelligente. Certains appelleront cette énergie Dieu, d'autres y verront simplement une source de régénération. C'est d'elle que nous vient le désir et la capacité de trouver la paix intérieure, de résoudre les contradictions apparentes entre nos émotions et la réalité, entre l'intérieur et l'extérieur. Spiritualité veut dire acceptation de ce qui est (à ne pas confondre avec la résignation ou la soumission au mal). Jésus nous a dit d'aimer nos ennemis, pas de les tolérer ou d'éviter d'en avoir. A la fin de la dernière guerre, des soldats alliés trouvèrent, dans les décombres d'une maison allemande bombardée, un témoignage de foi griffonné sur un mur par l'une des victimes de l'holocauste :

Je crois au soleil — même quand il ne brille pas
Je crois à l'amour — même quand il ne se montre pas
Je crois en Dieu — même quand il se tait.

La spiritualité, c'est la capacité de trouver le bonheur dans un monde imparfait et de s'accepter tout en se sachant imparfait. De cette sérénité découlent la créativité et l'amour désintéressé, qui vont d'ailleurs de pair. Paix, amour, humilité, foi et pardon sont pour moi les indices de la spiritualité. On les trouve *toujours* chez ceux qui réussissent à se remettre d'une grave maladie.

La plupart des médecins attendent, pour « donner sa chance à Dieu », que le malade soit aux portes de la mort. Ils lui recommandent alors l'espoir et la prière. Je crois qu'il faut se préoccuper des convictions du patient plus tôt, quand c'est plus facile. Ceux qui croient que le monde est essentiellement beau — que nous le devions à la Nature ou à Dieu — ont des raisons de ne pas vouloir le quitter. Croire en une puissance supérieure bienveillante donne de fortes raisons d'espérer, et l'espoir est physiologique.

Le « pouvoir curatif » de la religion dépend évidemment des convictions de chacun. Ceux qui croient uniquement parce que leurs parents croyaient, ceux qui pratiquent une religion pour asseoir leur position sociale n'ont certainement aucun espoir de guérir par la foi. La religion peut même avoir des aspects négatifs. Certains se disent : « Si Dieu m'a envoyé cette maladie, qui suis-je pour le combattre ? » Les croyances, les religions qui reposent sur la culpabilité, le péché originel et la prédestination n'aident pas à guérir. C'est pourquoi je préfère parler de spiritualité afin d'éviter toute limitation doctrinale. Il est essentiel de ne pas imposer une image stéréotypée du principe de vie. A l'ECAP, nous préférons partir de ce qu'il y a de positif dans les convictions de chacun.

Je voudrais insister ici sur la différence entre souhaiter, attitude passive, et espérer, démarche active. Espérer implique de croire que l'issue désirée est possible et de travailler à l'obtenir. Souhaiter consiste simplement à attendre qu'un miracle se produise tout seul. Jung a dit : « Chaque problème offre donc la possibilité d'un élargissement de la conscience mais suppose la nécessité du renoncement à l'inconscience enfantine, à la confiance totale en la nature », processus qu'il compare à la sortie du Jardin d'Éden.

J'encourage mes patients à avoir foi en Dieu mais sans espérer qu'Il fera tout le travail.

Je vois Dieu comme une force potentielle de guérison — énergie ou lumière intelligente et aimante — présente en chacun de nous. Même les scientifiques pensent maintenant que l'énergie possède une intelligence. Le physicien Carl Pribram écrit : « L'univers doit être amical. Il nous a donné la physique pour nous permettre de comprendre ce que tous nos prédécesseurs savaient déjà. » La maladie ne devrait pas être considérée comme l'œuvre de Dieu mais comme une déformation de la volonté divine. Pour moi, c'est l'absence de spiritualité qui est à l'origine de tous nos maux. Je sais que quand ils tombent malades ou ont des complications, bien des gens s'en prennent à Dieu. Il me semble important de pouvoir discuter avec Lui, comme le font traditionnellement les juifs. Entretenir une rage impuissante contre l'univers tout entier ne peut certainement pas donner la santé. Dieu n'est pas assis sur un nuage, son carnet d'adresses à la main, en train de se demander : « Voyons, qui vais-je pouvoir embêter aujourd'hui ? » Au contraire, Dieu est une ressource. L'énergie de l'espoir et de la foi sont toujours à notre disposition. Nous mourrons tous un jour mais la voie spirituelle est ouverte à tout le monde et peut embellir notre vie. Un dramaturge allemand, Christian Friedrich Hebbel, a écrit : « La vie n'est rien en elle-même sinon l'occasion de quelque chose. »

L'amour inconditionnel

Beaucoup de gens, et en particulier les malades du cancer, se croient affligés d'une tare profonde qu'ils doivent dissimuler s'ils veulent conserver une chance d'être aimés. Pour éviter d'être percés à jour, ils ne parlent à personne de leurs sentiments les plus intimes. Isolés, ils sentent leur capacité d'amour diminuer, ce qui les plonge dans un désespoir encore plus grand. C'est ce qu'exprime Dostoïevski quand il écrit : « Je suis convaincu qu'il n'existe pas d'autre Enfer que l'incapacité d'aimer. » En raison du vide qui se creuse en eux, ces gens en arrivent à considérer toute relation comme un marché qui leur permettra d'obtenir de quoi combler leurs manques. Ils ne donnent leur amour qu'à condition d'en retirer quelque chose, confort, sécurité, éloges ou amour. Aimer au conditionnel est une pratique épuisante qui empêche d'être jamais soi-même et qui renforce la sensation du vide intérieur. Le cercle vicieux est en place, il peut commencer à tourner.

Je crois que l'absence d'amour et l'amour au conditionnel sont à la base de toutes les maladies, car l'épuisement et l'affaiblissement des défenses immunitaires qu'ils produisent rendent le corps vulnérable. Je crois également que toute guérison est fonction de la capacité de chacun à donner et à recevoir un amour inconditionnel. C'est ce que met en évidence le cas de Sherry, une de mes patientes atteinte d'un cancer cervical.

Enfant, Sherry ne se sentait pas aimée par sa belle-mère. A l'école, elle se prit d'affection pour son institutrice. Un jour, elle dit à une de ses compagnes : « J'aime Mme Johnson. » La chose fut rapportée à l'institutrice qui convoqua Sherry dans son bureau.

« Sherry, tu m'aimes de près ou de loin ? » demanda-t-elle. La fillette, ne comprenant pas ce qu'elle voulait dire, répondit : « De près. »

Mme Johnson fit venir la belle-mère de Sherry et lui annonça que sa fille était lesbienne. En rentrant de l'école, Sherry fut mise au courant de ses tendances perverses. « Je ne savais pas ce que voulait dire "lesbienne", me confia-t-elle plus tard, mais j'ai compris ce jour-là qu'il était dangereux d'aimer et décidé de m'en abstenir. »

Sherry perdit ses amis et se retrouva tellement seule et désespérée que, quand elle passait dans une rue, elle espérait toujours « qu'il y aurait quelqu'un à sa fenêtre qui me verrait et me saluerait ». Elle finit par se marier mais ne réussit jamais à se convaincre que son mari l'aimait. Elle lui posait sans arrêt la question : « Tu m'aimes, dis ? » « Je suis sûre que si je n'avais pas eu le cancer, il m'aurait quittée. »

L'impact de sa maladie et la thérapie de groupe à l'ECAP permirent à Sherry de changer. Elle s'ouvrit à l'amour, sauva son mariage et se battit contre la maladie.

Elle allait beaucoup mieux, elle avait même repris son travail, jusqu'à son anniversaire. Ce jour-là, aucun de ses six enfants, ni son mari, ni son beau-père qui vivait chez eux n'étaient là. Ils avaient certes d'excellentes raisons, mais leur absence signifiait : « Nous nous habituons à ta mort. » Sherry dissimula son chagrin et, deux mois plus tard, eut une rechute.

Peu après, je lui rendis visite et elle me dit : « L'idée de mourir me désole parce que j'aurais bien aimé prouver que vous avez raison. » Une fois de plus, elle retombait dans son erreur : vouloir vivre pour les autres, pas pour elle-même.

Quand je réussis à convaincre les gens de s'accepter tels qu'ils sont et de se sentir aimables, ils deviennent capables de donner et découvrent qu'en donnant ils ne perdent rien. L'amour inconditionnel n'est pas stocké dans l'être en quantité limitée, il se multiplie. Donner fait autant plaisir à celui qui donne qu'à celui qui reçoit, et l'amour est toujours récompensé. Comme l'écrit Walt Whitman :

> « Parfois lorsque je suis avec quelqu'un que j'aime, je sens une rage m'emplir à la pensée que peut-être j'épanche une affection qui n'est pas payée de retour.
>
> « Mais à présent je crois qu'il n'est pas d'affection qui ne soit payée de retour, le paiement est certain d'une manière ou de l'autre.
>
> « (J'aimais ardemment une certaine personne et mon affection n'était pas payée de retour, pourtant c'est avec cela que j'ai écrit ces poèmes.)* »

L'une des récompenses immédiates de l'amour, c'est un message de vie pour le corps. Je suis convaincu que l'amour inconditionnel est le meilleur stimulant connu des défenses immunitaires. Si je disais à mes patients d'augmenter le taux d'anticorps ou de cellules T tueuses dans leur sang, ils ne sauraient pas comment s'y prendre. Mais si je leur apprends à s'aimer et à aimer pleinement les autres, la chose se produit spontanément. L'amour guérit, voilà la vérité.

Je l'ai compris intuitivement dès le début de mon internat. Un malade souffrant d'une pneumonie et d'emphysème à staphylocoques (qui emplissaient sa poitrine de pus) eut un arrêt du cœur. Je lui fis un bouche-à-bouche devant les infirmières horrifiées qui me dirent ensuite : « Il est très contagieux, comment avez-vous pu prendre un risque pareil ? » J'avais l'impression que mon corps résisterait à l'infection parce que j'avais agi par amour pour cet homme, et je ne me trompais pas.

---

* Walt Whitman, *Feuilles d'herbe*, tome I, p. 180, Mercure de France, 1909.

Quelques années plus tard, on me raconta une expérience similaire vécue par un jeune médecin dans un sanatorium. Pour sauver une malade, il lui avait fait le bouche-à-bouche et n'avait pas attrappé la tuberculose. Lui aussi avait agi par amour. Cette anecdote renforça ma conviction et me permit de comprendre comment mère Thérésa et ces infirmières qui travaillent toute la journée parmi des centaines de malades porteurs de germes dangereux restent en bonne santé.

Le mystique allemand maître Eckhart affirme que la nourriture corporelle que nous absorbons s'intègre à nous, mais que nous nous intégrons à la nourriture spirituelle que nous recevons ; c'est pourquoi l'amour divin n'entre pas en nous car alors nous serions deux. L'amour divin nous prend en lui et nous ne faisons qu'un avec lui.

L'esprit guérisseur et la science

Bien que l'amour soit difficile à étudier scientifiquement, la recherche médicale confirme actuellement ses effets. On a découvert que les gens amoureux ont moins d'acide lactique dans le sang, ce qui diminue leur fatigabilité, et davantage d'endorphines, ce qui les rend euphoriques et moins sensibles à la douleur. Leurs globules blancs sont plus efficaces en cas d'infection, ils attrapent donc moins de rhumes. D'autres études ont montré que « des soins tendres et affectueux » réduisaient de moitié l'artériosclérose et les risques cardiaques chez les lapins traités au cholestérol. On sait aussi que les nourrissons privés d'amour dépérissent rapidement, quelle que soit la qualité des soins et de la nourriture qu'on leur donne. Le Dr Christopher Coe a expliqué le fait en prouvant que la séparation d'un bébé singe d'avec sa mère supprimait ses défenses immunitaires.

En 1982, des chercheurs ont montré que même les films sur l'amour amélioraient la résistance immunitaire contre les rhumes et autres affections virales en augmentant le taux d'immunoglobuline dans la salive. Un film de propagande nazie et un court métrage sur le jardinage n'avaient aucun effet, mais un reportage sur mère Thérésa produisait une montée rapide d'immunoglobuline, surtout chez les sujets altruistes. Précisons que l'opinion personnelle des spectateurs concernant mère Thérésa n'influençait nullement leur réaction physiologique, ce qui implique que les images agissent directement sur le subconscient.

Parmi les travaux les plus décisifs, il faut citer l'étude de deux chercheurs israéliens portant sur 10000 hommes prédisposés à l'angine de poitrine. Des tests psychologiques et une série de questions permirent de déterminer lesquels parmi ces hommes auraient effectivement la maladie. Or, le facteur décisif était la réponse « non » à la question : « Votre femme vous manifeste-t-elle son amour ? » Des recherches menées par certaines compagnies d'assurance ont aussi permis d'établir que si la femme embrasse son mari avant qu'il monte en voiture, il aura moins d'accidents et une espérance de vie prolongée de cinq ans en moyenne.

Malheureusement, il n'existe pas toujours de relation directe entre l'évolution spirituelle ou le taux de globules blancs dans le sang et la guérison. Nous devons donc choisir d'aimer parce que c'est agréable, pas pour prolonger notre existence. L'amour est un but en soi, pas un moyen. Il rend la vie digne d'être vécue, quelle que soit sa durée. Il augmente aussi la probabilité de guérison physique, mais c'est un « plus » sur lequel il vaut mieux ne pas compter.

La qualité de la vie importe plus que sa durée, mais cela ne nous empêche pas de vouloir la prolonger. La plupart des gens qui ont évolué à la suite d'une grave maladie, ceux dont j'ai parlé ici et des milliers d'autres, ont dépassé les prévisions de survie déterminées par la médecine. Ils ont ainsi prouvé que l'amour et une spiritualité authentique prolongent la durée et les bonheurs de la vie. En dernière analyse, c'est ce genre de preuve qui compte. Cependant, un petit nombre (sans cesse croissant) de chercheurs commencent à vouloir donner à ce délicat sujet de recherche des bases scientifiques. Leurs premiers résultats, encore incomplets, confirment ce que les patients exceptionnels ont compris.

Les patients des Simonton survivent en moyenne deux fois et demie plus longtemps que les malades soumis au seul traitement médical. Environ 10 % d'entre eux passent le cap des cinq ans de rémission considéré comme le critère de guérison du cancer — proportion remarquablement élevée par comparaison avec le nombre d'autoguérisons chez l'ensemble des malades cancéreux gravement atteints. Pourtant, ce chiffre pourrait être plus élevé.

Il se produit un phénomène d'autosélection chez les patients qui investissent énormément de temps et d'énergie dans un programme comme celui des Simonton. Il me semble qu'en favorisant davantage la recherche spirituelle et l'intérêt pour des formes de thérapie différentes, on augmenterait la proportion des survivants chez ces patients fortement motivés.

Le Dr Kenneth Pelletier a réalisé une étude psychologique de patients guéris « contre toute attente », et il a pu dégager cinq caractéristiques communes à tous :

1. Profonde évolution psychique due à la méditation, la prière ou autre pratique spirituelle.
2. Profonde évolution des rapports interpersonnels. Les relations avec les autres sont placées sur des bases plus solides.
3. Modification du régime alimentaire. Tous ces gens ont cessé de manger n'importe quoi. Ils choisissent soigneusement leur nourriture.
4. Profonde conscience des aspects spirituels et matériels de la vie.
5. Certitude que la guérison n'est ni une grâce ni une rémission spontanée, mais le fruit d'une longue et difficile bagarre gagnée sur soi-même.

Un étudiant en médecine et un épidémiologue ont entrepris une étude statistique des membres de l'ECAP atteintes d'un cancer du sein. Leur durée moyenne de survie pendant l'enquête s'est avérée considérablement plus longue que celle d'un groupe de contrôle. Toutefois, un nombre important de membres de l'ECAP ont déjà dépassé leurs prévisions de survie quand ils arrivent au groupe, ce qui altère sensiblement les résultats de l'enquête. Enfin, les deux chercheurs ont remarqué que le taux de mortalité des nouveaux venus au groupe est en régression. Le fait mérite d'être étudié plus à fond et nous nous proposons de le faire.

Il n'est pas facile d'étudier l'amour au microscope et, pour ma part, je préfère m'en tenir aux relations individuelles, au travail pratique, et laisser les statistiques aux autres. Il est vrai que les crédits manquent pour ce genre de recherches, mais le jour où la psycho-neuro-immunologie sera plus largement reconnue, la situation changera. Ce qui est scientifique est toujours mieux accepté.

La compréhension des pouvoirs curatifs de l'amour donnera à la médecine une nouvelle dimension. Nous serons alors sur la voie de la glorieuse révélation annoncée par Teilhard de Chardin lorsqu'il dit qu'un jour, après avoir maîtrisé le vent, les vagues, les marées et la pesanteur, l'homme découvrira le feu pour la deuxième fois en domptant pour Dieu les forces de l'amour.

Le soutien moral

Il est très difficile à un individu de changer lorsque ceux qu'il aime restent en arrière, c'est pourquoi nous conseillons aux conjoints, parents et familiers du malade, sa « famille », d'assister aux réunions de l'ECAP. Idéalement, toute la « famille » devrait être traitée comme une unité, car la maladie qui frappe un individu frappe aussi, différemment, chaque membre de son entourage. Dans le cadre d'un travail de groupe il est possible de faire comprendre aux gens comment les comportements destructeurs se renforcent mutuellement par leur interaction alors que l'amour guérit.

Il est bien connu que le fait d'avoir un centre d'intérêt extérieur à soi-même aide à dépasser les crises. Le sociologue anglais George W. Brown a publié, en 1975, les résultats d'une étude fondée sur des examens psychiatriques qui lui permettent de conclure : « Une relation intime et confiante (mais pas nécessairement sexuelle) avec un mari ou un ami réduit la probabilité de dépression chez les femmes ayant subi des chocs récents. » Une autre étude, réalisée en 1979 sur 4725 adultes et qui visait à déterminer les effets du mariage, de l'Église et de l'appartenance à un club ou à un groupe d'amis sur la consommation de tabac, l'obésité et autres problèmes, a montré que le taux de mortalité des individus les moins socialisés était deux fois et demie supérieur à celui des plus socialisés. Les gens qui possèdent des animaux de compagnie vivent plus longtemps après une crise cardiaque que ceux qui n'en ont pas, et tout le monde connaît quelqu'un qui a retardé sa mort jusqu'à Noël ou une autre réunion familiale. L'amour des autres est toujours un réconfort, mais le fait de vivre *pour* les autres n'est qu'un ersatz, une mesure d'urgence comme la chirurgie ou la chimiothérapie, qui permet de gagner du temps et d'apprendre à vivre pour soi-même.

Nous savons tous que le besoin de se confier est essentiel, et des recherches récentes prouvent que la confession est aussi bonne pour le corps que pour l'âme. Un travail statistique a prouvé que les gens traités en psychothérapie allaient moins souvent chez le médecin.

A la suite d'une enquête de plusieurs années, le psychologue James Pennebaker a montré que le fait de partager leur chagrin protégeait les gens du stress provoqué par la mort (accident ou suicide) d'un être cher. La maladie frappe ceux qui restent seuls avec leur chagrin et épargne ceux qui en parlent. Pennebaker rapporte les résultats d'une expérience qui consistait à prévenir des volontaires qu'il leur ferait raconter un souvenir traumatisant soit devant un magnétophone, soit dans une sorte de confessionnal. Quand, finalement, il leur demandait de parler d'un événement bénin, les instruments de mesure enregistraient un état de tension manifeste alors que quand ils racontaient leur souvenir pénible, leur corps se détendait complètement, même s'ils pleuraient et exprimaient des sentiments violents.

Le fait d'écrire paraît aussi très utile. Les étudiants qui notent dans leur journal intime les événements pénibles de leur vie vont moins souvent consulter un médecin que ceux qui dissertent sur des sujets moins graves. Tenir un journal nous met en contact direct avec nos pensées. C'est une forme de méditation qui nous fait prendre conscience de l'activité mentale qui s'exerce à notre insu pendant que nous déjeunons ou prenons une douche. Le journal intime peut nous aider à nous comprendre nous-mêmes.

Les gens qui entourent un malade et le soutiennent moralement ont aussi besoin d'être aidés. Ils ne savent généralement pas comment se comporter vis-à-vis d'un être en détresse. L'essentiel est de conserver un optimisme réaliste. Les malades ont besoin d'être entourés pour ne pas perdre l'espoir et la joie de vivre, mais ils sont parfois obligés de rappeler à ceux qui les aiment que l'optimisme systématique, le sourire forcé et l'entrain simulé font souvent plus de mal que de bien. Les bien portants sont mal à l'aise devant un malade parce qu'ils redoutent la douleur et la mort. C'est une réaction naturelle sur laquelle il faut travailler, et c'est un des domaines où les sessions de groupe s'avèrent très utiles. Beyhan Lowman, qui mourut d'un cancer à l'âge de trente et un ans, nous a laissé un merveilleux petit livre (*A Spirit Soars*) qui sert de guide à tous ceux qui doivent affronter le même défi. Elle y parle du besoin de franchise que ressent le malade :

> « Tout le monde autour de moi faisait de son mieux pour paraître enjoué et optimiste, mais cela me mettait mal à l'aise. Le fait de me retrouver dans une situation où le comportement des autres en ma présence était toujours positif me faisait comprendre à quel point je n'appartenais déjà plus à ce monde.
>
> « Les médecins et les infirmières qui s'occupaient de moi n'étaient certainement pas toujours contents. Ils devaient être fatigués de me retourner dans mon lit ou d'écouter mes doléances, mais jamais ils ne le montraient. L'infirmière qui me faisait des prises de sang devait pester contre mes veines difficiles à piquer, mais elle souriait en serrant les dents. Souvent, j'entendais l'équipe médicale parler avec agitation dans le couloir mais, en franchissant ma porte, tout le monde avait l'air d'entrer en scène et de jouer un rôle de composition.
>
> « La même chose se produisait avec ma famille et mes amis. Ils s'efforçaient de m'aider en me répétant combien j'étais courageuse et merveilleuse. Même l'homme de ma vie me traitait différemment. Je savais qu'il souffrait de l'injustice qui lui faisait aimer une mourante — situation qu'il n'a jamais essayé de fuir — mais il ne s'en ouvrait jamais à moi. Je sais bien qu'il voulait me protéger mais j'aurais eu un tas de choses à lui dire. Au lieu de l'interroger sur ses sentiments, ce qui m'aurait reprise dans le courant de la vie, je me suis laissé exclure par son silence. »

Dans la mesure où la maladie répond généralement à un besoin psychologique, il est important d'encourager le malade à s'investir dans des activités orientées vers la santé, non vers la maladie. Voici quelques suggestions à l'usage des « familles » empruntées à l'ouvrage des Simonton (et adaptées) :

1. Encourager le malade à rester actif, à s'occuper de lui-même.
2. Discuter avec lui de ses progrès. Ne jamais se laisser influencer au point de ne plus voir autre chose que les signes de la maladie.

3. Prendre le temps de faire des choses sans relation avec la maladie.
4. Poursuivre la relation avec le malade au même niveau de confiance quand celui-ci est rétabli.

Il est également important pour les couples de garder une intimité physique pendant la maladie. Comme beaucoup de vieillards, les grands malades souffrent souvent de « frustration charnelle », véritable rupture avec la vie, quand on ne les touche plus. En dehors de l'accouplement proprement dit, différentes formes de gratifications sexuelles restent accessibles aux couples en fonction de leurs goûts, de leur imagination et de leur condition physique. Caresses, étreintes et baisers sont *toujours* possibles.

J'estime que la reprise de rapports amoureux, sous une forme ou une autre, est essentielle après une opération ou une maladie parce qu'elle manifeste le désir du conjoint d'aider l'autre à se rétablir. Des conseils sont parfois nécessaires pour faciliter l'adaptation à un corps différent, et c'est encore un domaine où des groupes comme l'ECAP sont précieux. Un couple qui réussit à dépasser ce genre d'épreuve sait qu'il possède des bases inébranlables sur lesquelles bâtir le reste de sa vie. Richard Selzer décrit avec émotion un cas de ce genre dans *Lessons from the Art of Surgery* :

> « Est-ce que ma bouche va rester comme ça ? demande la jeune femme.
> — Oui, dis-je, parce que le nerf a été sectionné.
> Elle hoche la tête et reste silencieuse. Mais le jeune homme sourit et dit :
> — Moi j'aime bien. C'est plutôt mignon.
> Et soudain, je sais qui il est. Je comprends et je baisse mon masque. On est intimidé quand on rencontre un dieu. Comme si de rien n'était, il se penche pour embrasser la bouche tordue, et je suis si près que je le vois déformer ses lèvres pour les adapter au rictus de sa bien-aimée. Je me souviens que les dieux de la Grèce antique prenaient volontiers des formes humaines et je retiens mon souffle pour laisser s'accomplir le miracle. »

La chose essentielle que les malades attendent de leurs proches — et c'est peut-être la plus difficile — c'est qu'ils les aident à affronter et à vaincre tout ce qu'il y a en eux de peurs, de rancunes souvent anciennes, de conflits non résolus. Là encore, la solution réside dans la conciliation des deux extrêmes dont nous avons parlé tout au long de ce chapitre, l'amour de soi *et* l'amour des autres, l'affirmation de soi *et* le pardon.

Transcender la peur

Pour faire jaillir la source de l'amour et prendre le chemin de l'évolution spirituelle, nous devons abandonner nos peurs (« nous en remettre à Dieu »). Mais c'est terriblement difficile, surtout quand on n'a *pas* l'impression qu'on va mourir demain. Cela implique de reconnaître nos émotions négatives avant de les transcender. Mais, au préalable, nous devons comprendre que nous sommes responsables de nos émotions. Personne ne nous *rend* malheureux, c'est nous qui choisissons de l'être. Car nos pensées, nos émotions et nos actes sont les seules réalités dont nous soyons maîtres. Comme l'affirmait Épictète au premier siècle de notre ère, tous nos malheurs proviennent de notre entêtement à vouloir influer sur les événements et sur les hommes, qui échappent par nature à notre contrôle. Cette tentation, née de la peur et de la rancune, affaiblit notre corps et permet à la maladie de s'installer.

La peur est un réflexe de défense tout à fait naturel en cas de menace ou de danger — devant le vide, quand un bruit violent et proche nous surprend —, mais toute autre forme de peur est anormale. Nous ne rencontrons jamais rien dont nous ne puissions venir à bout. La preuve en est qu'aucun malade ne voudrait échanger sa maladie avec un autre. Nous préférons tous gérer nos propres problèmes. Mon but n'est pas de proposer des règles de comportement strictes mais d'indiquer, par le biais imparfait des mots, une nouvelle réalité psychologique — un bonheur qu'il ne tient qu'à nous de choisir, indépendamment des circonstances extérieures.

De même que notre éducation peut nous inculquer un comportement négatif, nous pouvons cultiver une conception positive de l'existence. Les psychologues ont découvert depuis longtemps que l'homme peut modifier ses émotions en donnant à son visage l'expression d'une autre émotion. Récemment, le Dr Paul Ekman a décrit dix-huit sortes de sourires anatomiquement différents, et découvert que les sujets entraînés à contrôler leurs muscles faciaux réussissaient à fausser les résultats de tests émotionnels en adoptant un certain sourire.

En se souriant dans un miroir, on peut alléger sa tristesse, mais il ne faut pas tricher, car seul un vrai sourire deviendra un message signifiant pour le système nerveux.

Les savants qui étudient les réponses au stress ont découvert que la colère non exprimée est l'émotion la plus dangereuse pour l'équilibre physiologique. Au contraire, l'acceptation sereine de *ce qui est* favorise la santé, donne une vision claire des choses et de ce qui peut être changé. Efforçons-nous donc de penser à des choses agréables, de garder une expression aimable et de ne pas nous comporter en toute occasion comme si nous allions à notre propre enterrement.

Les gens qui vivent avec une maladie doivent constamment réaffirmer leur positivité. Au lieu de se lever le matin en se disant :« J'ai un cancer. Je suis trop faible, trop déprimé pour faire quoi que ce soit », ils doivent penser : « Je peux passer une bonne journée. Je la vivrai différemment *à cause* du cancer. » Comme le dit Loïs Becker dans sa lettre :

> « Je pense au cancer tous les jours, mais je pense aussi à la force de mon corps et aux plaisirs qu'il me donne. Je continue à parler à mes viscères. J'ai la sensation d'une unité corps-esprit (âme aussi, probablement) que je ne connaissais pas. »

Se libérer de la peur paraît difficile à première vue. Il faut prendre l'habitude de considérer tout échange humain comme une demande ou une offre d'amour. Celui qui a peur dit toujours : « Aime-moi », mais nous avons tendance à le rejeter, à nous mettre en colère. Alors l'autre a de plus en plus peur, il ravale et accumule sa rage jusqu'à ce qu'elle se mue en rancune ou en haine. *Il est facile de haïr mais bénéfique d'aimer.*

Quand vous avez peur, demandez à quelqu'un de vous serrer dans ses bras, de vous aimer, la peur se calmera.

Une nuit, j'étais en salle d'urgence en train d'examiner un patient lorsqu'un homme, échappé du pavillon psychiatrique, fit irruption dans la pièce. Il se dirigea droit sur moi, à cause de mon crâne rasé probablement, et se mit à disserter violemment sur mes habitudes sexuelles et ma généalogie. Tout le monde avait disparu comme par enchantement, excepté les malades qui ne pouvaient pas bouger. Pendant qu'il m'insultait, je me demandais comment sortir de cette situation. Je pensai à tous mes sermons sur l'amour et, le fixant droit dans les yeux, lui dis : « Je t'aime. » Il se figea, comme si je l'avais assommé, tourna les talons et rentra tranquillement dans son pavillon. L'infirmière-chef me complimenta sur mon sang-froid et je lui dis : « Merci pour votre aide. »

L'amour a un pouvoir extraordinaire en cas de conflit. Dans mon travail avec les familles, je n'ai aucun mal à faire dire à quelqu'un : « Je te déteste. » « Je t'aime » est beaucoup plus difficile à avouer. Les malades doivent souvent l'écrire ou le dire au téléphone avant de l'exprimer devant l'intéressé parce que c'est « je t'aime » qui véhicule la plus grande charge émotionnelle.

Il n'y a vraiment rien dont on ne puisse venir à bout, je le sais, même si vous ne le savez pas encore. Si quelqu'un me dit : « J'ai peur. Mon mari m'a quittée pour une autre, j'ai un cancer et cinq enfants sur les bras. Je ne sais pas quoi faire. » En me fondant sur mon expérience, je peux répondre : « Savez-vous ce qui se passera dans un an ? Vous me demanderez s'il n'y a pas une femme dans le même cas, à qui vous puissiez téléphoner et proposer votre aide. Vous êtes suffisamment forte pour vous en sortir. »

Je connais une femme qui avait tellement peur de tout qu'elle n'osait pas sortir quand il pleuvait. Elle refusait aussi de remplir le moindre chèque. Son mari finit par la quitter et personne n'aurait pu lui en vouloir. Elle eut la leucémie et se métamorphosa littéralement. La dernière fois que je l'ai vue, c'était à une réunion politique où elle hurlait à pleins poumons. Son mari aurait pu se remarier avec la femme qu'elle était devenue. Mais il avait fallu cette maladie pour la réveiller et lui donner envie de vivre. Le cas n'est pas rare. Quand on sait qu'on ne vivra pas éternellement, pourquoi avoir peur d'aimer ?

Transcender la haine

La rancune et la haine sont pour beaucoup de gens les obstacles qui les empêchent de progresser et de trouver l'harmonie avec leurs semblables. Transcender la peur favorise le pardon de toutes les offenses et libère l'amour qui peut nous immuniser psychologiquement contre un environnement destructeur. Aimer et croire que la vie a un sens augmente nos chances de survie dans *toutes* les circonstances. Le psychiatre Victor Frankl, rescapé des camps de la mort nazis, écrit dans ses mémoires que les gardiens tuaient plus facilement ceux qui paraissaient prêts à mourir que ceux qui les regardaient avec une étincelle de vie dans les yeux. L'amour sauva aussi Frankl de la mort. Les nazis annoncèrent un jour aux prisonniers qu'un train partait pour un autre camp où les conditions de détention seraient meilleures. Frankl donna sa place à un de ses camarades, et le train partit vers une chambre à gaz.

Un autre rescapé, Jack Schwartz, raconte qu'un jour il s'évanouit pendant qu'on le fouettait. Il eut une vision du Christ qui le remplit d'un tel amour qu'il put dire à son bourreau « *Ich liebe dich* ». La surprise arrêta le bras du soldat et se mua en incrédulité quand il vit les plaies du prisonnier se refermer en quelques minutes.

Le psychiatre George Ritchie, auteur de *Retour de l'au-delà*, raconte l'histoire de Wild Bill, autre rescapé des camps avec qui il travailla après sa libération :

> « Manifestement, Bill le Sauvage n'était pas au camp depuis longtemps : il avait des yeux brillants, un maintien droit et une énergie inépuisable. Il parlait couramment l'anglais, le français, l'allemand, le russe aussi bien que le polonais et devint donc une sorte d'interprète officieux du camp...
>
> « Bill le Sauvage travaillait quinze à seize heures par jour, mais il ne montrait aucun signe de lassitude. Alors que nous tombions de fatigue, il semblait prendre des forces...
>
> « Je fus stupéfait d'apprendre, quand ses papiers nous parvinrent, qu'il était à Wuppertal depuis 1939 ! Pendant six ans il avait donc vécu de ce régime de famine, dormi comme les autres dans ces taudis sans air et infestés de maladies, sans le moindre affaiblissement physique ou moral !
>
> « Il fut l'un de nos agents les plus efficaces, raisonnant avec les différents groupes et recommandant le pardon.
>
> « "Il n'est pas facile de pardonner pour certains, lui fis-je observer un jour où nous étions assis au centre de distribution,

au milieu de gobelets de thé : ils sont si nombreux à avoir perdu leur famille ! ''

« Bill le Sauvage s'appuya contre le dossier droit de sa chaise et but une gorgée.

« ''Nous habitions le quartier juif de Varsovie, commença-t-il lentement (c'était la première fois que je l'entendais parler de lui) avec ma femme, nos deux filles et nos trois petits garçons. Quand les Allemands sont arrivés dans notre rue, ils ont fait aligner tout le monde contre un mur et ont ouvert le feu à la mitrailleuse. J'ai supplié qu'il me soit permis de mourir avec ma famille, mais comme je parlais allemand, je fus affecté à un groupe de travail.''

« Il s'arrêta. Peut-être revoyait-il sa femme et ses cinq enfants.

« ''Il fallait que je me décide tout de suite, reprit-il, devais-je haïr les Allemands qui avaient fait cela ? C'était une solution facile. J'étais avocat et j'avais souvent vu dans mon métier ce que la haine pouvait produire dans l'esprit et dans le cœur des hommes. La haine venait juste à l'instant de tuer les six personnes qui comptaient le plus pour moi. J'ai alors décidé pour le restant de ma vie — qu'elle dure des jours ou des années — d'aimer toute personne que je viendrais à rencontrer.''

« Aimer toute personne : c'était cette force qui avait maintenu un homme en bonne santé au milieu de toutes les privations. »

Je ne veux pas dire que tous les rescapés s'en sont tirés en aimant les nazis ; je ne dis pas non plus que les autres sont morts parce qu'ils n'aimaient pas assez. Beaucoup se sont accrochés à la vie pour pouvoir porter témoignage ; d'autres ont réussi à « transformer la haine en énergie » — mot d'ordre qui a permis aux Vietnamiens de survivre à quarante ans de guerre et de vaincre les Japonais, les Français et les Américains, mais qui risque, à long terme, de nous rendre semblables à nos ennemis. S'efforcer de reproduire cette sorte d'amour, simplement parce qu'on vous dit que c'est bien, ne serait qu'une pathétique hypocrisie. Un amour pareil n'a peut-être pas grand-chose à voir avec les individus concernés ; j'y vois plutôt un surgissement de l'énergie universelle — Dieu ou la bonté profonde de l'humanité — à travers les blessures les plus vives de l'esprit.

Ce que je veux dire c'est que l'amour peut *vous* sauver ! Vous pouvez considérer avec amour un meurtrier parce que vous savez pourquoi il en est là. Je ne vous suggère pas d'aimer l'horreur, je dis simplement que l'individu le plus dépravé a commencé par être un bébé innocent. N'oublions jamais que nous sommes tous créés par nos parents et par la société. Si nous recevons d'eux les mauvais messages, si par eux nous sommes privés d'amour, nous pouvons tous devenir Hitler. Il ne s'agit pas d'accepter le mal mais de refuser de tomber à son niveau. Comme l'a dit Martin Luther King : « La haine ne me rendra pas ma famille. » Même si vous n'arrivez pas à sauver votre vie ou à transformer votre ennemi par l'amour, vous pouvez toujours empêcher la haine de détruire votre cœur, votre âme et votre vie comme elle a détruit les siens.

Parmi mes patients, beaucoup vivent avec des partenaires « impossibles ». En pareil cas, deux solutions : vous quittez votre « Hitler » ou vous restez pour essayer de le (ou de la) changer par l'amour. Je me souviens d'une femme nommée Ruth qui me dit un jour : « Je sauverai mon mariage, même si cela doit me tuer. » Son cancer du sein diffusa des métastases dans toute sa poitrine et elle tomba dans un état de dépression tel qu'elle envisageait le suicide. Mais elle assista un jour à une de mes conférences où la question du suicide fut abordée. Une jeune femme prit la parole pour raconter comment le suicide de son père avait détruit sa vie, non seulement parce qu'il était mort mais aussi parce qu'elle n'arrivait pas à admettre l'absence de courage que représentait son geste. Ruth fut complètement bouleversée par cette histoire. Elle reprit courage, décida de vivre et quitta son mari.

Mais en comprenant que vous-même et votre « Hitler » avez en commun d'être humains, vous pouvez certainement apprendre à vivre ensemble, en faisant des efforts et en encourageant l'autre à changer. Rien n'aide autant un être à devenir meilleur que la possibilité offerte par un autre être. Comme l'a écrit Goethe : « Si vous traitez un individu comme il est, il restera comme il est ; mais si vous le traitez comme il devrait être, il deviendra tel qu'il devrait être. »

J'aime beaucoup ce texte où Martin Luther King junior parle du commandement de Jésus : « Aime ton ennemi ».

> « Pardonner ne veut pas dire oublier qu'une faute a été commise ou mettre sur cette faute une étiquette qui la modifie. Par-

donner veut dire que la faute ne constitue plus une barrière entre deux êtres...

« Nous devons reconnaître que l'acte mauvais de notre ennemi, la chose qui nous a blessé, n'exprime jamais totalement son être. On peut trouver de la bonté même chez son pire ennemi.

« L'amour ne doit pas être confondu avec un quelconque élan sentimental. Il est bien plus profond... Alors nous pouvons comprendre ce que Jésus voulait dire quand il parlait d'aimer nos ennemis. Nous devrions nous réjouir qu'il n'ait pas dit : "Aie de l'affection pour ton ennemi." Il y a des personnes pour qui il est presque impossible d'éprouver de l'affection. "J'aime bien" est une expression sentimentale. Nous ne pouvons pas "aimer bien" celui dont le but avoué est de nous écraser dans notre être et d'accumuler les obstacles sur notre chemin. Comment "aimer bien" celui qui menace nos enfants ou bombarde notre maison ? C'est impossible. Mais Jésus a reconnu que l'amour était plus vaste et plus beau que l'affection. Quand Il nous demande d'aimer nos ennemis, il parle de la compassion universelle, celle qui comprend et qui crée, celle qui est rédemption. Ce n'est qu'en suivant cette voie et en répondant par ce type d'amour que nous serons capables d'être les enfants de Dieu qui est aux Cieux. »

La vraie question n'est pas de savoir si vous pourriez être crucifié pour sauver le genre humain mais si vous êtes capable de vivre avec quelqu'un qui ronfle. Souvenez-vous qu'on ne peut changer personne. On ne peut que se changer soi-même. Mais n'oubliez pas que vous façonnez l'autre par ce que vous êtes. C'est ce qui donne à certaines femmes, par exemple, un grand pouvoir. Éléonor, une de mes patientes, travaille avec son mari dans l'immobilier. Elle est capable de traiter des marchés de plusieurs millions de dollars, mais son mari critique systématiquement la façon dont elle s'habille et va jusqu'à la renvoyer se changer au moment d'aller au restaurant. Je lui ai dit : « Très bien, alors dites-lui que vous ne savez pas prendre de décisions. Ne faites plus ni le ménage, ni la lessive, ni la cuisine, ni la comptabilité, plus rien de ce qu'il attend de vous. S'il vous demande où en est le dîner, dites-lui que vous n'avez pas réussi à décider quoi acheter au marché. Dites-lui que si la lessive n'est pas faite c'est que vous ne saviez pas quel détergent acheter. Dites-lui combien vous êtes indécise et il faudra bien qu'il fasse les choses à votre place. Alors il réalisera tout ce que vous faites pour lui, tout ce dont vous êtes capable. »

Le fait de mettre de l'ordre dans ses sentiments sera peut-être reconnu un jour comme le meilleur traitement contre la douleur et la meilleure préparation à une intervention chirurgicale. Je me souviens d'une étudiante en médecine, Karine, qui participa à quelques réunions de l'ECAP parce que le père de son ami allait être opéré d'un cancer du poumon. Elle passa toute une semaine à se renseigner sur la qualification du chirurgien et, la veille de l'intervention, elle se souvint d'une chose dont je parle souvent au groupe : elle demanda à son ami ce qu'il dirait à son père s'il savait qu'il mourrait le lendemain.

A l'hôpital, le jeune homme alla voir son père, ancien alcoolique, et lui dit : « Papa, tu m'as quelquefois battu, enfermé dans le coffre de la voiture ou autre, mais je voulais que tu saches que je t'aime et que je te pardonne. » Ils s'étreignirent en pleurant. Le père se rétablit très bien après l'opération, évidemment. Karine revint nous voir pour nous raconter ce qui s'était passé et conclut : « Je me demande si je n'ai pas perdu mon temps en prenant tous ces renseignements sur le chirurgien. L'essentiel c'était de dire : "Je t'aime." »

Quand j'organise des séminaires, je demande souvent : « Si vous saviez que vous alliez mourir demain, auriez-vous besoin de téléphoner ? » Si la réponse est oui, je dis : « Bon. Promettez-moi de décrocher le téléphone en rentrant chez vous pour donner tous ces coups de fils et je vous garantis un retour sans encombre. »

En cas de malheur, vous avez toujours le choix de subir ou de réagir. La mort de son fils a permis au rabbin Kushner d'écrire un livre (*When Bad Things Happen to Good People*) qui a aidé des milliers de gens à mieux vivre des tragédies semblables. Car la créativité née de la douleur permet de donner un sens positif à la perte d'un être cher.

La capacité de voir ce qu'on peut tirer de bon de l'adversité est essentielle pour les malades. Comme l'a écrit Victor Frankl : « Vivre c'est souffrir, survivre c'est trouver un sens à la souffrance. » La mort ou le risque de mourir nous incite à apprécier au maximum ce que nous avons, ce que nous pouvons faire dans l'instant.

Ma femme Bobbie et moi l'avons compris pendant la semaine

où nous pensions que notre fils Keith, âgé de huit ans, avait une tumeur osseuse maligne. Il se plaignait de douleurs à la jambe et je lui fis d'abord prendre des bains chauds. Mais un jour, pendant que je lui laçais ses patins à glace, il me dit qu'il avait toujours aussi mal et qu'à son avis il fallait faire une radio. J'acceptai en pensant que cela lui servirait de leçon. Il avait probablement une fracture superficielle qui pouvait très bien se cicatriser d'elle-même, mais si on lui faisait une radio, on l'obligerait à porter un plâtre. Mais la radio révéla une lésion lythique de l'os qui, d'après tous mes livres de médecine, ne pouvait être que maligne. Notre bel enfant allait donc mourir dans l'année. Les cinq jours précédant son opération furent cinq jours d'horreur. De plus, comme n'importe quel parent, je me sentais coupable et je n'arrivais plus à penser, à aimer, à me concentrer ou à parler. Fort heureusement, la tumeur s'avéra bénigne et fut enlevée sans problème.

Quoi qu'il en soit, cette expérience avait été une leçon pour moi. Elle m'avait appris ce que les familles des malades doivent endurer. Elle m'apprit aussi ce que veut dire survivre. Ma fille Caroline me demanda un jour au petit déjeuner : « Papa, est-ce qu'il t'arrive de te demander lequel d'entre nous va mourir le premier ? » Je lui répondis : « La question n'est pas là. La question c'est que les autres continueront à vivre et qu'ils devront donner encore plus autour d'eux pour que la vie de celui qui est mort prenne tout son sens. »

Malheureusement, la plupart d'entre nous devons souffrir avant de pouvoir évoluer. Un jour où l'horloge de la cuisine était arrêtée, ma femme me dit : « Tu n'as qu'à la remettre à l'heure, il y a un petit bouton pour ça. » Alors je suis allé trouver Dieu et je lui ai dit : « Si tu es vraiment le créateur de toutes choses, pourquoi n'as-tu pas inventé un petit bouton qui nous permette de repartir quand nous sommes arrêtés ? » Dieu répondit : « Mais il existe, ce petit bouton, Bernie. C'est ce qu'on appelle la douleur et la souffrance. » Seule la souffrance peut nous faire changer. Il est parfois difficile de voir ceux que nous aimons souffrir sans évoluer. Notre tâche est de les aimer car nos sermons ne leur seront d'aucune utilité.

Pour trouver en soi la capacité d'aimer, il faut se débarrasser de la peur, de l'angoisse et du désespoir. Beaucoup de gens gardent en eux des colères anciennes qui hantent leur esprit et déclenchent une réaction de stress chaque fois qu'ils y pensent. Affronter ces sentiments négatifs et s'en défaire implique de reconnaître honnêtement notre part de responsabilité et de nous pardonner, tout en pardonnant à ceux qui nous ont fait mal ou peur. En ne pardonnant pas, nous devenons semblables à notre ennemi. Les enfants avec qui travaille Jerry Jampolsky ont magnifiquement exprimé la leçon de la transcendance dans la conclusion du livre (*There is a Rainbow Behind Every Dark Cloud**) qu'ils ont écrit ensemble :

> « En résumé, nous pensons que notre esprit peut tout faire. On peut apprendre à le maîtriser et décider d'être heureux ''à l'intérieur'', en dépit de tout ce qui nous arrive ''à l'extérieur''.
>
> « Qu'on soit malade ou bien portant, quand on donne aux autres son amour et son aide, on se sent envahi par la chaleur et par la paix. Nous avons appris qu'en donnant de l'amour on en reçoit en même temps.
>
> « Se détacher du passé et pardonner à tout le monde aide énormément à dépasser la peur.
>
> « Souvenez-vous que vous êtes amour et laissez votre amour s'étendre à vous-mêmes et aux autres. Celui qui aime et se sait réconcilié avec le monde et avec Dieu peut se sentir heureux et confiant.
>
> « Et n'oubliez pas, quand vous serez convaincu que nous sommes tous unis dans l'amour, que vous trouverez sûrement un arc-en-ciel derrière chaque nuage noir. »

La phénoménale énergie que peut libérer le renoncement aux sentiments négatifs est bien décrite dans une lettre que m'envoya Denise après avoir consulté un guérisseur par la foi :

> « Après son sermon, il dit que chacun de nous saurait dans son cœur s'il devait être appelé ce jour-là. Il contempla son public, plus de 1 500 personnes, et dit : ''Il y a une personne dont la pensée s'impose à moi, à propos d'une rose. Sa maladie

* « Il y a un arc-en-ciel derrière chaque nuage noir. » (N. du T.)

est située dans la région de la poitrine.'' Je fus bouleversée en me rappelant que le soir précédent, à table, j'avais pris une rose dans un vase pour la respirer. Quelqu'un m'avait dit alors que je devais prendre le temps de respirer les roses de la vie. Mais je ne me levai pas. Je pensais qu'il ne pouvait pas s'agir de moi.

« Le guérisseur s'approcha d'une femme qui s'était levée. Elle s'appelait Rose et avait un cancer au sein. Il la bénit et lui dit : ''Vous n'êtes pas celle que je reçois.'' Il ajouta : ''Elle a aussi un cancer du sein et porte une blouse beige.'' Ce matin-là, j'avais mis un pantalon noir et un pull noir, puis j'avais décidé de mettre aussi ma blouse beige. Comme elle me grossissait, je l'avais enlevée puis remise.

« Je me levai. Il me fit venir près de lui, face au public. Il me posa des questions sur la maladie et, malgré mon émotion et mes larmes, je sais que je n'oublierai jamais l'expression de son visage. Ce n'était pas des yeux qu'il avait mais deux lacs noirs d'infini. En me touchant le front, il dit : ''*Vous devez vous débarrasser de votre angoisse*'', et je sentis un courant d'énergie passer à travers mon corps. Un cri monta dans ma gorge et je tombai à la renverse dans les bras de ses assistants. »

Cette expérience marqua un tournant dans la vie de Denise. Elle se sentit enfin capable de se fixer des priorités et de faire des choix fondés sur ses besoins profonds. Elle entreprit une psychothérapie et une chimiothérapie, mit fin à une relation qu'elle estimait nuisible pour elle et vendit son commerce qui lui donnait beaucoup de soucis. S'autorisant enfin à libérer la peur, la colère et la frustration qui avaient empoisonné toute sa vie, elle pleura pendant plusieurs jours et découvrit que, pour la première fois, elle était capable d'accepter l'enfant en elle. A la fin de sa lettre, elle écrit : « C'était la première fois que je m'accordais le privilège et la dignité de pleurer sur mes tourments. Maintenant que mon âme est délivrée de toutes ces scories, je me sens totalement réconciliée avec l'enfant qui est en moi, qui aime et qui pardonne. Je n'ai plus besoin de juger les autres car je ne me juge plus moi-même. »

La faculté de voir dans chaque épreuve une occasion d'évoluer, la spiritualité et l'amour inconditionnel nous permettent de profiter au mieux du temps qui nous reste. Nous n'avons que le présent, mais il est infini. Dans un de ces pays où les gens vivent centenaires, il y a un dicton : « Hier est parti, demain n'est pas encore là, alors de quoi s'inquiéter ? »

C'est souvent aux approches de la mort que les gens finissent par se libérer de leurs sentiments négatifs, comme en témoigne le Dr Ellerbroek :

> « On lui avait enlevé le bassin, la vessie et le rectum. Elle n'était plus qu'un sac de chair drapé autour d'un squelette qui n'abritait plus des organes mais une multitude de tumeurs. Elle demanda qu'on lui permette de mourir au bord d'un certain lac. Dans la beauté de ce paysage apaisant, quelque chose se produisit. Elle se délesta de sa colère et de sa dépression. Son esprit, comme un ballon libéré d'une surcharge, prit son essor, et ses tumeurs commencèrent à régresser. Elle était guérie. »

Après avoir cité d'autres cas similaires, Ellerbroek conclut :

> « J'ai la conviction qu'on nous fait avaler un tas de trucs dès l'enfance. On nous apprend qu'en certaines circonstances il est juste d'être en colère et qu'en toutes circonstances il est normal d'être déprimé. Je tiens à affirmer que, de mon point de vue personnel et peut-être unique — car presque tous les psychiatres sont d'avis contraire —, la colère et la dépression sont des émotions pathologiques et sont directement responsables de l'énorme majorité des maladies humaines, y compris le cancer. J'ai réuni cinquante-sept cas extrêmement bien documentés de soi-disant guérisons miraculeuses. Guérir miraculeusement du cancer veut dire ne pas mourir alors qu'on est absolument, irrémédiablement condamné. Mais tous ces gens ont décidé, à un certain moment, que la colère et la dépression n'étaient peut-être pas leurs meilleures alliées et que, comme il leur restait peu de temps à vivre, il valait sans doute mieux aimer, sourire et échanger avec ceux qu'ils aimaient. Ces cinquante-sept personnes ont toutes suivi le même itinéraire. Elles se sont complètement libérées de la peur, elles se sont complètement libérées de la dépression par une décision spécifique et inébranlable. Et, de ce moment-là, leurs tumeurs ont commencé à régresser. »

(J'utilise le mot « rancune » de préférence au mot « colère » parce que je vois dans la colère une émotion normale qui s'exprime sur le moment et s'oublie ensuite. Mais si elle reste contenue, elle se transforme en rancune ou en haine qui, tôt ou tard, explosent en détruisant les autres, quand elles ne restent pas refoulées, détruisant l'individu.)

La démarche décrite par Ellerbroek est précisément l'essence de l'expérience religieuse telle que Jung en parle dans *Psychologie et Religion* en disant que la foi permet aux êtres de se réconcilier avec eux-mêmes et avec les situations et les événements qui leur sont contraires, faisant ainsi « leur paix avec Dieu ».

Pour les rationalistes qui prétendent que ce genre d'expérience est illusoire, Jung ajoute :

> « Y a-t-il une meilleure vérité sur les choses ultimes que celle qui nous aide à vivre ? Telle est la raison pour laquelle je prends soigneusement en considération les symboles élaborés par l'inconscient. Ce sont les seuls facteurs capables de convaincre l'esprit critique de l'homme moderne. Ils sont convaincants pour des raisons très classiques bien que désuètes. Ils sont simplement écrasants, ce qui correspond au mot latin *convincere*. Ce qui guérit une névrose doit être aussi convaincant que la névrose, et cette dernière n'étant que trop réelle, l'expérience salvatrice doit être d'une égale réalité. Ce doit être une illusion bien réelle, si nous voulons employer le langage pessimiste. Mais quelle différence y a-t-il entre une illusion réelle et une expérience religieuse qui nous guérit ? Ce n'est qu'une simple différence de terminologie. Nous pouvons dire par exemple que la vie est une maladie dont le pronostic est bien mauvais : elle traîne pendant des années pour se terminer par la mort ; ou que la normalité est la prédominance généralisée d'une débilité constitutionnelle ; ou que l'homme est un animal au cerveau incurablement hypertrophié. Ce genre d'argument est la prérogative habituelle de grogneurs qui digèrent mal. Personne ne peut savoir ce que sont les choses ultimes. Nous devons par suite les prendre telles que nous les expérimentons. Et si une telle expérience nous aide à rendre notre vie plus saine, ou plus belle, ou plus complète ou plus lourde de sens pour nous-mêmes et pour ceux que nous aimons, nous pouvons tranquillement affirmer : "C'était une grâce de Dieu." »

Si l'on en croit Ellerbroek, c'est au seuil de la mort que se produit le tournant décisif, mais je sais par expérience qu'il est possible de changer à tout moment. En s'y prenant dès le début de la maladie, on augmente ses chances de guérison, et ceux qui choisissent la vie spirituelle en étant bien portants deviennent pratiquement invulnérables à la maladie ou au malheur — psychologique sinon physiologique. Comme l'écrivit Norman Cousins après s'être guéri d'une spondylarthrite ankylosante : « J'ai appris à ne jamais sous-estimer la capacité de l'esprit et du corps à se régénérer, même quand les perspectives paraissent désespérées. »

Le Dr Westberg, fondateur d'un grand nombre de centres de santé holistiques où médecins, infirmières et prêtres travaillent en équipe, pense que dans la moitié ou les trois quarts des cas la maladie est due à des problèmes spirituels plutôt qu'à une défaillance physique. Pour lui, les symptômes somatiques ne sont bien souvent que le « ticket d'entrée » permettant d'entreprendre un processus de découverte de soi-même et d'évolution spirituelle. Au début de ce voyage, chacun doit accomplir un acte de foi, le saut dans l'inconnu que préconise la sagesse orientale : « C'est là qu'est la peur, c'est là qu'il faut sauter. »

9.

L'AMOUR ET LA MORT

> « Il n'existe pas de difficulté que l'amour ne puisse vaincre, pas de maladie que l'amour ne puisse guérir, pas de porte que l'amour ne puisse ouvrir, pas de ravin que l'amour ne puisse franchir, pas de mur que l'amour ne puisse abattre, pas de péché que l'amour ne puisse racheter... Peu importe que le problème soit profond et ancien, la perspective désespérée, l'écheveau embrouillé, la faute grave. Avec juste ce qu'il faut d'amour, tout s'accomplira. Si seulement vous pouviez aimer assez, vous seriez l'être le plus heureux et le plus puissant du monde... »
>
> Emmet FOX.

Cinq jours avant sa mort, en 1981, William Saroyan envoya à l'*Associated Press* le communiqué suivant : « Tout le monde doit mourir un jour, mais j'ai toujours pensé qu'une exception serait faite en ma faveur. Et voilà... » qui prouve bien qu'on peut rester vivant et garder son sens de l'humour jusqu'au dernier moment.

Un certain Neal à qui l'on avait d'abord diagnostiqué un cancer du pancréas qui devait l'emporter en un ou deux ans apprit au bout de trois ans qu'il souffrait d'un lymphome, pas d'un cancer, et qu'il vivrait encore cinq ou six ans. Comme sa famille et lui-même s'étaient organisés en fonction de sa mort, la nouvelle l'irrita. Il me téléphona pour me le dire. « Vous connaissez les médecins, lui répondis-je, il leur arrive de se tromper. Vous risquez de mourir très vite. » « Je savais bien que je pouvais compter sur vous pour me remonter le moral », dit Neal. Je lui avais simplement laissé le temps de s'habituer à l'idée qu'il ne mourrait pas tout de suite.

Quelques années plus tard, Neal fut admis à l'hôpital en urgence avec une forte fièvre. Là, il sortit de son corps et assista, d'en haut, aux efforts des médecins pour le ranimer. Il entendit : « Il vaudrait mieux prévenir sa femme, je ne suis pas sûr qu'il s'en sorte. » « Inutile de déranger ma femme », pensa-t-il, « je vais m'en sortir. » Et il avait raison.

Un peu plus tard, Neal demanda à être hospitalisé. Il s'était vaillamment battu contre le lymphome pendant plusieurs années et, fatigué, se sentait prêt à mourir. Sa femme travaillait à la bibliothèque de l'hôpital et put rester auprès de lui. Mais il fut très difficile de convaincre le personnel qu'il était là pour mourir. Les infirmières lui disaient tous les jours : « Finissez votre plateau, vous n'avez rien mangé. » Il leur fallut un moment pour s'adapter et le laisser faire ce qu'il voulait.

Un jour, les larmes aux yeux, il demanda qu'on aille chercher sa femme. Il lui dit : « Tu sais, je suis allé là-bas. C'est doux et chaud, lumineux et très beau. Ils m'ont dit : "C'est le moment", mais j'ai répondu : "Non, je n'ai pas dit au revoir à ma femme." Ils ont répété que c'était le moment mais j'ai insisté pour te dire au revoir. A la fin, ils m'ont permis de revenir. » De retour dans son corps, il avait fait prévenir sa femme. Neal et elle se dirent adieu et, vingt-quatre heures plus tard, il mourait paisiblement.

Mourir en paix

Les patients exceptionnels m'ont appris que nous avons un pouvoir de décision extraordinaire sur notre mort. Une étude statistique a récemment montré que, sur plusieurs milliers de décès, presque la moitié s'étaient produits dans les trois mois suivant l'anniversaire de la personne et seulement 8 % au cours du trimestre précédent. Je ne veux pas dire que nous puissions allonger indéfiniment notre vie, je dis simplement que, pour mourir, il faut s'y sentir prêt. La meilleure preuve c'est qu'à l'hôpital la grande majorité des décès a lieu aux petites heures du matin, quand les « sauveteurs » reposent, quand la famille est partie ou endormie. Alors, il n'y a plus d'interférence et plus de culpabilité à s'en aller. Nous sommes tous, et plus particulièrement ceux qui vivent avec une maladie ou un traumatisme grave, amenés à choisir en permanence entre ce que la vie nous apporte et le « prix » que nous sommes prêts à payer. Une malade m'a dit un jour que tant qu'elle avait cinq minutes agréables par jour elle continuerait à vivre. La douleur et la peur de mourir viennent essentiellement de conflits intérieurs ou de tensions avec nos proches et de la volonté de s'accrocher pour ne pas « décevoir » ceux que nous aimons. Apprenons à vivre chaque journée comme une unité — en faisant ce que nous avons à faire, en donnant et en recevant de l'amour — afin de nous tenir prêts à mourir à tout instant. Comme l'a dit un patient : « Le pire, ce n'est pas la mort, c'est une existence sans amour. » En maîtrisant l'art de vivre au jour le jour, nous saurons nous arranger pour gagner une journée si cela nous paraît nécessaire.

Nous pouvons même ajourner notre mort très longtemps. Comme j'expliquais cela à une infirmière atteinte d'un cancer pour la rassurer, elle me dit : « Je sais. Quand j'avais seize ans, ma mère est rentrée un jour en nous disant : "Je viens d'apprendre que j'ai la leucémie et qu'il ne me reste qu'un an ou deux à vivre. Mais je ne mourrai pas avant de vous avoir vues toutes mariées et installées chez vous." Huit ans plus tard, elle assistait au mariage de ma sœur cadette. »

J'ai souvent assisté à la mort de patients qui avaient appris à aimer pleinement. Ils quittaient la vie tranquillement, sans douleur et sans peur de s'abandonner. Mais deux conditions sont nécessaires pour qu'il en aille ainsi : le médecin doit savoir se limiter dans son rôle de sauveteur et les proches du mourant doivent lui donner la permission de s'en aller. En d'autres termes, le patient ne doit pas sentir qu'on le retient de mourir.

Aujourd'hui, je sais que la mort peut aussi être une forme de guérison. Les malades physiquement épuisés mais réconciliés avec eux-mêmes et avec leurs proches peuvent choisir la mort comme traitement. Ils ne souffrent pas parce qu'il n'y a plus de conflits dans leur vie. Ils se sentent bien, apaisés. C'est alors que se produit parfois le « petit miracle » qui leur permet de vivre encore un certain temps parce que la sérénité leur donne un regain d'énergie. Mais quand ils meurent, ils *choisissent* de quitter un corps qui ne peut plus leur servir à aimer. Mon père m'a raconté qu'à l'âge de quatre-vingt-onze ans, son propre père avait annoncé aux siens :

« Faites venir tous mes amis et achetez une bouteille de schnaps, je vais mourir ce soir. » Pour lui faire plaisir, la famille avait accédé à son désir. Le soir même, il quitta ses amis pour monter se coucher et mourut.

Nous avons tous ce pouvoir. Je peux choisir de vivre alors qu'un autre préférera mourir, mais cela dépend uniquement de ce que nous voulons accomplir et de l'amour qui nous reste à vivre. Alors la mort n'est plus un échec mais un choix naturel. M'étant redéfini comme guérisseur et comme guide, je peux participer à ce choix et aider les malades à rester vivants jusqu'à leur mort. Dites de quelqu'un qu'il est « au stade terminal » et on le traitera comme un mort. C'est une erreur. Tant qu'on est vivant, on peut aimer, rire, participer. Avant d'accepter la décision d'un quadriplégique d'en finir avec la vie, je lui ferai prendre un mois de cours avec un autre quadriplégique qui fait des tableaux magnifiques en tenant le pinceau dans sa bouche.

Un vieux monsieur qui était tombé dans l'escalier fut admis à l'hôpital dans le coma. Le lendemain sa femme, avec laquelle il était marié depuis soixante ans, eut une crise cardiaque et fut admise dans un autre service. Lui dans le coma, elle en réanimation, ils étaient à des étages différents. Je suggérai aux internes de tenir chacun au courant de l'état de l'autre puisqu'ils ne pouvaient pas communiquer directement. « Si l'un d'eux meurt, il faut que l'autre le sache. » Mais les internes trouvaient l'idée saugrenue et c'est moi qui fis le messager en donnant à chacun des nouvelles de son conjoint.

Le lendemain, quand j'arrivai à l'hôpital, l'interne de garde me dit : « Vous savez ce qui s'est passé ? M. Smith est mort, et j'ai téléphoné au service médical pour demander l'adresse de sa nièce, sa seule parente. L'interne qui m'a répondu s'est étonné : "C'est drôle, je la cherche, moi aussi." » Mme Smith avait suivi son mari dans la mort à quelques minutes d'intervalle. En vrai gentleman, M. Smith était venu chercher son épouse et ils étaient partis ensemble.

L'agonie prolongée est le fait des malades qui gardent des rancœurs secrètes, des conflits non résolus, et qui s'accrochent à la vie par égard pour les autres. L'agonie se prolonge quand le mourant reçoit des siens le message : « Ne meurs pas » qui définit la mort comme un échec, une chose honteuse qu'il faut faire en secret, quand les médecins et la famille ne sont pas là.

Les malades en paix avec eux-mêmes et avec les autres n'ont pas de mal à mourir, à « se détendre pour en profiter pleinement », comme le dit une de mes patientes. Mais, paradoxalement, comme l'a constaté le Dr Ellerbroek, cet abandon peut entraîner la guérison. Prenez le cas de Valérie, par exemple. Je pensais qu'il ne lui restait que peu de temps à vivre et, comme son mari acceptait très mal la situation, je résolus de réunir toute la famille. Le mardi soir, je conseillai au mari de prévenir ses deux filles et il promit de le faire. Le mercredi soir, Valérie me parla de son mari : « Vous savez ce qu'il me dit quand vous n'êtes pas là ? ''Ne meurs pas, ne meurs pas !'' » Je lui demandai :

« Vous est-il déjà arrivé de faire quelque chose pour vous-même ?

— Non.

— Alors vous pouvez mourir. Mais auparavant j'aimerais que vous mettiez les choses au point avec votre mari. »

Le soir même, je retournai voir Valérie. Elle était debout. Désignant son mari qui se tenait devant la fenêtre, elle me dit : « Je viens de lui parler de certaines choses qu'il aurait peut-être préféré ne pas entendre. »

Le jeudi matin, elle était en pleine forme et me dit :

« J'ai deux questions à vous poser : primo, d'où me vient toute cette énergie, deuzio, pourquoi les infirmières sont-elles tout le temps dans ma chambre aujourd'hui ?

— Les infirmières sont dans votre chambre parce que vous n'êtes plus mourante. Quant à l'énergie, elle provient de l'explication que vous avez eue avec votre mari. Je ne sais pas s'il va se produire un miracle, mais je pense que vous devriez rentrer chez vous.

— Ce n'est pas un peu risqué, non ? pour quelqu'un qui devait mourir ce matin ? »

Valérie rentra chez elle et vécut (« petit miracle ») deux ou trois mois en pleine harmonie avec les siens. Puis elle mourut paisiblement, dans son lit, entourée d'amour. Son exemple fut plus convaincant pour les infirmières que n'importe quelle conférence. Il leur permit de constater que la résolution des conflits libère une indéniable énergie curative. Si tous nos patients pouvaient connaître cette expérience plus tôt, ils vivraient certainement mieux, plus longtemps, et le nombre d'auto-guérisons s'accroîtrait de façon spectaculaire.

La mort fait peur. Une infirmière m'a même accusé d'avoir tué une malade parce qu'elle avait eu peur de la voir mourir. J'étais en réunion lorsque je reçus un coup de téléphone de Muriel qui se mourait d'un cancer généralisé. En respirant très péniblement, elle me dit : « Vous prétendez qu'il est facile de mourir. J'ai levé les yeux au ciel et dit : ''Je suis prête'', mais il ne s'est rien passé. » Je lui expliquai qu'elle était trop nerveuse, que je ne pouvais rien faire pour elle avant cinq heures, mais qu'ensuite je passerais la voir. Quand un malade doit attendre, il le peut.

Je la trouvai agitée par la peur et la colère, sans compter la douleur puisqu'on ne lui donnait plus de sédatifs. Je commençai par lui dire qu'il était effectivement difficile de mourir dans ces conditions-là parce que la peur, la colère et la douleur ramènent sans cesse au corps quand il faudrait se détendre et s'abandonner. Puis je demandai de la morphine, juste assez pour la calmer et soulager sa souffrance.

La jeunesse de Muriel rendait la scène difficilement supportable pour les infirmières qui devaient penser : « Ce pourrait être l'une d'entre nous. » Seul un brave étudiant en médecine se trouvait avec moi et la famille au chevet de la malade. Dès que la morphine fit son effet, Muriel respira plus facilement et nous passâmes deux heures extraordinaires, remplies d'amour et de rires. Muriel était redevenue elle-même. Elle nous promit de revenir pour devenir la première présidente des États-Unis.

Vers sept heures, elle était tellement en forme que je me demandai si elle n'allait pas changer d'avis. Comme j'avais faim, elle me permit d'aller me restaurer et quand je retournai dans sa chambre, une demi-heure plus tard, elle était morte. Je sus alors qu'elle avait tout fait pour m'épargner.

Les infirmières étaient au courant mais elles lui avaient laissé les yeux ouverts ; sa perfusion et tous les appareils de contrôle marchaient encore. Sa mort était inacceptable.

Par la suite, j'appris que l'une d'entre elles avait appelé le directeur pour lui dire que j'avais tué Muriel avec de la morphine. N'étant pas médecin, le directeur en avait référé au médecin-chef qui me convoqua. Il me connaissait bien et je lui racontai exactement ce qui s'était passé. Mais ce qui m'attrista le plus c'est que l'infirmière n'avait pas eu le courage d'entrer dans la chambre de Muriel. Elle aurait vu combien ses dernières heures avaient été heureuses et belles. Ce sont ces moments-là qui aident les vivants à continuer. Avant de mourir, une de mes patientes me laissa un petit mot qui disait : « Merci pour l'amour que vous m'avez donné car je peux l'emporter avec moi. » Mais l'amour qu'elle *nous* avait donné nous fit du bien, à moi, à sa famille et à tous ceux qui l'avaient approchée.

La beauté d'une mort paisible a été fort bien exprimée par Juliet Burch dans son poème « Au chevet de papa » :

Au chevet de papa
L'homme qui était/est mon père
Sa respiration hachée, difficile
La minceur de son corps
Sa main brûlante dans la mienne.
La chambre est paisible
Où la peur n'entre pas.
On peut y mourir en paix.
Je n'ai
Finalement
Pas peur de tenir la main de cet homme
Qui fut si puissant.
Méditation.
Chambre
Où il est difficile d'entrer
Mais que l'on a, je ne sais pourquoi,
Du mal à quitter.
Ses yeux ouverts.
Il est là
Mais que se passe-t-il en lui ?
Pause. Le métronome de son souffle
S'interrompt. Moi tendue
Puis le rythme
Comme une horloge fatiguée
Repart.
A l'intérieur de lui,
Je me demande si
Il pleure
A-t-il peur ?
Je cesse d'y penser

Quand je découvre
Que c'est sa main
Maintenant
Qui tient la mienne.

Pour le contraste entre la mort naturelle et la mort artificiellement prolongée, je citerai encore le beau poème de Joan Neet George, « Grand-mère quand ton enfant mourut » :

Grand-mère, quand ton enfant mourut
Bien au chaud contre toi
Dans votre lit étroit
Son souffle ténu
Longtemps t'a inquiétée
Puis il t'a réveillée
D'un soupir
Avant de s'arrêter.
L'aube n'était pas levée
Tu l'as gardé dans tes bras jusqu'au matin
Ton enfant, avant de l'habiller, de le coiffer.
Tes larmes coulaient mais tu n'as pas pleuré
Avant qu'il soit couché
Sous le gazon parmi les fleurs sauvages
Son âme inexplicablement rendue à Dieu. Amen.
Mais, grand-mère, quand mon enfant est mort
Mon Dieu, c'est durement qu'il est mort.
Un moteur,
Devant la tente stérile
Ronronnait et sifflait
Tandis que lui,
A travers le nuage épais des drogues,
Modulait lentement la plainte
Aiguë et sourde
De sa douleur.
Mes larmes, inutiles,
S'égouttaient lentement
Comme le glucose ou le sang
D'un flacon.
Et quand il est mort

Mes yeux étaient secs
Et des dieux vêtus de blanc
Se sont détournés.

Vie et mort prennent un sens nouveau

C'est l'histoire de deux hommes d'affaires qui se rendent en voiture à une réunion. S'ils y arrivent en moins d'une heure, chacun doit toucher cinquante mille dollars. Mais pendant le trajet, tous deux sont obligés de changer une roue. Le premier descend de voiture, cherche dans son coffre et constate qu'il n'a pas de cric. Affolé, il regarde sa montre, voit qu'il ne lui reste que dix minutes et meurt, foudroyé par une crise cardiaque. Le second n'a pas de cric non plus mais il reste debout à côté de sa voiture, un automobiliste s'arrête, change sa roue, et l'homme arrive à temps pour toucher sa prime.

Je souscris complètement à l'idée jungienne de synchronicité, de coïncidence signifiante. Je crois qu'il y a très peu d'accidents. A la fin d'une de mes conférences, un homme m'a donné une carte sur laquelle il avait écrit : « Les coïncidences sont un truc de Dieu pour rester anonyme. » Dans une vie sans harmonie, les événements semblent conspirer pour que rien ne se passe correctement, alors qu'ils s'organisent merveilleusement bien quand on vit au plus près de soi-même.

Ne grimpez pas l'échelle du succès pour vous apercevoir, une fois arrivé en haut, qu'elle est appuyée sur un mur fissuré. En commençant à vivre *votre* vie, si vous prenez le risque de faire ce que vous voulez vraiment faire, vous vous apercevrez que chaque élément prendra naturellement sa place et que vous vous trouverez, « comme par hasard », au bon moment au bon endroit. Même les portes des ascenseurs commenceront à s'ouvrir devant vous.

C'est peut-être une autre façon de dire que l'on peut fabriquer sa réussite avec la matière première dont se servent les autres pour fabriquer leur défaite. Car les mêmes événements imprévus peuvent avoir des conséquences positives ou négatives selon la manière dont on y réagit. Une demi-heure de plus ou de moins peut vous éviter de mourir dans un accident de voiture, par exemple ; le passant qui vous aide à changer votre roue peut être *la* personne que vous aviez besoin de rencontrer. De telles réalités nous apprennent qu'il faut se garder de juger les événements comme bons ou mauvais, heureux ou malheureux, et qu'il vaut mieux laisser faire la vie. Une enfance difficile peut inspirer à l'écrivain un chef-d'œuvre qui aidera d'autres enfants et le rendra riche et célèbre. Nous avons le choix de ce que nous ferons de notre douleur. C'est même notre seule liberté.

Je donnerai encore un exemple. Un matin, Rose, une étudiante qui travaillait avec moi, prend sa voiture pour venir à l'hôpital, et tombe en panne. Elle prend son vélo, il casse. Elle se dit : « Si j'en crois Bernie, il vaut mieux que je reste chez moi ce matin ! » Elle rentre chez elle au moment où le téléphone sonnait. C'était son frère, ancien drogué, qui l'appelait du Maine : « Une chance que tu sois là, petite sœur. J'allais repartir pour New York et replonger dans la drogue. » Ils parlèrent pendant une demi-heure et elle lui fit promettre de ne pas bouger en attendant que quelqu'un de la famille vienne le rejoindre.

Ensuite, Rose retourna à sa voiture et, sans savoir pourquoi, ouvrit le capot. A ce moment-là, son autre frère se gara devant chez elle et lui dit : « Une voix m'a soufflé que ma petite sœur avait besoin de moi, alors me voilà ! » Il répara la voiture de Rose qui arriva à l'hôpital transfigurée.

Pour devenir un être authentique, spirituel, il faut laisser parler l'intuition, la partie de nous-même qui sait. Comme le dit Elisabeth Kübler-Ross, les décisions fondées sur la seule raison sont généralement prises pour faire plaisir aux autres ; les décisions intuitives *nous* font plaisir, au risque de nous rendre ridicules aux yeux des autres. Mais en devenant authentique on apprend à se désintéresser de l'opinion d'autrui.

Corinne, qui était professeur dans l'école de nos enfants, eut la maladie de Hodgkin et se retrouva seule avec une hypothèque à rembourser et son maigre salaire de professeur. Elle avait peur de faire le moindre mouvement, le moindre changement. J'allai la voir, je discutai avec elle, je lui prêtai des livres et j'essayai de l'inciter à réorienter sa vie. Un soir, comme ça, je décidai de passer la voir. Au moment où j'entrai chez elle, elle me dit : « Je vous cherchais. » Je répondis : « Je le sais, c'est pour cela que je suis ici. »

Elle me raconta : « Un beau jour, j'ai décidé de suivre vos conseils. J'avais toujours eu envie de piloter un avion, alors j'ai commencé à prendre des leçons. Un dimanche, à deux heures, j'arrive sur le terrain au moment où un bel homme descend de son avion. Je me dis : "Diable ! je lui dirais bien deux mots en particulier..." Enfin, pour vous résumer l'affaire, nous allons nous marier et je m'installe chez lui.

— Pourquoi étiez-vous sur le terrain un dimanche à deux heures ? Vous auriez aussi bien pu prendre votre leçon le samedi à une heure, non ? » Nous avons ri.

Laissez-vous tenter par votre fantaisie, vous ferez fructifier votre vie. L'intuition vous amènera à rencontrer beaucoup de gens qui sont là pour être aimés et pour vous aimer, des gens que vous n'avez jamais vus, même s'ils ont toujours été là.

Après une de mes conférences, un homme nommé Jacob me dit qu'il n'arrivait pas à croire que sa vie fût guidée spirituellement, ni que les choses pouvaient s'arranger d'elles-mêmes. Il n'aimait plus sa maison, il n'aimait plus son métier. Il aurait bien voulu en changer mais il avait peur de quitter la proie pour l'ombre. Je lui assurai : « Si vous quittez votre travail, vous en trouverez un autre.

— Très bien, dit-il, je vais voir. » Le dimanche suivant il alla à la messe, ce qui lui arrivait rarement, et l'homme qui était assis à côté de lui l'aborda : « J'ai entendu dire que vous aviez quitté votre emploi. » Jacob acquiesça. Ils discutèrent un moment et l'homme, qui cherchait justement quelqu'un comme lui, engagea Jacob sur-le-champ.

« Oui, me dit Jacob, mais vous admettrez qu'il peut s'agir d'une coïncidence.

— Maintenant, vendez votre maison. Vous verrez que vous en trouverez une autre. »

Jacob mit sa maison en vente mais ne trouva pas d'acquéreur. Il avait prévu de vendre certains meubles aux enchères, mais comme personne n'achetait la maison il voulait annuler la vente. Je l'encourageai à la maintenir et il suivit mon conseil. L'un des acheteurs lui demanda pourquoi il vendait ses meubles. « C'est surtout ma maison que je veux vendre. J'en cherche une à acheter. » L'acheteur avait lui-même une maison à vendre qui correspondait tout à fait à ce que cherchait Jacob. Il l'acheta et ne tarda pas à vendre la sienne.

Coïncidence ? Bien sûr, pour qui n'a pas la foi tout est coïncidence. Mais comment savoir si on a la foi ? C'est bien simple. Prenez l'histoire de l'homme qui, en se promenant au bord d'une falaise, tombe, se raccroche à un arbuste et reste suspendu au-dessus du vide tandis que lentement les racines du buisson commencent à lâcher. Il lève les yeux au ciel et implore : « Dieu, sauve-moi. » Une belle voix mélodieuse répond : « Bien sûr, mon fils, je vais te sauver. Lâche prise. » Alors l'homme regarde à nouveau le ciel et demande : « Y a-t-il quelqu'un d'autre là-haut ? » Si vous êtes de ceux qui ne poseraient pas cette question, vous avez la foi.

En tant que guérisseur, j'essaie d'encourager la confiance des gens dans leur propre vie et dans le processus vital en général. Chacun peut décider de s'en tenir à la foi et de vivre simplement ou de continuer à faire des expériences et à se rendre malheureux. En disant « c'est sûrement une coïncidence », quand il vous arrive quelque chose de bien, vous vous privez d'une joie, celle de la grâce. Je vous conseille plutôt de choisir votre but et de faire le saut de la foi, car vous volerez. C'est ce que font les survivants. Ils ne connaissent pas d'échecs, simplement des retards ou des changements d'orientation.

Choisir de vous laisser guider spirituellement vous aidera aussi à saisir les interconnections qui existent entre le corps et l'âme, et qui paraissent incompréhensibles dans notre optique habituelle. La séparation que nous vivons presque tous est illusoire, et en la dépassant nous trouverons le monde encore plus signifiant. Le botaniste Rupert Sheldrake a proposé le concept de « champ morphogénétique » pour expliquer certaines communications autrement incompréhensibles. Quand, dans un laboratoire, des rats réussissent à trouver le chemin d'un nouveau labyrinthe, *dans le monde entier* les autres rats de laboratoire apprennent plus vite à sortir du même labyrinthe, bien qu'ils n'aient pas eu le moindre contact avec les premiers. Il semble donc qu'il suffise de formuler une pensée pour qu'elle se communique à d'autres. Pour Sheldrake, cela expliquerait pourquoi certaines découvertes scientifiques ont été faites simultanément par des chercheurs différents dans des pays différents.

Il existe des voies de communication inconnues entre l'inconscient et la conscience. Comme je l'ai déjà mentionné, Carl Jung a écrit : « Le futur se prépare longtemps à l'avance, c'est pourquoi il peut être deviné par les clairvoyants. » En tant qu'interlocuteur privilégié, il m'a été donné d'entendre plusieurs cas de prescience. Certains patients dessinent ou décrivent dans ses moindres détails l'opération qu'ils vont subir, allant jusqu'à préciser la place exacte de chaque instrument et de chaque personne dans un lieu et pendant une intervention dont ils ignorent tout.

Il y a quelques années, on me demanda de recevoir Janet, une jeune femme enceinte dont le mari venait d'être tué dans un accident de voiture. Au cours de la conversation, je lui dis :

« Votre mari savait qu'il allait mourir.

— Vous croyez ?

— J'en suis sûr. »

Elle en fut réconfortée. Elle comprenait en effet pourquoi son mari avait insisté pour qu'elle devienne indépendante en passant ses examens d'infirmière. Elle se rappela aussi que, quelques semaines plus tôt, ils avaient parlé des accidents et il avait dit : « Si j'avais le cerveau atteint, je préférerais ne pas vivre. Avec un bras ou une jambe en moins, je m'en tirerais, mais une lésion au cerveau, non merci. » Or, l'autopsie avait révélé une grave lésion cérébrale.

Je dis aussi à Janet que je croyais à la survivance de l'esprit de son mari.

« Vraiment ?

— Mais bien sûr.

— Eh bien, ce soir-là, je l'attendais dans le salon. Il était en retard et quand j'ai entendu la sirène des pompiers, j'ai su que c'était pour lui. Je me suis levée d'un bond mais sa voix m'a dit : "Ne bouge pas de cette pièce pendant une heure." Je me suis donc rassise et j'ai attendu. Quand je suis arrivée sur les lieux de l'accident, les pompiers sortaient son corps des débris de la voiture. J'ai compris alors que si j'étais venue une heure plus tôt, je n'y aurais jamais survécu. »

J'étais un peu inquiet pour elle, mais quelques mois plus tard, comme je racontais son histoire pendant une conférence, un médecin qui était là me dit qu'il l'avait accouchée et que tout s'était très bien passé. Dernièrement, j'ai reçu d'elle une lettre où elle se proposait d'aider toutes celles qui pourraient se trouver dans la situation qu'elle avait connue.

Le même médecin me prit à part, ce soir-là, pour me raconter un autre cas de prescience. Pendant qu'elle était enceinte, sa femme lui dit un jour : « Il faut que j'apprenne le langage des sourds-muets. » « Mais pour quoi faire, ma chérie ? » « Il le faut, c'est tout. » Et, bien sûr, leur premier enfant naquit sourd. Le médecin croyait donc à ce genre de choses mais il avait éprouvé le besoin de me prendre à part pour m'en parler. C'est une attitude courante chez les hommes de science, qui signifie : « Je suis d'accord avec vous, mais je n'ose pas le dire devant tout le monde. »

Dans mon expérience de praticien, j'ai souvent rencontré des cas de connaissance inconsciente de l'avenir. Un jour, j'opérai un homme pour une rupture d'anévrisme dans l'œsophage. L'hémoragie fut impossible à arrêter et l'homme mourut. Par la suite, sa femme me dit : « La veille, nous avions passé la journée à parler de son enterrement, de son testament, et je ne comprenais pas pourquoi il insistait pour évoquer ces questions morbides. Maintenant, je le sais. » Souvent aussi, j'ai découvert que des parents proches savaient qu'une personne était morte avant d'en être informés. Mon père m'a raconté qu'un jour, quand il était jeune, sa mère lui avait rendu visite — en esprit — pour lui dire au revoir. Il comprit qu'elle était morte et ressentit une énorme tristesse. Ses collègues de travail s'en rendirent compte mais il ne leur donna aucune explication, de peur de passer pour un fou. Quand il rentra chez lui, le téléphone se mit à sonner et sa sœur lui annonça la nouvelle qu'il connaissait déjà.

Sandy, dont j'ai parlé au chapitre 4, me raconta une histoire similaire. Son mari emmenait toujours leurs trois enfants à l'école en voiture, mais un matin, ils se mirent en retard tous les trois. Impatient, le père partit seul et, quelques minutes plus tard, mourut dans un accident. Il me paraît évident que chacun des trois enfants savait intuitivement que ce jour-là il valait mieux ne pas partir avec papa.

Quand Sandy appela sa belle-mère pour la prévenir, celle-ci lui dit : « Je sais, Henri est mort. Son père m'est apparu cette nuit (il était mort depuis un an) et m'a dit : "Je dois aller chercher notre fils demain." » Voilà le genre de choses qu'on me raconte, des expériences qui peuvent ouvrir de nouvelles perspectives à la conscience et au système de valeurs de chacun d'entre nous.

Un soir où je donnais une conférence, j'avais toutes mes notes devant moi, et pourtant je sentais que, d'une certaine façon, mon discours était double. Je m'efforçais de suivre le plan de mon exposé mais c'était autre chose qui sortait de ma bouche. Je me rendis rapidement compte que l'autre discours était meilleur que celui que j'avais préparé, alors je laissai s'exprimer ma bouche. Quand j'eus terminé, je dis à Bobbie : « Je ne sais pas qui a parlé ce soir, mais ce n'est pas moi ! » Une femme vint me complimenter : « Je vous avais déjà entendu parler, mais jamais de façon aussi émouvante que ce soir. » Une autre s'approcha et me dit : « Je suis médium et, pendant que vous lisiez la lettre de Loïs Becker, une image s'est superposée à la vôtre. Je l'ai dessinée. » C'était George, mon guide.

Cette expérience m'apprit que l'inconscient veille à tout, et je ne prépare plus mes conférences. Que George existe en tant que guide spirituel ou qu'il soit simplement en moi la manifestation de l'inconscient collectif ou de mon intuition, ce pouvoir est à notre disposition si nous voulons bien le laisser s'exprimer. Comme le dit Socrate quand on lui demandait s'il avait préparé sa défense : « Ce qui doit être dit sera dit ».

Une femme qui souffrait d'un cancer au sein me dit que sa famille la croyait folle. Je lui demandai pourquoi et elle me raconta plusieurs anecdotes. L'une était un rêve où la Mort était venue la prévenir que son mari mourrait le lendemain. Elle avait discuté avec Elle : « Je ne suis pas d'accord. Tout le monde est prévenu au moins deux semaines à l'avance. » Quinze jours plus tard, son mari mourait.

Je dis à cette femme que je l'aimais, elle et tout ce qu'elle m'apportait. Quand nous sortîmes pour rejoindre ses enfants, ils s'attendaient à ce que je confirme la folie de leur mère. Mais j'affirmai : « Elle est vraiment formidable, extraordinaire », pour les inciter à considérer avec plus d'indulgence et de générosité qui elle était et ce qu'elle pouvait leur apporter.

Cette conscience intuitive, spirituelle, n'est pas interrompue par la mort. Elle se prolonge et permet la communication entre vivants et morts. Iris, qui était aveugle et cancéreuse, vécut une expérience exemplaire. Un jour, elle fit venir ses deux filles dans sa chambre d'hôpital et leur dit : « J'ai retrouvé la vue. Mon père et ma mère sont venus me chercher et m'ont donné une pomme. Quand je croquerai dans cette pomme, je les rejoindrai. Mais je les ai prévenus que je ne voulais pas m'en aller avant l'anniversaire de mon petit-fils, mardi prochain. » Juste après la fête, elle mourut.

Mais une de ses filles lui avait dit : « Si tu meurs, je veux mourir aussi. Je ne peux pas vivre sans toi. » Deux semaines plus tard, Iris apparut à sa fille et lui dit : « Je n'ai que dix minutes. Je ne devrais pas être là. Je suis entourée de beauté et d'amour mais je suis inquiète pour toi. Promets-moi de ne pas faire de bêtises. »

Grâce à mes patients, qui m'ont ouvert les yeux, je reçois moi aussi des messages de l'au-delà. Josie était une femme merveilleuse qui répandait l'amour et la joie de vivre autour d'elle. Elle m'avait demandé de prononcer son éloge funèbre. Je lui dis que ce serait un honneur si mon emploi du temps me le permettait, mais je pouvais d'autant moins le lui promettre que la cérémonie devait avoir lieu à New York. Plusieurs mois auparavant, j'avais accepté de donner une conférence dans cette ville un certain vendredi, mais c'était le seul jour de l'année où je devais m'y trouver. Je dis à ma femme que l'enterrement de Josie aurait certainement lieu ce jour-là, bien qu'elle fût encore vivante.

Un mardi soir, le mari de Josie me demanda comment il pouvait lui faciliter le passage. Je lui conseillai de lui dire qu'il l'aimait, que lui et leurs fils seraient courageux et qu'elle pouvait partir si elle le désirait. Il lui parla dès le lendemain, puis se détourna pour lui apporter son plateau de petit déjeuner. Quand il le posa devant elle, elle était morte.

Son fils me téléphona pour me l'annoncer et me dit qu'ils avaient hésité entre le vendredi et le dimanche pour l'enterrer. « Elle préfère que ce soit vendredi, dis-je. — J'ignore comment vous le savez, mais c'est effectivement le jour que nous avons choisi. »

Je m'isolai dans la chapelle de l'hôpital — une toute petite pièce sans fenêtre — pour méditer. Une plaque suspendue au mur se mit soudain à vibrer sans raison apparente. Je la regardai et vis qu'elle portait l'inscription : « Dans la vie, je reste à tes côtés. » Je compris que le message venait de Josie. Le jour de l'enterrement, un peu avant la fin de mon éloge funèbre, le micro tomba brusquement en panne. Josie me soufflait : « Ça suffit. Tu en as assez dit ! »

Paula, membre de l'ECAP, vécut une expérience similaire après l'assassinat de sa fille au collège. Au procès de son meurtrier, un oiseau apparut à la fenêtre, faisant beaucoup de bruit et perturbant l'audience. Paula comprit que c'était sa fille, qui avait toujours réclamé beaucoup d'attention. Plus tard, pendant le mariage de sa fille aînée qui avait lieu en plein air, un autre oiseau interrompit la cérémonie par le vacarme de ses cris. Enfin, comme Paula finissait de raconter cette histoire au groupe, un oiseau vint voleter devant la fenêtre et tout le monde s'écria : « Paula, ta fille est revenue ! »

Il y a peu de temps, alors que je faisais du jogging par un sombre matin de décembre, un oiseau me suivit en piaillant pendant une bonne demi-heure. En rentrant, je dis à Bobbie : « Quelqu'un est mort. Il est venu me faire ses adieux. » Deux jours plus tard, un coup de téléphone m'apprenait qu'un patient que j'aimais bien et qui vivait dans un autre État était mort ce matin-là.

Mais l'exemple le plus frappant de communication avec les morts qu'il m'ait été donné de vivre concerne Bill, l'ami dont j'ai parlé au chapitre 2. Il avait participé à quelques réunions de l'ECAP mais en restant un peu à l'écart, silencieux et distant.

Trois mois après sa mort, une étudiante vint à mon bureau pour m'interviewer. La veille elle avait participé à un « cercle de guérison », et le médium, sachant qu'elle me verrait le lendemain, avait demandé s'il y avait un message pour moi. Elle me tendit une feuille de papier et je lus :

> *Pour Bernie*
> *De la part de Bill.*
> « Love and Peace »
> *Si j'avais su que*
> *c'était si facile*
> *je ne serais pas resté*
> *si longtemps sceptique*
> *et je ne me serais pas*
> *tellement accroché.*

Dans le « cercle », personne n'avait connu Bill, et pourtant le message reproduisait les termes exacts dont il se servait pour parler à sa femme de son attitude vis-à-vis de l'ECAP : « je reste sceptique », et l'expression « *Love and Peace* » est celle dont je me sers pour conclure toutes mes lettres. De qui pouvait provenir ce message sinon de lui ? Comment puis-je faire partager à d'autres certaines certitudes ? Comme le dit Élisabeth Kübler-Ross : « Un jour, tous ceux qui me critiquent seront d'accord avec moi. »

Mais, quoi que vous pensiez de ce genre d'expériences et quelque interprétation que vous en donniez, il n'en reste pas moins que l'amour peut vaincre la peur de la mort et libérer une fantastique énergie curative. La dernière phrase du sermon d'Emmet Fox est très claire : « Si seulement vous pouviez aimer assez, vous seriez l'être le plus heureux et le plus puissant du monde... » L'amour rend invulnérable. Là est, selon moi, l'avenir de la médecine. Les savants disent souvent qu'il faut voir pour croire, mais je sais qu'il faut croire pour être capable de voir. Aimer et croire, c'est rester ouvert, ouvert au dialogue et au partage, ouvert à tout ce que l'on peut voir. Car la science, avec son « voir c'est croire », nous désigne aussi ce qu'il faut regarder et prétend qu'il ne faut rien regarder d'autre. Mais le message spirituel des véritables explorateurs et des artistes nous invite à ouvrir les yeux et à voir au-delà de ce qui existe.

Mon espoir le plus fervent c'est qu'en apprenant aux adultes comment l'esprit peut guérir le corps et redonner un sens à la vie, j'aiderai tous les parents à élever une génération d'enfants bien portants et aimants. On donne plus souvent aux enfants ce qu'ils veulent que ce dont ils ont besoin. Murmurez-leur à l'oreille : « Je t'aime sans condition (pas si tu es premier en math ou si tu deviens docteur). La vie est pleine de tracas mais quoi qu'il arrive, tu t'en sortiras. » Donnez-leur aussi quelques règles de discipline mais pas de punitions. En Géorgie soviétique, on porte à la santé des gens ce toast : « A ton trois centième anniversaire ! » C'est une coutume que nous devrions adopter.

Nous sommes tous concernés par ces questions, à une époque où les armes nucléaires menacent l'espèce comme le cancer menace l'individu. En décidant d'aimer, nous augmentons nos chances de survie. L'amour privera de leur pouvoir ceux qui aiment tuer. Comme l'a dit Gandhi : « Nous ne devons pas tuer nos ennemis mais tuer leur désir de tuer. »

En Inde, on raconte l'histoire d'un sage qui demeura dans son monastère alors qu'une armée ravageait le pays et tuait tous les moines. Un général lui dit : « Ignores-tu que je peux enfoncer mon épée dans ton ventre ? » Le sage répondit : « Ignores-tu que je peux mettre mon ventre autour de ton épée ? » Avec assez d'amour, nous deviendrons invulnérables, nous saurons mettre notre ventre autour des épées et sauver le monde. Un proverbe indien dit : « A ta naissance, tu as pleuré et le monde s'est réjoui. Vis ta vie de telle sorte qu'à ta mort le monde pleure tandis que tu te réjouiras. » Si nous adoptons cet enseignement, nous survivrons en tant qu'individus et le monde survivra également. Comme l'écrit George Ritchie en conclusion de son *Retour de l'au-delà* : « Dieu s'emploie à bâtir une race d'hommes qui sachent comment aimer. Le destin de la terre dépend, à mon avis, des progrès que nous accomplissons ; et le temps est à présent très court. »

Muktananda, le maître de Gandhi, a remarqué qu'il n'existait pas de mot sanskrit pour dire « exclusion ». Quand nous aurons tué notre désir de tuer et appris à n'exclure personne, le monde changera et nous retournerons d'où nous sommes venus — l'énergie qui a choisi d'aimer par sa propre intelligence.

Je dis souvent à mes patients qu'il y a deux façons de devenir immortel. Aller à la fac de médecine (les médecins ne tombent jamais malades et ne meurent pas, c'est bien connu) ou aimer quelqu'un.

> « Et nous-mêmes on nous aimera un temps, puis nous serons oubliés. Mais cet amour se sera suffi à lui-même ; toutes ces impulsions d'amour retournent à cet amour qui les a créées. Le souvenir lui-même n'est pas nécessaire à l'amour. Il existe un pays des vivants et un pays des morts, et l'amour est le pont, la seule chose qui survive, la seule qui ait un sens »,

écrit Thornton Wilder à la fin du *Pont du roi Saint Louis*.

Nous tenons de Dieu la liberté et le pouvoir de donner un sens à la vie et à l'amour. C'est un risque majeur pour nous qui, aujourd'hui, avons la possibilité de détruire notre univers.

Toutefois, c'est dans ce moment critique que peut apparaître l'archétype du miracle. Quand on croit à l'amour et aux miracles, l'intervention divine peut se manifester.

Nous disposons d'une infinité de choix mais pas d'une infinité de fins possibles. Ce sera la destruction et la mort ou l'amour et la guérison. En choisissant la voie de l'amour nous sauverons notre âme et notre univers.

Choisissons d'aimer et de vivre.

ANNEXE

La relaxation

La méthode exposée ici et proposée par les Simonton dans *Guérir envers et contre tout* est adaptée d'une technique de yoga.

Comme pour les techniques de visualisation, nous vous conseillons de faire lire des instructions par un ami ou de les enregistrer sur cassette pour les avoir à votre disposition en permanence. L'enregistrement vous sera également utile si vous vous endormez pendant la séance, car vous continuerez à l'entendre dans votre sommeil. Toutefois, je ne vous conseille pas de l'utiliser pour vous endormir, à moins que vous n'ayez du mal à vous détendre.

Dans la journée, installez-vous dans une position confortable et écoutez votre cassette entièrement. Par la pratique, vous arriverez ensuite à vous mettre en état de relaxation sans aucune aide extérieure.

Créez une ambiance lumineuse douce et apaisante. Choisissez si possible une pièce calme et fermez la porte pour ne pas être dérangé. C'est déjà une façon d'affirmer que vous faites quelque chose d'important, que vous prenez le temps de vous soigner, mais ce n'est pas indispensable. Les bruits familiers peuvent être reposants dans la mesure où ils indiquent que vous êtes chez vous, en sécurité. Essayez de vous mettre toujours à la même place. Le simple fait de vous installer dans votre siège préféré peut vous mettre instantanément dans l'ambiance et vous apporter plus vite la détente recherchée. Vous trouverez peut-être utile d'écouter une musique douce et apaisante. En ce cas, je vous recommande tout particulièrement le *Canon* de Pachelbel. Mais il existe aussi des cassettes et des disques de méditation préenregistrés. Les instructions doivent être lues d'une voix douce et égale, en respectant les pauses nécessaires.

Asseyez-vous confortablement, les pieds posés sur le sol ou allongez-vous sur un divan ou un matelas. Sentez la douce pression du siège ou du matelas sur votre dos et vos fesses.

Soyez attentif à votre respiration mais en la laissant s'exercer librement, sans la précipiter ni la ralentir.

Faites quelques respirations profondes et, en expirant, pensez : « Détends-toi. Laisse-toi aller. »

Dirigez maintenant votre attention sur votre visage, vos yeux et votre mâchoire. Sentez les points de tension qui s'y trouvent. Imaginez-vous ces points sous la forme de ressorts comprimés, d'élastiques trop tendus, de blocs de glace en train de fondre ou de ficelles nouées. Imaginez ensuite que toutes ces tensions, ces objets comprimés se relâchent, se détendent, se dénouent. Sentez cette détente dans chaque partie de votre visage. Contractez momentanément tous les muscles de votre visage, fermez les yeux, serrez les mâchoires, puis laissez-les se détendre, s'ouvrir, tout en visualisant le ressort, l'élastique, la ficelle se libérer de leur tension.

Sentez le relâchement de votre visage comme le début d'une vague qui va se propager dans tout votre corps. Cette vague vous donnera peut-être une sensation de lourdeur ou de légèreté, des picotements, une sensation de chaleur ou (en plein été) de délicieuse fraîcheur. Parcourez mentalement les autres parties de votre corps — cou, épaules, bras, mains et doigts, poitrine, dos, ventre, hanches et sexe, cuisses, mollets et pieds jusqu'au bout de vos orteils. Contractez momentanément chacune de ces parties puis relâchez-la en vous concentrant sur l'image mentale de sa détente. Sentez la vague de bien-être se répandre dans tout votre corps. Restez dans cet état de grande tranquillité pendant cinq minutes à peu près.

Quand vous serez prêt à vous lever, ramenez progressivement votre attention sur les bruits extérieurs, laissez vos paupières devenir de plus en plus légères puis ouvrez les yeux. Levez-vous lentement et sentez comme votre calme intérieur s'harmonise avec la tonicité nécessaire à vos activités quotidiennes.

Si votre esprit vagabonde, si vous êtes trop tendu, deux solutions : soit vous répondez aux questions qui vous distraient (« Ai-je arrêté la machine à laver ? »), vous allez voir et vous revenez finir votre méditation, soit vous décidez que ces questions sont sans importance et vous n'y pensez plus. Souvenez-vous seulement qu'avec la pratique la relaxation deviendra de plus en plus facile, et ramenez doucement votre attention vers les instructions de votre ami ou de la cassette.

ANNEXE

Visualisation dirigée

Un ami, un parent ou un thérapeute sera votre guide si vous ne l'êtes pas vous-même. Voici quelques exemples de visualisation qu'il vous sera facile d'adapter à votre cas particulier. Faites dire le texte par quelqu'un en qui vous avez confiance ou faites-en vous-même un enregistrement que vous écouterez en méditant. Parlez lentement, pas trop fort, en articulant bien, et faites des pauses suffisamment longues pour profiter de l'image visualisée. Les pauses que j'ai indiquées sont de quinze à vingt secondes et de trente à soixante secondes pour les plus longues. Mais c'est un minimum. Vous pouvez vous arrêter davantage et vous n'êtes pas tout le temps obligé d'écouter la voix. Vous aurez peut-être vos propres images à visualiser. Voici pourtant quelques suggestions :

1. Vous allez à un bal masqué.
2. Vous faites partie d'un cirque.
3. Vous avancez dans un tunnel obscur puis vous sortez dans la lumière et ceux que vous aimez sont là, heureux de vous accueillir.
4. Vous vous accrochez, puis vous lâchez prise, physiquement et psychologiquement.
5. Vous êtes un enfant triste ou heureux, voyez comment l'adulte que vous êtes réagit devant cet enfant.
6. Vous réussissez dans la carrière que vous avez choisie. Voyez tout ce que cela signifie pour vous.
7. Vous affrontez les craintes ou les choix de votre présent actuel et tout se passe très bien.
8. Vous jouez la comédie sur scène, devant un public. Voyez ses réactions.
9. Vous flottez dans une eau qui guérit.
10. Vous êtes en train de ramer avec d'autres, qui vous aiment et s'organisent pour vous soutenir.
11. Vous trouvez un message ou un cadeau au fond d'une mare.
12. Vous renaissez.
13. Vous tissez l'étoffe de votre vie

La liste est infinie, et votre inconscient sera toujours votre meilleur thérapeute.

Chaque séance peut commencer par ou être accompagnée de musique, de bruits naturels (cris d'oiseaux, ressac de la mer) qui vous aideront à vous détendre. Mais ne mettez pas le son trop fort, cela distrairait votre attention. Si vous désirez enregistrer une cassette de méditation avec une musique de fond, il vous faudra deux magnétophones ; un pour passer la musique que vous aurez choisie, l'autre pour enregistrer voix et musique.

Les séances de méditation prennent du temps mais sont un message de vie pour votre organisme. Vous les méritez. Je recommande à mes patients d'en faire trois ou quatre par jour et de faire aussi trois ou quatre fois quinze minutes de relaxation. Les bénéfices de cette discipline se feront sentir au bout de quelques heures et vous disposerez d'une réserve d'énergie et de calme pour affronter les difficultés quotidiennes. L'idéal serait de passer ses journées dans une sorte d'état de transe, de parfaite sérénité, comme cette patiente qui me disait : « Je médite toute la journée. En lavant la vaisselle, je vois mon cancer lavé de mon corps ; en me promenant, s'il y a du vent mon cancer s'envole avec lui. » Tous les actes de sa vie étaient associés à la guérison.

Vous aurez peut-être besoin, au début, d'un hypnothérapeute si vous n'arrivez pas à atteindre l'état de relaxation profonde. Mais, quelle que soit la personne qui s'occupe de vous, médecin, conseiller, thérapeute ou vous-même, il faudra qu'elle insiste sur les aspects liés à votre sens dominant. Autrement dit, pour celui qui a surtout un rapport visuel au monde, l'imagerie sera composée d'éléments visuels — la forme, la couleur, la beauté d'une rose. Pour celui qui est plutôt auditif, comme le sont les musiciens, les instructions devront privilégier l'ouïe — l'abeille bourdonnant au cœur de la rose. Les sensibles du nez insisteront sur l'aspect olfactif des images — le parfum de la rose. Enfin, ceux qui aiment toucher, palper, caresser, s'intéresseront davantage à la texture soyeuse des pétales de la rose.

Souvenez-vous que vous n'êtes pas obligé de suivre les instructions de la voix. Si votre mental vous a suggéré une image, contemplez-la tranquillement et laissez tourner la bande. Vous reprendrez le fil de la séance plus tard.

Les malades qui veulent visualiser la guérison de leur maladie, alors que les résultats de leurs analyses prouvent qu'elle s'aggrave, éprouvent souvent de la difficulté à se concentrer, quand ils n'ont pas l'impression de se mentir. L'essentiel pour eux, c'est de se rappeler qu'il n'y a pas de contradiction entre le fait de voir clairement ce qu'on espère — l'avenir — et l'acceptation de ce qui est — le présent. Plus vous visualiserez en détail l'avenir désiré, plus il aura des chances de se réaliser.

Visualisation 1

Prenez une position confortable. Évitez de croiser les jambes ou les mains. Commencez par prendre conscience de votre respiration, du mouvement de votre poitrine et de votre ventre quand vous respirez profondément. Répétez un mot comme « paix » ou « détente » avec chaque expiration si cela peut vous aider. Sentez la paix vous envahir et la tension vous quitter à chaque respiration. La musique, la voix et les bruits de la pièce vous aideront aussi à vous détendre. Quand vous êtes prêt, ouvrez grands les yeux, puis refermez-les doucement. Vous pouvez aussi méditer les yeux ouverts. Effacez le tableau de votre mental et sentez-vous de l'intérieur. Vous pouvez aussi imaginer qu'une vague de paix descend en vous, dénouant toutes vos tensions sur son passage : les mâchoires, la nuque et les épaules puis la poitrine et l'abdomen, avant d'atteindre vos extrémités. Votre corps vous paraît lourd et chaud — vous ressentez peut-être des picotements. Donnez une couleur à cette vague et laissez-la vous apaiser. /Pause/

Maintenant, avec les yeux de l'esprit, représentez-vous un décor agréable. Ce sera votre petit coin d'univers à vous, votre jardin secret au milieu du néant. Mettez-y toutes les couleurs, les matières, les senteurs et les sonorités que vous avez envie d'y trouver. Vous vous y sentez parfaitement bien et en sécurité. C'est chez vous. Prenez le temps de choisir l'endroit où vous allez vous asseoir ou vous allonger. S'il y a une maladie en vous, j'aimerais que vous voyiez votre traitement et votre système immunitaire en train d'éliminer la maladie de votre corps. S'il n'y a pas de maladie en vous, voyez simplement la vigueur de votre organisme. Voyez votre santé retrouvée et voyez la personne que vous voulez devenir. Prenez le temps de vous sentir bien. /Longue pause/

Quand vous aurez terminé cette phase d'auto-guérison, je veux que vous suiviez à nouveau ma voix et que vous construisiez un pont entre votre coin d'univers et le mien. De part et d'autre du pont, un sentier. Regardez le pont que vous avez construit et voyez comment il est fait. Ensuite, prenez le sentier. Il est couvert de petit gravier dont vous sentez la douceur sous vos pieds. Le soleil brille à travers le feuillage des arbres. Prenez le sentier avec moi. S'il se divise, prenez à droite. Chaque fois que vous devrez tourner, tournez à droite.

Devant vous, vous voyez cinq marches. A chaque marche que vous descendrez, vous vous sentirez plus détendu, plus calme. Puis vous verrez devant vous, à droite, un magnifique jardin. Entrez dans ce jardin. Humez toutes ses odeurs, touchez un pétale de fleur par-ci, par-là. Voyez la beauté. Vous entendez peut-être un oiseau ou un petit animal. Cueillez une fleur et observez sa singularité, sa beauté. Voyez comme elle ressemble à votre singularité, à votre beauté. /Pause/

J'aimerais ensuite que vous vous imaginiez devenu graine. Je vais vous planter dans un terreau meuble et tiède, à quelques centimètres de profondeur. Vous sentez l'humidité de la terre et la chaleur du soleil sur vous. Je veux maintenant que vous poussiez et que vous vous épanouissiez. Sortez de la graine et voyez-vous monter, grandir, pousser, un bourgeon, une fleur. Vous vous épanouissez. Regardez. /Longue pause/

Quand vous êtes devenu cette belle fleur, trouvez en vous un endroit où la garder. Elle fait partie de vous, maintenant.

Ensuite, j'aimerais que vous me suiviez à nouveau sur le sentier. Devant vous, un énorme ballon captif aux couleurs d'arc-en-ciel, avec sa nacelle. Je veux que vous montiez dans la nacelle et que vous détachiez le ballon. Il n'y a rien à craindre — c'est sans danger. Il va s'élever doucement, passer à travers les nuages, croiser des oiseaux. Tous les sons que vous entendez vous détendent, vous apaisent. /Pause/

Vous vous élevez encore, jusqu'à pouvoir contempler la Terre, la planète Terre flottant dans l'espace. A cette vision, un sentiment de paix vous envahit. Vous trouvez dans la nacelle un carnet et un stylo, et vous y notez tout ce qui vous préoccupe, vos chagrins, vos soucis, vos conflits. /Pause/

Puis vous prenez ce papier, vous le chiffonnez et vous le jetez par-dessus bord. Appréciez la sensation de légèreté, d'aisance qui est la vôtre depuis que vous vous êtes débarrassé de vos problèmes. Prenez un moment pour profiter pleinement de cette liberté. Vous flottez, paisible, libéré de tout souci, léger. /Longue pause/

Ensuite, vous pouvez recommencer à entendre ma voix et amorcer votre descente. Vous perdez lentement de l'altitude, vous vous rapprochez de la Terre et vous vous posez à votre point de départ. Faites attention en descendant de la nacelle, vous êtes complètement détendu. Maintenant, je voudrais que vous vous allongiez dans une prairie, au bord du sentier. Emplissez votre corps d'amour avec chaque inspiration. Ouvrez chacune de vos cellules et insufflez-leur de l'amour. /Pause/

Sortez de votre corps, éloignez-vous un peu et regardez-vous. Donnez-vous tout l'amour, toute la tendresse que vous méritez. Puis, revenez en vous-même. Écoutez votre corps — circulez parmi vos organes et écoutez chacun d'eux. Que vous dit-il ? Quelle musique fait-il ? Êtes-vous en harmonie ? Si certaines parties de votre corps ne sont pas en harmonie, donnez-leur un supplément d'amour. Ouvrez toutes vos cellules à l'amour. Voyez si vous pouvez créer en vous l'harmonie qui peut vous guérir. Si vous découvrez des points douloureux, des endroits auxquels vous ne prêtez jamais attention, donnez-leur une mesure supplémentaire d'amour. /Longue pause/

Laissez maintenant votre corps reprendre progressivement conscience de lui-même. Remarquez dans quelle position vous êtes, sentez la pression de la chaise ou du lit, le mouvement de votre poitrine pendant que vous respirez. Cette conscience va peu à peu s'étendre à la pièce où vous êtes. Remuez peut-être les doigts et les orteils.

Puis, quand ma voix s'arrêtera, comptez sept à dix respirations, sentez-vous plus léger, plus éveillé, plus alerte à chaque inspiration, tout en restant très calme. Après la dernière expiration, ouvrez les yeux et revenez dans la pièce dès que vous serez prêt. Commencez maintenant.

Visualisation 2

Prenez une position confortable. Oubliez vos soucis, détendez-vous, laissez-vous aller. Pensez « Paix ». A chaque inspiration, emplissez-vous de paix. A chaque expiration, vous pouvez visualiser un bel arc-en-ciel. Détendez-vous. Laissez maintenant la grande vague colorée monter en vous, vous parcourir, vous inonder de paix. Fermez les yeux si vous préférez. Prenez le temps de vous sentir plein d'amour et de paix, dans chaque recoin de votre corps. N'oubliez surtout pas les parties ou les organes qui sont concernés par votre maladie. /Longue pause/

Quand vous aurez fini, transportez-vous dans votre coin d'univers, cet endroit si joli, si vivant avec ses parfums, ses matières, ses bruits et ses couleurs familiers. Installez-vous. Prenez un moment pour laisser la chaleur du soleil et l'énergie de la terre vous pénétrer, vous guérir. Vous êtes parfaitement calme et serein. Imaginez maintenant que vous êtes dans un ascenseur qui descend, qui descend, et à chaque étage vous vous sentez de plus en plus détendu. /Longue pause/

Puis, j'aimerais que vous construisiez à nouveau ce pont vers mon coin de l'univers, où vivent tous les gens que vous connaissez, tous ceux que vous êtes amené à rencontrer. Je voudrais que vous les invitiez à passer le pont, ceux que vous aimez, ceux avec lesquels vous êtes en conflit, ceux qui vous déplaisent. Faites-les tous venir dans votre coin de l'univers. Voici qu'ils sont tous ensemble. Faites qu'ils se touchent, qu'ils s'embrassent, qu'ils communiquent et dites : « Je vous aime. » Observez la transformation. /Longue pause/

Maintenant, vous pouvez les laisser. Suivez ma voix. Je vais vous faire repasser le pont, reprendre le sentier. Vous sentez à nouveau le gravier crisser sous vos pas, vous voyez le soleil et les prairies. /Pause/

Vous vous retrouvez devant les cinq marches et vous les descendez en vous relaxant un peu plus à chacune. /Pause/

Vous apercevez, devant vous, un énorme panneau ; à côté, des boîtes de peinture et des pinceaux. Le panneau est vierge. De l'autre côté du sentier, une énorme pierre, un marteau et des burins. Je voudrais que vous laissiez un message — peint sur le panneau ou gravé dans la pierre — pour tous ceux qui viendront ici après vous. Prenez le temps d'écrire ce message./Longue pause/

Quand vous aurez fini, revenez sur le sentier. Devant vous, vous verrez une énorme vieille maison où je voudrais que vous entriez. Dans la pièce principale, vous trouvez un fauteuil-relax. je vous propose de vous y étendre. Voyez-vous dans ce fauteuil, complètement détendu, profondément paisible. /Pause/

Dans cet état de détente, je voudrais maintenant que vous visitiez la maison parce que dans l'une des pièces se trouve un coffre, et dans ce coffre, un message ou un cadeau vous attend. C'est votre coffre, explorez la maison pour le découvrir et prendre le cadeau ou le message qui vous est destiné. /Longue pause/

Cela fait, je voudrais que vous retourniez dans la pièce principale et que vous vous allongiez à nouveau dans le fauteuil-relax. Là, vous allez prendre le temps d'explorer toutes les chambres, tous les corridors de votre esprit, de votre cerveau. Vous trouverez une pièce qui correspond à votre système immunitaire, une autre qui correspond à votre circulation, une autre à l'émotion, etc. /Pause/

Si vous avez une maladie, j'aimerais que vous alliez dans les pièces du système immunitaire et de la circulation. Là, vous trouverez un bouton, enfoncez-le; un interrupteur, tournez-le, de façon à ce que toute maladie en vous soit guérie parce qu'elle cessera d'être alimentée. Pensez au bien que vous faites à votre corps grâce à ces boutons. /Longue pause/

Quand vous aurez terminé — vous pouvez bien entendu vous attarder aussi longtemps que vous le désirez —, revenez sur le sentier. En marchant, vous apercevrez, loin de vous, une très brillante lumière blanc-jaune. Vous voyez maintenant une silhouette sortir de cette lumière. Elle s'approche et vous distinguez mieux son apparence. Finalement, elle est assez près de vous pour que vous lui demandiez son nom. Elle vous le dit et vous savez qu'il ou elle est votre guide, quelqu'un à qui vous pourrez faire appel en toute circonstance. /Pause/

Asseyez-vous un moment avec votre guide sur le bord du sentier, questionnez-le sur un problème qui vous préoccupe et voyez quel conseil il vous donne. /Longue pause/

Une fois l'entretien terminé, je voudrais que vous recommenciez à me suivre — mais vous pouvez vous attarder avec votre guide. Sachez que vous pouvez toujours compter sur lui. Dès que vous aurez fini, suivez-moi. Nous montons sur une colline. De l'autre côté, vous apercevez une plage. Il y a quelques mouettes qui planent, de belles grandes vagues, du sable blanc et chaud. Je veux vous apprendre à voler comme les mouettes. Mais auparavant, je veux que vous pensiez à vos problèmes, que vous leur donniez un poids et que vous les preniez sur votre dos. Ensuite faites deux pas et, au troisième, prenez votre élan et sautez. Vous volerez. Un... Deux... Trois... ça y est, vous volez. Sentez le poids de vos problèmes sur votre dos. Ensuite, virez sur l'aile et laissez-les tomber. Sentez maintenant la différence. Vous volez plus légèrement, plus librement. Vous êtes bien. Laissez le soleil vous réchauffer, laissez le vent vous porter et vous guérir, sans effort. A partir de maintenant, chaque fois que vous serez angoissé, souvenez-vous de cette sensation de légèreté et de liberté que donne le vol, quand vous n'êtes plus alourdi par vos soucis. Il suffit d'arrondir le dos pour qu'ils glissent et soient entraînés par leur propre poids. /Longue pause/

Ensuite, laissez-vous doucement descendre et reprenez pied sur la plage. Allongez-vous. Laissez l'énergie de la Terre et la chaleur du Soleil vous pénétrer, vous faire du bien. Prenez un moment pour ouvrir à nouveau tout votre corps à l'amour. Ouvrez chacune de vos cellules, chacun de vos organes. Soyez musique, harmonie, beauté. Donnez à chaque partie de vous-même l'amour et l'affection qu'elle mérite. /Longue pause/

Maintenant, laissez votre conscience du présent revenir doucement. Vous sentez le siège où vous êtes assis, vos pieds sur le sol. Faites remuer vos pieds, vos mains, chaque partie de votre corps pour la réveiller en douceur. Vous vous sentez alerte, bien dans votre peau, apaisé. Avant de reprendre vos activités, faites une dizaine de respirations profondes et sentez que chacune vous réveille et vous vivifie. A la dernière, vous ouvrirez les yeux et vous reviendrez dans la pièce.

Commencez maintenant.

BIBLIOGRAPHIE

Achterberg, Jeanne, et G. Frank Lawlis. *Imagery of Disease*. Institute for Personality and Ability Testing, Champaign, Ill. 61820, 1978.
Ader, Robert, ed. *Psychoneuroimmunology*. Academic Press, New York, 1981.
Alexander, Franz. *Psychosomatic Medicine*. Norton, New York, 1965. *La médecine psychosomatique* (Petite Bibliothèque Payot).
Bennett, Hal et Mike Samuels. *The Well Body Book*. Random House, New York, 1973.
Benson, Herbert. *The Mind-Body Effect*. Simon & Schuster, New York, 1979; Berkeley, New York, 1980.
Bresler, David E. et Richard Trubo. *Free Yourself from Pain*. Simon & Schuster, New York, 1979.
Breznitz, Shlomo, ed. *The Denial of Stress*. International Universities Press, New York, 1984.
Bry, Adelaide et Marjorie Blair. *Directing the Movies of Your Mind*. Harper & Row, New York, 1978.
Buscaglia, Leo. *Love*. Charles B. Slack, 6900 Grove Road, Thorofare N.J. 08086, 1972; Fawcett Crest/Ballantine, New York, 1982. *S'aimer ou le défi des relations humaines*, Le jour, 1986.
Capra, Fritiof. *Le Tao de la physique*. Nouv. Éd. Sand Tchou.
Cousins, Norman. *La volonté de guérir*. Seuil, 1980.
Dowling, Colette. *Le complexe de Cendrillon*. Grasset Fasquelle, 1982.
Evans, Elida. *A Psychological Study of Cancer*. Dodd, Mead, New York, 1926.
Faraday, Ann. *Dream Power*. Berkeley, New York, 1973.
Fosshage, James L., et Paul Olsen. *Healing : Implications for Psychotherapy*. Human Sciences Press, New York, 1978.
Fox, Emmet. *The Sermon on the Mount*. Harper & Row, New York, 1938. *Le Sermon sur la montagne*. Astra.

Frankl, Viktor. *Man's Search for Meaning*. Pocket Books, New York, 1959, 1980. *Un psychiatre déporté témoigne*. Chalet.

Garfield, Charles, ed. *Psychosocial Care of the Dying Patient*. McGraw-Hill, New York, 1978.

Garfield, Patricia. *Creative Dreaming*. Simon & Schuster, New York, 1974 ; Ballantine, New York, 1976.

Glassman, Judith. *The Cancer survivors : And How They Did It*. Doubleday, New York, 1983.

Green, Elmer, et Alyce Green. *Beyond Biofeedback*. Delacorte Press, New York, 1977.

Harris, Thomas A. *D'accord avec soi et les autres : guide pratique d'analyse transactionnelle*. Épi, 1984.

Hutschnecker, Arnold. *La volonté de vivre*. Robert Laffont, 1954.

James, Muriel et Dorothy Jongeward. *Naître gagnant*. Inter éditions, 1978.

Jampolsky, Gerald. *Love Is Letting Go of Fear*. Celestial Arts, 231 Adrian Road, Millbrae, Ca. 94030, 1979. *Teach Only Love : The Seven Principles of Attitudinal Healing*. Bantam, New York, 1983. *There Is a Rainbow Behind Every Dark Cloud*. Celestial Arts, Berkeley, CA, 1978.

Johnson, Robert A. *He: Understanding Masculine Psychology*. Harper & Row, New York, 1977. *She: Understanding Feminine Psychology*. Harper & Row, New York, 1977.

Jung, Carl G. *L'homme et ses symboles*. Robert Laffont, 1964. *Ma vie. Souvenirs, rêves et pensées*. Coll. Témoins/Gallimard. NRF. *Problèmes de l'âme moderne*. Buchet Chastel, 1960.

Kaufman, Barry N. *To Love Is to Be Happy With*. Fawcett, Greenwich, Conn., 1978.

Keleman, Stanley. *Living Your Dying*. Random House, New York, 1976.

Koller, Alice. *An Unknown Woman : A Journey to Self-Discovery*. Holt, Rinehart & Winston, New York, 1982.

Kruger, Helen. *Other Healers, Other Cures*. Bobbs-Merrill, Indianapolis, 1974.

Kübler-Ross, Elisabeth. *Derniers instants de la vie*. Labor et Fides, 1975. *La mort : dernière étape de la croissance*. Rocher, 1985. *Vivre avec la mort et les mourants*. Tricorne, 1984.

Kushner, Harold S. *Pourquoi le malheur frappe ceux qui ne le méritent pas*. Sand : Primeur.

Lair, Jess. *I Ain't Much, Baby, But I'm All I've Got*. Fawcett, Greenwich, Conn., 1978.

Landorf, Joyce. *Irregular People*. Word Books, Waco, TX, 1982.

Lappé, Frances Moore. *Diet for a Small Planet*. Random House, New York, 1971 ; Ballantine, New York, 1975.

Leonard, Jonathan N., J. L. Hofer, et Nathan Pritikin. *Live Longer Now : The First One Hundred Years of Your Life*. Grosset & Dunlap, New York, 1974.

LeShan, Lawrence L. *Vous pouvez lutter pour votre vie : les facteurs psychiques dans l'origine du cancer*. Robert Laffont, 1982. *How to Meditate*. Little, Brown, Boston, 1974 ; Bantam, New York, 1975.

Lewis, Howard et Martha E. Lewis. *Psychosomatics: How Your Emotions Can Damage Your Health*. Viking, New York, 1972.

Lingerman, Hal. *The Healing Energies of Music*. Theosophical Publishing House, Wheaton, Ill., 1983.

Locke, Steven et Mady Hornig-Rohan. *Mind and Immunity*. Institute for the Advancement of Health, New York, 1983.

Matarazzo, J. D., et al. (eds). *Behavioral Health*. John Wiley, New York, 1984.

Monroe, Robert. *Le voyage hors du corps*. Garancière, 1986.

Moody, Raymond A., Jr. *La vie après la vie*. Robert Laffont, 1977.

Müller, Robert. *Au bonheur, à la paix, à l'amour*. Pierron, 1985.

Nouwen, Henri. *Le chemin du départ : solitude et vie apostolique*. Cerf, 1985. *Les mains ouvertes*. Cerf, 1982. *Genesee Diary: Report from a Trappist Monastery*. Doubleday, New York, 1981.

Ornstein, Robert E. *The Psychology of Consciousness*. 1re édition, W. H. Freeman, San Francisco, 1972 ; 2e édition, Harcourt Brace Jovanovich, New York, 1977.

Oyle, Irving. *The Healing Mind*. Pocket Books, New York, 1975. *Time, Space & the Mind*. Celestial Arts, Berkeley, 1976.

Pelletier, Kenneth R. *Mind as Healer, Mind as Slayer*. Delacorte, New York, 1977 ; Delta, 1978. *Toward a Science of Consciousness*. Delacorte Press, New York, 1978. *La médecine holistique : médecine totale, du stress au bonheur de vivre*. Rocher, 1982.

Progoff, Ira. *The Well and the Cathedral*. 2e éd. Dialogue House Library, 80 E. 11th St., New York, N.Y. 10003, 1981.
At a Journal Workshop: The Basic Text and Guide for Using the Intensive Journal. Dialogue House Library, 80 E. 11th St., New York, N.Y. 10003, 1981. *Le journal intime intensif*. Homme, 1984.

Ritchie, George G. et Elizabeth Sherrill. *Retour de l'au-delà*. Robert Laffont, 1986.

Rush, Anne K. *Getting Clear*. Random House, New York, 1973.

Samuels, Mike, et Nancy Samuels. *Seeing with the Mind's Eye*. Random House, New York, 1975.

Satir, Virginia M. *Peoplemaking*. Science & Behavior Books, P.O. Box 60519, Palo Alto, Ca. 94306, 1972.

Schucman, Helen. *A Course in Miracles*. Foundation for Inner Peace, Tiburon, Ca., 1976.

Selye, Hans. *Le stress de la vie*. Gallimard, 1975.

Shealy, C. Norman. *The Pain Game*. Celestial Arts, Berkeley, 1976.

Simonton, O. Carl, Stephanie Matthews-Simonton, et James Creighton. *Guérir envers et contre tout*. Épi, 1982.
Schutz, Will. *Profound Simplicity*. Bantam, New York, 1979.
Soljenitsyne, Alexandre. *Le Pavillon des cancéreux*. Julliard, 1968.
Sveinson, Kelly. *Learning to Live with Cancer*. St. Martin's Press, New York, 1977.
Tache, J., et al. (eds.). *Cancer, Stress and Death*. Plenum Press, New York, 1979.
Totman, Richard. *Social Causes of Illness*. Pantheon, New York, 1979.
Ward, Milton. *The Brilliant Function of Pain*. Optimus Books, Plaza Hotel, New York, et CSA Press, Lakemont, Ga. 30552.

Les dossiers et références médicales de tous les cas cités sont disponibles pour toute vérification.

CRÉDITS COPYRIGHT

Extrait de *The Art of Spirit* by Robert Henri (J.B. Lippincott). © 1923 by Harper & Row Publishers, Inc., renouvelé en 1935 par Videt Organ.

Extrait de *Le Sermon sur la montagne* de Emmet Fox. © Astra.

Extraits de *The Way of Response* de Martin Buber. © 1966 Schocken Book Inc.

Extrait de *Je et Tu* de Martin Buber. © 1981, Aubier Montaigne.

Le poème « Grandmother, When Your Child Died », de Joan Neet Geoye in *The Last Dance*, Lynne A. Despelder et Albert L. Strickland, 1983. Avec l'aimable autorisation de Joan Neet George.

Extrait de « Why we do this Work » de Susan Bach. Avec l'aimable autorisation de Psychosomatische Medezin.

Extrait de *Psychologie et Religion* de C.G. Jung. Buchet Chastel, 1975.

Extrait de *La volonté de guérir* de Norman Cousins. © Le Seuil, 1980.

Extrait des *Œuvres complètes de Platon*. Gallimard 1940, La Pléiade.

Extrait du *Pavillon des cancéreux* d'Alexandre Soljénitsyne. Julliard, 1968.

Extrait d'articles du Dr Bruno Klopper dans le *Journal of Projective Technique*, vol. 21, pages 331-340. 1957. Avec l'aimable autorisation de *Journal of Personality Assessment*.

Extrait du récit de Hans Selye publié dans le numéro d'octobre-novembre 1978 de *Modern Maturity*. © 1978 by American Association of Retired Persons. Avec l'aimable autorisation de *Modern Maturity*.

La liste des caractéristiques des Survivants du Dr Lawrence A. Siebert est extraite de « The Survivor Personality », présenté à la Convention de l'Association occidentale de psychologie en avril 1983. Avec l'aimable autorisation de l'auteur.

Extrait de *Retour de l'au-delà* du Dr George G. Ritchie. © 1978 George Ritchie. Avec l'aimable autorisation de Zondervan Publishing House.

Description d'un patient par le Dr W.C. Ellerbroek, extraite de *Medicine and the Mind*, de David Brock, publié dans le numéro d'avril 1980 de *Playboy Magazine*. © 1980, Playboy. Avec l'aimable autorisation de *Playboy Magazine*.

Extrait du *Pont de San Luis* de Thornton Wilder. © Albin-Michel.

Extrait de *Mortal Lessons* de Richard Selzer. © 1974-1975-1976, Richard Selzer. Avec l'aimable autorisation de Simon et Schuster Inc.

Extrait de *Guérir envers et contre tout* du Dr Carl O Simonton et James Creighton. © Épi, 1982.

Extrait de *Problèmes de l'âme moderne* de C.G. Jung. © Buchet-Chastel, 1960.

Extrait de *Cancer in Myth and Dream* de Russel A. Lockhart dans *Spring* 1977 et dans *Words as Eggs, Psyche in Language and Clinic* de Russel Lockhart (Dallas : Spring Publications Inc. 1983). Reproduit avec l'autorisation de Collins Publishers Limited, Londres.

Extrait de *Spontaneous Paintings of Severely Ill Patients* de Susan Bach. Documenta Geigny. Avec l'aimable autorisation de Ciba-Geigy, Bâle, Limited.

Extrait de *La Méduse et l'Escargot* de Lewis Thomas. © Belfond, 1980.

Extrait de *Grow or Die : The Unifiying Principe of Transformation* de George T. Lock Land. © 1973, George T Lock Land.

Extraits de *Poésies choisies* de W.H. Auden, Gallimard, 1976.

Extrait du *Docteur Jivago* de Boris Pasternak, Gallimard, 1972.

Extrait de *Lettres à un jeune poète* de R.M. Rilke, Grasset & Fasquelle, 1984.

Extraits de *Memories Dreams Reflections* de C.G. Jung. © 1963 Pantheon Dooks, Inc. Avec l'aimable autorisation de Alfred A. Knop Inc.

Le poème *Sitting with Pa* de Juli et Burch est reproduit avec l'aimable autorisation de l'auteur.

Extrait de *There is a Rainbow Behind Every Dard Cloud* de Jerry Jampolsky, 1978. Avec l'aimable autorisation de Celestial Arts, Berkeley-Cal.

TABLE DES MATIÈRES

Aubin Imprimeur
LIGUGÉ, POITIERS

IMPRESSION – FINITION

Achevé d'imprimer en septembre 1994
N° d'édition 35719 / N° d'impression L 46353
Dépôt légal février 1989
Imprimé en France

17 2-3
18 3-4-5
209
218
227
229 à 237